만주 6000km

# 만주

## 6000km

박영희의
항일 역사 기행

박영희 글·사진

삶창

만주 6000km

연길
용정
도문
화룡
량수·훈춘
동녕 삼차구
수분하·목릉
밀산
목단강
해림
동경성 발해

여순
대련
심양
단동
집안
유하
길림
장춘
흑하·치치하얼
하얼빈

● 울란바토르

러시아

몽골

내몽골자치구

북경
●

신서성

하북성

산둥성

만

러시아

블라고베셴스크

흑하

흑룡강성

치치하얼

달네레첸스크

하얼빈

밀산

해림  목단강

포그라니치니

목릉  수분하

장춘

동경성  폴타브카

길림

동녕

길림성

도문

요녕성

연길  량수

심양

화룡  용정  훈춘

유하

집안

단동

대련

여순

# 다시 쓰는
# 만주 기행

— 여행도 일이다

"만주 간다."

이 말을 처음 들은 건 초등학교 4학년 무렵이었다. 광복절 특집극에 단골 메뉴로 등장했다. 어린 눈에도 만주는 긴장감이 넘치는, 매우 흥미로운 공간이었다. 항일투사와 일본 경찰 사이에 밀정이 끼어 숨가쁜 각축전이 벌어지곤 했다.

'만주로 이주, 만주로 망명'도 호기심을 자극했다. 2004년 겨울 드디어 기회가 찾아왔다. 만주에 도착한 나는 중국 길림성 훈춘시에 여장을 풀었다. 모 시민단체에서 일본군 '위안부' 피해자 할머니의 전기를 써달라는 청탁과 함께 떠난 길이었다. 가장 큰 장애물은 추위였다. 러시아와 국경을 접한 훈춘의 평균기온은 영하 15~22도. 처음 겪는 추위치고는 너무 매서웠다.

"저거이 어데 외투 깃만 치켜세운다고 물러설 추위가. 여기선 말입지, 고저 소 힘줄에 흰술 마시는 법부터 배워야 한다니. 똥집이 든든

해야 십 리도 가고 백 리 길도 일없단 말이지."

원주민들의 말은 옳았다. 시베리아에서 건너온 혹한의 추위를 이겨내려면 수수로 빚은 흰술(白酒)이 보약이었다.


한반도 동해와 가까운 훈춘에서 한 달가량 머문 뒤, 만주 여행길에 올랐다. 헤이그 밀사 이상설은 안중근을, 항일 명장 홍범도는 안창호를, 아나키스트 이회영은 한용운과 김종진을, 북로군정서를 창설한 서일은 김좌진과 이범석을, 만주벌 호랑이 김동삼은 남자현을, 의열단 김원봉은 이육사와 김산을 불러들였다. 아, 만주가 이런 곳이었구나! 아무라도 한 사람만 찾아가면 점조직처럼 수십 명을 만날 수 있었다. 그리고 만주는 무엇보다 장총으로 무장한 독립군이 항일 전쟁을 펼친 자긍심의 무대였다. 독립운동사에 이마저 없다면 얼마나 부끄러운 자화상인가.

만주는 또 고구려와 발해가 태어난 곳이다. 그 중심에 백두산이 자리했다. 고구려와 발해를 건국한 길림성은 두만강 유역에, 안중근이 이토 히로부미를 저격한 흑룡강성은 송화강 유역에, 항일투사들의 망명 루트였던 요녕성은 압록강 유역에 자리하고 있다. 23개의 성(省)과 4개의 직할시, 5개의 자치구로 구성된 중국은 만주를 '동북3성'으로 분류했다.


한반도 면적의 세 배가 넘는 만주는 땅이 넓고 국경이 자유로운 편이다. 만주 최남단 대련에서 내몽골 만주리(26시간)를 가려면 기차에서 다섯 끼를 먹어야 하고, 만주 횡단 시발역인 만주리에서 러시아 접경지역 수분하(24시간)를 가려면 네 끼를 먹어야 한다. 나는 두 개의 구간(흑하에서 대련, 단동에서 용정)을 더 여행하고 나서야 만주의 지도를 어렴풋이 그릴 수 있었다.

1억1000만 명의 인구를 가진 만주는 국경을 넘는 일도 매우 흥미로운 여행 중 하나다. 만주에서 가장 가까운 러시아(포그라니치니 Пограничный)는 수분하역에서 기차를 타면 당일치기로 다녀올 수 있다. 연길에서 베이징을 경유해 몽골 울란바토르(Улаанбаатар)까지는 기차로 54시간이 소요되었다. 14개 국가와 국경을 맞대고 있는 중국은 국경선 길이만 2만 km가 넘는다.

만주 사람들은 다소 거친 억양에 성미가 급한 편이다. 비위에 거슬리면 머리부터 들이댄다. 이른바 북방 기질이다. 반대로 만주는 모든 게 느리다. 기차도 느리고, 검표도 느리고, 밥 나오는 것도 느리고, 계산도 느리다. 서두르는 사람이 오히려 이상할 정도다. 만만디(慢慢的)가 되어간다는 건 그처럼 여유로운 아침이 기다리고 있었다. 속도를 늦출수록 여행은 더 풍요로워졌다.


만주를 드나든 지 3년째 되는 해였다.『만주를 가다』(삶창)를 시작으로『만주의 아이들』(문학동네),『해외에 계신 동포 여러분』(삶창),『하얼빈 할빈 하르빈』(아시아),『두만강 중학교』(작은숲),『안중근과 걷다』(숨쉬는책공장) 등 만주 관련 책을 2~3년 주기로 펴냈다. 마음에 걸렸던 책은 2007년 펴낸『만주를 가다』였다. 개정·보완할 것인가,

새롭게 다시 쓸 것인가? 고속열차가 개통되면서 만주도 하루가 다르게 변해갔다. 하얼빈 역사(驛舍)에 들어선 '안중근기념관'만 하더라도 벌써 세 번째 자리를 옮겼다.

해방 전 만주국 지도와 중국 지도를 벽에 나란히 걸어두었다. 한 달 여쯤 지나자 만주의 길목들이 하나둘 책상으로 모여들었다. 모든 역사는 완성을 만들어가는 글의 초고이자 각주라고 했던가. 십여 년 넘게 여행한 만주 이야기를 다시 쓰면서 겨울을 씨줄로 삼은 건 네 계절 중에서 겨울이 가장 만주(滿洲)다웠기 때문이다. 만주 여행은 눈 내리는 겨울에 떠나야 광활한 벌판을 만끽할 수 있다.

한반도에서 올려다보면 만주는 부챗살 모양으로 펼쳐져 있다. 우리말 소통이 원활한 연길을 시작으로 용정, 도문, 화룡, 량수, 훈춘, 백두산, 동녕, 수분하, 목릉, 밀산, 목단강, 해림, 동경성, 하얼빈, 흑하, 치치하얼, 장춘, 길림, 유하, 집안, 단동, 심양, 대련, 여순감옥으로 이어지는 약 6000km의 여정이다. 만주 여행을 함께한 사람들과 현지의 퉁즈(同志)들, 삶창에 고마움을 전한다.

2021년 겨울 태백에서 박영희

차례

연길

•

•

延吉

# 연변

## 조선족자치주

연길 공항에 내려 손목시계의 바늘을 1시간 뒤로 돌렸다. 한국과 중국의 시차는 1시간이지만 겨울철로 접어들면 3시간 이상 앞당겨진다. 오후 4시면 일몰이 시작되고, 시외로 나가는 막차가 끊길 시간이다.

공항에서 숙소로 가는 길은 거리의 간판들이 이색적이다. 연길랭면부, 오아시스커피숍, 삼일에살까기, 홍연미발청, 식닭기수리, 고구려국부개장집, 스타일광장…. 살까기(다이어트)는 북한 사투리로, 잰페이(減肥)라는 중국어와 섞어 사용한다. 한족, 장족, 회족, 만주족, 몽골족, 위구르족, 조선족 등 56개 소수민족으로 구성된 중국은 각 지역의 특성이 간판에서 잘 드러난다. 연길 도심의 간판들은 한글은 큼직하게, 중국 간자체는 보일 듯 말 듯 쓰여 있다.

숙소를 정할 때는 가급적 번잡한 곳은 피하는 것이 좋다. 첫걸음을 잘 떼면 남은 일정도 순조롭게 이어진다. 건물은 다소 낡아 보이지만 우체국에서 운영한다는 말에 믿음이 갔다. 가방에서 여권을 꺼내 내밀자 객실도 4층 맨 끝 방을 배정해주었다.

객실에 비치된 차를 한 잔 끓여 마신 뒤 가까운 역으로 나갔다.

기차역은 방향을 익히는 데 적잖은 도움을 준다. 기차역을 기준으로 방위를 설정하면 머릿속에 작은 지도가 그려지기 때문이다. 연길

이태준 기념비

역은 1924년 일제가 간 도역으로 문을 열었던 곳이다. 조선의 갓을 상징하는 지금의 역사(驛舍)는 중국 문화대혁명 이후 새로 지었다.

2006년 겨울, 육로를 이용한 첫 국경 넘기는 연길에서 시작되었다. 연길에서 베이징(北京)은 꼬박 하루가 걸리는 먼 거리였다. 이튿날 아침 베이징역에서 몽골행 국제열차로 갈아탔다. 거대한 벌판을 백색으로 수놓은 창밖 설경에 잠시도 눈을 뗄 수 없었다. 마치 영화 속의 주인공이 된 기분이었다. 베이징에서 울란바토르까지의 하루 반이 조금도 지루하지 않았다. 도로와 강, 벌판을 가로지르는 기차 횡단은 무한한 상상력과 함께 미지의 세계를 펼쳐놓았다.

육로를 통한 국경 넘기는 모든 것이 생소했다. 날이 밝자 식당 칸은 중국 메뉴에서 몽골 메뉴로 바뀌었다. 시속 80km로 주행 중인 기차에서 중국 음식과 몽골 음식을 번갈아 즐기는 일도 나쁘지 않았다. 이태준(몽골 국민들에게 '하늘이 내린 의사'로 추앙받는 이태준은 세브란스 의학과를 졸업한 의사 출신이다. 의열단에서 비밀리에 활동한 그는 김원봉에

부르하통하

게 폭탄 제조 기술자인 마쟈르를 소개하기도 했다. 드라마 〈이몽〉에서 이태준의 활동이 방영되었다)을 만나면 즐겁게 들려주고 싶었다.

연길에서 60시간을 달려오는 동안 많은 일이 일어났다. 얼렌하오터(二连浩特)역에서 중국과 몽골의 궤도 간격이 맞지 않아 기차 바퀴를 교체하였고, 객실에서 벌어진 출입국 검사는 살풍경을 자아냈다. 중국 국경에서는 몽골인들의 여행 가방을, 몽골 국경에서는 중국인들의 여행 가방을 객실 바닥에서 샅샅이 뒤집어놓았다. 양국 관계가 그만큼 좋지 않다는 뜻이다.

두만강이 멀지 않은 연길은 조선족이 가장 많이 모여 사는 연변 지역의 중심 도시다. 1955년 12월 중국 정부는 6개 시(연길·용정·도문·화룡·훈춘·돈화)와 2개 현(왕청·안도)을 '연변조선족자치주'로 승인했다. 총인구 220만 중 조선족은 40퍼센트로, 연변 지역 어느 곳을 가더라도 우리말 소통이 가능하다.

연길 도심을 가로지르는 부르하통하(만주어는 버드나무강布尔哈通河, 중국어는 쥐즈치아오局子桥)의 발원지는 청산리전투가 벌어진 청산리 골. 해란강과 합수해 두만강으로 흘러드는 부르하통하는 서일·김좌진이 이끄는 북로군정서의 이동 경로로 활용되었다. 왕청(汪淸)에서 사관연성소 생도 졸업식을 마친 북로군정서는 부르하통하 발원지가 있는 청산리 계곡으로 진군해 들어갔다.


## 주덕해와
## 연변대학교

역전에서 출발한 공공버스는 연변대학교 뒷산 정류장에 정차했다. 우리말로 승하차를 알리는 버스에서 내려 칠팔 분쯤 걸었을까. 나뭇가지를 뒤흔드는 바람 소리가 요란했다. 주덕해 묘지는 산길을 따라 더 올라가야 했다.

연변조선족자치주 초대 주장(州長)을 지낸 주덕해의 일화는 량수(凉水)에서 만난 김금록 할머니에게 들었다.

"조선족 신분으로 살아가는 우리한테 자치주 주장님은 총통이나 매한가지고마. 기런 분이 길쎄 궁벽한 우리 집을 찾아왔지 뭡네까. 그동안 겪은 우리 집의 고난사를 듣겠다고 말입네다. 기래 주장님 면전에서 숨김없이 다 털어놨더니, 인차 생산대(生産隊)에 지시를 하지 않

주덕해 기념비

겠슴둥. 지금 살고 있는 이 집도 주장님이 하사한 거나 다름없꼬마.
우리 집의 가솔과 형편을 사실대로 고했더니 한전(밭) 조금과 이 집을
주더란 말임다."

　주덕해기념비를 세울 때 사용한 화강암 석조에 눈길이 갔다. 량수
에 사는 조선족 농민들이 채취해 건립한 특별한 기념비였다.

　1911년 러시아 연해주에서 출생한 주덕해는 여덟 살에 아버지를
여의었다.

　"어느 여름날 밤이었어요. 절름발이 괴한이 집으로 쳐들어와 다짜
고짜 소리치지 않겠어요. 소달구지로 도베아까지 실어달라고 말이죠.
수상히 여긴 아버지가 고개를 내저으며 못 한다고 하자, 중국말을 하
는 괴한이 괴춤에 숨긴 비수로 아버지를 찌른 겁니다."

　하루아침에 가장을 잃은 주덕해 가족은 급히 짐을 꾸렸다. 연해주

는 더 이상 사람 살 곳이 못 되었다.

잔뜩 기대를 안고 찾아간 아버지의 고향도 사정은 크게 다르지 않았다. 한반도를 침략한 일제는 함경북도 회령 지역에 철도를 부설하고 공장을 짓느라 농가들을 이미 강점한 상태였다. 다시 두만강을 건넌 주덕해 가족은 용정시 승지촌으로 거주지를 옮겼다.

어린 주덕해를 항일(抗日)의 길로 이끌어준 사람은 초등학교 교장 김근이었다. 궁핍한 가정에서 자란 아이치고는 성격이 활달하고 협동심이 매우 강해 보였다. 학교를 졸업한 주덕해는 교장의 주선으로 '고려공산청년회'에 가입했다. 항일운동에 뛰어든 건 동방노력자공산대학(러시아 모스크바 소재)에서 학업을 마친 뒤였다. 산시성 옌안(延安)에 있는 조선혁명군정학교에서 총무처장을 지낸 주덕해는 조선의용군 제3지대 정치위원으로 활동했다.

해방을 맞아 연길로 돌아온 주덕해는 한인 학교 설립에 온 힘을 쏟았다. 해방 전 만주로 이주한 동포들 중 고국으로 돌아간 사람은 절반에도 못 미쳤다. 바로 그들이 중국 사회에서 당당한 주체로 살아가려면 인재 양성이 시급했다. 1949년 3월 주덕해는 만주에 최초로 철학, 법학, 역사학, 교육학, 경제학, 과학, 공학 등 7개 학과를 갖춘 연변대학교를 설립했다.

"이 모든 것이 만주로 망명한 항일지사들을 보면서 배운 것입니다. 피는 꽃이 향기를 품으려면 지는 꽃의 희생이 뒤따라야 하지 않겠습니까? 나는 그저 자라나는 세대들에게 한 알의 밀알이 되고자 했을 뿐입니다."

연변대학교

　100만 한인 동포를 위한 주덕해의 행보는 베이징에서 더욱 빛을 발했다. 중국 인민정치협상회의에 조선족 대표로 참석한 주덕해는 특유의 소신 발언으로 주위를 환기시켰다.

　"일제 침략 시기 한반도에서 이주한 한인들은 만주의 척박한 땅을 개척해 옥토로 바꾸어놓았습니다. 또한 한인들은 항일운동과 중국 국공내전에서 흘린 피의 대가가 결코 적다고 할 수 없습니다. 이에 우리는 공산당 정부에 중국 국적과 토지소유권을 부여해줄 것을 강력히 건의하는 바입니다."

　그러나 아쉽게도 주덕해의 베이징 발언은 곧 묻히고 말았다. 한국전쟁이 발발한 것이다.

　연변조선족자치주 문제는 1952년에 다시 거론되었다. 한국전쟁이 소강상태로 접어들자 중국 정부는 다음과 같이 공포했다.

　"동북(만주) 지역에 거주하는 모든 조선인은 오늘부터 중국 공민증

연길

이 발급된다. 또한 조선인들은 조선 반도에서 이주한 사람들로 공식 명칭은 '차오시엔쭈(조선족)'이다."

이른 아침부터 한복 차림으로 모여든 인민광장은 눈물바다로 출렁였다. 지난 반세기를 돌아보면 설움이 북받쳤다. 일제의 침략과 지주들의 핍박을 견디지 못해 떠나온 망국의 변경(邊境) 이민자들이었다.

기쁠 때나 슬플 때나 한인 동포들은 우리의 춤과 가락을 자랑으로 여겨왔다. 요녕성 심양(沈阳)에서 열린 소수민족 경연대회에서 연변 가무단은 뜨거운 박수갈채를 받았다. 우리의 전통문화를 지속적으로 계승하고 발전시킨 주덕해의 노력이었다. 연변대학교를 설립한 주덕해는 연길에 연변예술학교를 따로 세웠다.

중국의 대약진운동이 기승을 부리고 있었다. '지방 민족주의 분자'로 분류된 주덕해는 중앙정부의 조치를 담담하게 받아들였다. 조선족을 대표하는 수장으로서, 조선족의 권위를 높이는 일은 응당 해야할 도리였다.

"여보, 당신도 나와 함께 하방(下放)할 준비를 해두는 게 좋겠소."

주덕해는 지나가는 말처럼 아내를 위로했다. 전체주의를 표방하는 국가일수록 하루아침이 가장 긴장되었다. 쥐도 새도 모르게 사라지는 경우를 종종 봐왔던 것이다.

능력에 따라 일하고 필요에 따라 분배받는 대약진운동의 실패는 문화대혁명으로 이어졌다. 연변대학교 청사에 갇힌 주덕해는 만감이 교차했다. 자신이 설립한 학교 청사에 민족주의 분자로 갇히게 될 줄이야…! 주덕해의 삶은 검소함이 그의 미덕이었다. 중앙정부에서 저

택을 마련해준다고 할 때도 주덕해는 손사래를 쳤다. 텃밭을 일구는 동포들과 오순도순 이웃하며 지내고 싶었다.

창살 없는 감옥에서 반년을 갇혀 지낸 주덕해는 후베이성 53농장으로 유배를 떠났다. 중국의 총리를 지낸 저우언라이(周恩來)가 구명에 나섰지만 문화대혁명의 불길을 피하긴 어려웠다. '지방 민족주의 분자', '북조선 스파이', '미제국(美帝國) 특무' 등 주덕해에게 씌운 누명은 자고 나면 눈덩이처럼 불어났다.

1972년 7월 3일, 200만 조선족을 대표한 주덕해의 유서에 이 한마디가 적혀 있었다.

"저는 이제 연변으로 돌아가겠습니다."

주덕해 부부가 잠든 소나무 숲에서 내려오는 길이었다. 맞은편 언덕에, 기와로 팔작지붕을 올린 혁명열사기념관이 햇빛을 받아 광채를 띠고 있었다.

산마다 진달래요(山山金蓮菜)

골마다 열사비라(村村烈士碑)

붉은 마음 나래 펴니(紅心振双翼)

연변은 궐기한다(延邊正起飛)

중국의 혁명 열사를 기리는 이 노래는 1986년 허징즈(賀敬之)가 연길을 방문했을 때 지은 시다. 산둥성 출신의 허징즈는 일찍이 항일혁명에 투신하면서 우리나라 항일투사들과도 밀접한 관계를 유지했다.

허징즈의 이름이 조선족 사회에 널리 알려진 건 그가 쓴 〈백모녀(白毛女)〉를 통해서였다. 백의민족을 뜻하는 가극 〈백모녀〉에서 허징즈는 '조선인들은 민족성이 강하고 용감한 민족'이라며 성찬을 아끼지 않았다.

'혁명열사 영생하리!'

기념관 광장 기념탑에 새긴 여덟 글자가 더욱 큼직하게 다가왔다. 건물 안에는 반가운 얼굴들도 보였다. 1978년 중국 정부로부터 명예를 회복한 주덕해를 비롯해 홍범도, 최봉설, 윤준희 등 '15만 원 탈취 사건' 자료들이 전시되어 있었다.


## 연길감옥


연길시 하남가(河南街, 중국은 방위를 '街'와 '路'로 표시한다. '街'는 남북을, '路'는 동서를 가리킨다)에 위치한 연변예술극장 자리에 감옥이 있었다는 사실을 아는 사람은 별로 많지 않다. 연길에서 나고 자란 조선족에게 물으면 금시초문이라는 대답이 돌아온다.

청산리전투를 끝으로 만주는 군벌 장줘린(張作霖)의 무대였다. 연길감옥도 그 무렵(1924년) 지어졌다. 용정에 영사관을 개설한 일제는 연길감옥을 완공하면서 항일투사들의 활동을 더욱 옥죄어 왔다. 윤동주 시인의 외숙부이자 명동중학교를 설립한 김약연도 연길감옥에 3년간 투옥되었다.

연변예술극장

연변예술극장 모퉁이에 건립한 기념비에 악보와 함께 노래가 실려 있다.

바람 세찬 남북 만주 광막한 들에
붉은 기(旗)에 폭탄 차고 싸우던 몸이
연길감옥 갇힌 뒤에 몸은 시들었어도
혁명의 붉은 피야 어찌 식으랴

간수 놈이 외치는 소리 높고
때마다 먹는 밥은 수수밥이라
밤잠은 새우잠 그리운 꿈에

나의 사랑 여러 동지 그립구나

〈연길감옥가〉는 동북항일연군으로 활동한 리진(李鎭)이 투옥 중에
만든 노래다. 스물다섯 살의 청년은 두 발에 무거운 족쇄를 차고 사형
장으로 끌려가면서 이 노래를 불렀다.

탈옥에 실패한 리진이 형장의 이슬로 사라진 뒤였다. 그가 남긴 〈연
길감옥가〉는 수감 중인 항일투사들의 심장을 뜨겁게 달구었다. 1935
년 단옷날 아침이었다. 리진의 바통을 이어받은 김명주는 분주히 움
직였다.

"오늘이 바로 파옥대(破獄隊)가 일떠설 결전의 날이다."

리진이 사형당한 후 파옥대를 결성한 김명주는 간수들이 단오절
행사에 참석한 틈을 이용해 총과 도끼를 동지들에게 나누어주었다.

탕! 탕! 탕!

일본 간수와 파옥대 사이에 총격전이 벌어졌다. 감방을 뛰쳐나온
김명주는 동지들이 갇혀 있는 문을 열어젖혔다. 열다섯 개의 감방 문
이 모두 열리자 투옥된 동지들이 우르르 쏟아져 나왔다. 시간을 확인
한 김명주는 200여 명의 동지들과 함께 감옥을 빠져나갔다. 그들이
도착한 곳은 안도현(安図县)에 근거지를 둔 항일유격대였다.

만주에서 최초로 파옥에 성공한 연길감옥을 세상에 알린 사람은
김명주의 딸 김진옥이었다. 그녀는 사재를 털어 연길감옥 옛터에 항
일투쟁 기념비를 세웠다.

"우리 아버지와 어머니(서순옥)는 부부가 같은 길을 걸어온 항일투

연길감옥 터

사였어요. 1930년 5월 안도현에서 활동하다 아버지만 붙잡혀 연길감옥에 갇혔지요. 그런데 문화대혁명 때 문제가 생겼어요. 반동분자로 몰려 고깔모자가 씌워진 아버지는 도망을 가자 해도 갈 수가 없었어요. 항일혁명 시기에 큰 부상을 당해 불구의 몸이 되었던 겁니다. 아버지를 잡으러 온 홍위병들이 얼마나 원망스러웠는지 아세요? 조선족 신분일수록 민족정신을 잃지 말아야 한다는 각오로 버텼어요. 우리 가족을 지키는 방법이 그것밖에 없더라고요."

1976년 4월 천안문 사태로 마오쩌둥(毛澤東)의 시대도 저물고 있었다. 중앙정부를 찾아간 김진옥은 문화대혁명 때 사망한 아버지를 혁명열사로 선정해줄 것을 요청했다. 그러자 중앙정부는 혁명열사증과 연금 중 하나를 선택하라며 주사위를 김진옥에게 돌렸다. 한 치의 망설임도 없이 김진옥은 혁명열사증을 받아들었다.

"우리 칠 남매의 형편이 넉넉하지 못한 건 사실입니다. 그렇지만 부모님이 가장 자랑스럽게 걸어온 길을 돈 몇 푼과 바꾼다는 건 부끄러운 일 아닌가요? 우리 형제들은 혁명열사증을 받는 것이 자식 된 도리라고 믿었습니다."

그러고 보니, 김진옥을 닮은 여성 동지가 생각났다. 연길감옥을 파옥할 때 일본 간수들과 총격전을 벌인 김정길이다. 자신이 덮고 잔 이불보를 챙겨 탈출한 김정길은 남성 대원들 앞에서 껄껄껄 웃었다. 그녀가 펼쳐 든 이불보에 한 땀 한 땀 뜨개질로 새겨 넣은 청년의 다짐이 녹아 있었다.

"청년 여성들이여, 세계 해방의 노래를 높이 부르자(靑女子解放世界的高唱)!"


## 나의 길

연길 중심가에 자리한 '신화서점'은 중국, 한국, 북한, 조선족 서적을 동일한 장소에서 접할 수 있는 매우 유익한 공간이다. 한국에서 보지 못한 서일, 윤세주, 최진동, 송몽규의 평전을 구입한 곳도 신화서점이었다. 특히 김학철은 십여 년이 다 지나도록 서점에서 독보적인 자리를 차지하고 있다.

"작가가 책을 보지 못하고 글을 쓰지 못하면 생명이 끝난 거야. 그러니 부고도 내지 말고 고별식과 추도회도 일체 하지 말라. 내 골회는

신화서점

두만강 하류에 뿌리고, 남은 것을 우편 종이 박스에 담아 두만강 물에 띄워 고향 원산으로 가게 하라."

임종 직전 모든 치료를 거부한 김학철이 아들에게 남긴 유언이다.

함경남도 원산에서 태어난 김학철은 개구쟁이로 동네에 소문이 자자했다. 학교에서 통신표를 가져올 때마다 어머니는 '넉가래(甲)는 하나 없고 말짱 오리(乙)투성이'라며 혀를 찼다. 가만히 있으면 몸살이 날 것 같은 소년은 어머니의 훈계에도 밖으로 나가 놀기 바빴다. 궁술을 익힌다며 활을 들고 나가 어른들을 깜짝 놀라게 한 적도 있었다. 이웃집 바자에 열린 호박들이 땅바닥에 어지럽게 널려 있었다.

개구쟁이 소년 김학철의 눈이 번쩍 뜨인 건 열세 살 무렵이었다.

'원산 청년회관 사건'과 '원산 부두노동자 파업'은 서로 다른 양상을 보여주었다. 머리를 박박 깎은 사오십 명의 사람들이 몰려와 청년회관을 깨부수는데도 주재소 순경들은 우두커니 구경만 하고 있었다. 일본 경찰이 뒤를 봐주는 일진회 소속 청년들이었다. 그와는 반대로 원산 부두노동자 파업은 강한 인상을 남겼다. 출동한 일본 경찰대에 맞서 싸우는 노동자들을 지켜본 김학철은 주먹을 불끈 쥐었다. 경찰대에 끌려가면서도 부두노동자들은 "형제들이여 버텨라!", "파업 만세!"를 외치며 기세를 잃지 않았다.

연변인민출판사에서 출간한 『나의 길』을 펴 들었다.

"나는 일본이 무조건 항복을 한 뒤에 일본 감옥에서 풀려났다. 서울로 돌아온 나는 조선독립동맹 서울위원회에서 일하다가 1년 뒤 미군정청의 체포령을 피해 월북했다. 그때 조직에서 내 신체 조건을 감안해 경호원 노릇, 간호원 노릇을 해줄 만한 동행 둘을 딸려 보냈는데 그중 하나가 곧 집사람이 되었다."

나의 길

1941년 12월 중국 허베이성 호가산 전투에서 다리에 총상을 입은 김학철은 일본군 포로가 되었다. 치안유지법 위반으로 나가사키형무소에 수감된 김학철은 실소를 금치 못했다. 조선인은 곧 일본 국민이라는 이유로 법정에서 10년 형을 언도받은 것이다. 더욱 기가 차는 건 전향서였다. 일제는 전향서를 쓰지 않는다며 총상당한 다리를 치료해주지 않았다. 감옥에서 한쪽 다리를 잃은 김학철은 목발을 짚고 출소했다.

김학철의 격정적인 단장(斷章)은 이것 말고도 더 있다. 자신의 신념을 지키기 위해 전향서 대신 한쪽 다리를 일제에 내준 '100만 대 1' 설이다.

"100만 대 1이라는 절대적인 열세에 처해가지고도 감히 자기의 옳음을 주장할 수 있는 사람이라면 참된 작가들의 행렬에 끼일 자격이 있다고 보아야 할 것이다."

조선의용군 최후의 분대장으로 알려진 김학철의 '나의 길'은 서울 보성고등학교 시절에 싹을 틔웠다. 이상화의 「빼앗긴 들에도 봄은 오는가」를 읽던 그는 심장이 요동치는 걸 느꼈다. 시를 읽다가 뜬눈으로 밤을 지새운 것도 극히 드문 일이었다.

1932년 4월, 상해 홍커우공원(루쉰공원)에서 들려온 윤봉길 의거는 김학철의 운명을 바꿔놓았다. 학교를 자퇴한 김학철은 제2의 윤봉길이 되겠다며 상해임시정부를 향해 떠났다.

"누가 민중의 적인가? 무엇이 모두를 위한 행동인가?"

학창시절 독서광이었던 김학철은 입센의 『민중의 적』을 떠올렸다. 불의한 권력에 맞서 싸우는 한 지방 의사의 신념은 커다란 귀감이었다. 그 외에도 김학철은 사마천, 발자크, 톨스토이, 고골, 숄로호프, 루쉰, 홍명희의 작품을 즐겨 읽었다. 특히 중국의 작가 루쉰은 정신적 지주나 다름없었다.

"안정을 탐하면 자유가 없고, 자유는 위험을 겪었을 때 얻어진다."

상해임시정부

김학철은 루쉰의 선언을 우리의 처지에서 받아들였다. 일제의 침략을 침묵하듯 지켜만 본다면 자유(독립)는 한갓 장식물에 불과했다.

"편하게 살려거든 불의를 보고 외면하되, 그러나 사람답게 살려거든 그에 도전하라."

상해에 도착한 김학철은 임시정부가 조직한 조선민족혁명당에 가입했다. 김두봉, 김구, 조소앙, 지청천, 김원봉, 윤세주 등 이름만 들어도 가슴이 설레었다. 더 늦어지면 안 될 것 같아 하루는 루쉰의 집을 찾아갔다. 그런데 막상 용기가 나지 않았다. 대문 밖에서 한참을 망설이던 김학철은 그만 발길을 돌려야 했다. 루쉰은 그해 가을 세상을 뜨고 말았다.

고등학교를 다니다 말고 스스로 망명을 택한 김학철. 해방을 맞아 고향 원산으로 돌아간 김학철은 만주로 다시 이주했다.

"두 알거지가 결혼을 해가지고 살림을 좀 장만했을 즈음 육이오전쟁이 터져 우리는 또다시 알거지 신세가 돼야만 했다. 피란을 떠나기 위해 짐을 챙길 때였다. 내가 굳이『고요한 돈강』상하 두 권만은 꼭 넣어가지고 가야 한다니까, 스물세 살의 젊은 색시였던 집사람은 두말없이 가방 속에 들어 있던 화장품 상자를 꺼내고 그 자리에 책 두

권을 대신 밀어 넣었다."

　주덕해의 초청으로 연길에 정착한 김학철은 집필에 몰두했다. 『해란강아 말하라』, 『번영』 등이 그 무렵에 출간되었다. 일대 광풍이 몰아친 건 1960년대 후반이었다. 홍위병 예닐곱 명이 한밤중에 집으로 들이닥쳤다. 조선족자치주 청사 독방에 갇힌 김학철은 쓴웃음을 집어삼켰다. 이 모든 것이 주덕해를 엮어 넣으려는 수작이었다. 그리고 다음 날 오전, 대약진운동을 비판한 『20세기의 신화』 원고가 집에서 발각되었다. 장편소설 『20세기의 신화』에서 김학철은 마오쩌둥의 개인숭배를 통렬히 비판했다.

　"인민이 사랑하지 않는 당이 그게 어디 공산당인가. 인민이 무서워하는 당이 그게 어디 공산당인가. 나는 6억5000만 인민이 하늘같이 우러르는 태양을 '천안문 우에 올라선 벌거벗은 황제'라고 규정지었다. 그리고 밤낮없이 다들 '위대하다' '위대하다' 외쳐대는데 도대체 어디가 위대한가? 안데르센 동화에 나오는 그 알몸뚱이 국왕하고 다를 게 뭔가? 그놈이 그놈이지…! 이와 같이 비아냥하는 것으로써 '태양'의 절대 권위에 나는 도전을 했다. 개인숭배 우상의 그늘 밑에서는 탐스러운 울금향은 피지 못하고, 거기서는 오직 핏빛의 독버섯만이 기를 펴고 번식하기 때문이다."

　연길 공안국 유치장에서 7년 4개월, 장춘 추리구 감옥에서 2년 8개월을 다 채우고 석방됐을 때 김학철은 이미 회갑이 지나 있었다. 해방 전 포로로 끌려간 일본에서의 4년을 포함하면 감옥 생활만 14년을 한 셈이었다.

매 순간 격정의 시대를 거슬러 오르던 김학철은 출소 후 연길을 소재로 한 짤막한 시를 한 편 남겼다.

상처투성이의 이 땅이
그 자랑스러운 아름다움을
아직도 이렇게 간직하고 있다니!
그 웅장함과 그 수려함이
그리고 그 거세참과 그 잔잔함이
날이 되고 또 씨로 되어
현란하게 짜여진 한 필의 비단

서점을 나와 횡단보도를 건넜다. 연길의 명소로 자리 잡은 서시장은 평일인데도 사람들로 넘쳐났다. 만주를 처음 여행할 때 재래시장은 1위안(170원)의 가치를 알려준 곳이다. 만터우(소가 들어 있지 않은 밀가루빵), 유타오(식용유에 튀긴 꽈배기), 총좌빙(중국식 호떡), 또우장(콩물) 등 1위안짜리 먹거리가 여기저기 널려 있었다. 유타오에 또우장을 곁들이면 간단한 아침 식사가 즉석에서 해결되었다. 만주의 시내버스 요금이 1위안이라는 사실도 여행자의 발길을 가볍게 했다.

서시장을 뒤로하고 남부터미널로 향했다. 조양천(朝阳川)으로 떠나는 버스는 30분 간격으로 운행 중이었다.

연길 공항을 지나온 버스가 정차한 곳은 조양소학교 입구. 연변 지역에서 조선족 학교는 눈에 금방 띈다. 3층 건물의 조양소학교도 지

조양천 조양소학교

붕에 회색 기와를 올린 한옥 풍경이었다.

본교는 1928년 촌민들에 의해 설립되었는데 교명은 조광학교였
다. 당시 교원은 2명 학생은 30명이었다. 1931년에 교명을 조광보통
학교로 고쳤으며, 1948년부터 조양소학교로 개정하였는데 학생 수가
1300여 명에 달하기도 했다.

1918년 북간도 용정에서 나고 자란 문익환은 '모던 보이'였다. 문
익환의 모자가 탐이 난 윤동주는 "야, 익환아. 그 모자 나 주면 안 되
겠니?" 하면서 눈독을 들였다. 한참을 뜸 들이고 있던 익환은 동주에
게 호떡을 사면 모자를 주겠다며 능청을 부렸다.
윤동주, 송몽규와 함께 은진중학교에 입학한 문익환은 4학년이 되

던 해 평양 숭실학교로 편입했다. 윤동주는 문익환보다 반년 늦게 3학년에 편입했다. 그런데 학교에 신사참배 소식이 들려왔다. 황국신민화 정책을 매개로 일제는 한국 학생들에게 매일 황국신민서사를 낭독하도록 했다.

"나는 대일본제국의 신민입니다. 우리는 마음을 합쳐 천황 폐하에게 충의를 다합니다. 나는 인고단련하고 훌륭하고 강한 국민이 되겠습니다."

1936년 4월 어느 날이었다. 아침 예배를 마친 학생들이 신사참배에 반대하고 나섰다. 문익환은 아예 학교를 자퇴해버렸다. 독실한 크리스천으로 성장한 문익환에게 신사참배는 '너는 나 외에 다른 우상을 만들지 말라'는 십계명에도 위배되는 일이었다.

용정으로 다시 돌아온 문익환은 광명중학교를 졸업한 뒤, 조양천 조광보통학교 교사로 부임했다. 어려서부터 교사가 꿈이었던 문익환은 앞선 교사들이 쓴 자필 수기를 구해 열심히 읽었다. 좋은 교사가 되려면 선배 교사들의 이야기를 귀담아들을 필요가 있었다. 학생들과 첫인사를 나누는 자리에서도 문익환은 학교에 씨앗을 심는 교사가 되고 싶었다. 그러나 만주를 뒤덮고 있는 먹구름은 좀처럼 걷힐 기미를 보이지 않았다. 만주사변에 이어 중일전쟁을 일으킨 일제는 난징(南京)에서 대학살극을 벌이고 있었다.

교사로 부임한 지 1년 만이었다. 조광보통학교를 퇴직한 문익환은 일본 유학길에 올랐다. 사범학교에 진학하라는 아버지의 권유도 있었지만 신학 공부를 하고 싶었다. 생각처럼 일본 생활도 녹록지 못했

문익환

다. 학병 징집을 거부하는 뜻에서 동경신학교를 자퇴한 문익환은 만주로 이주해 목회자의 길을 걸었다.

해방을 맞아 귀국한 문익환은 성경 번역에 매달렸다. 성경 속에 들어 있는 시를 이해하기 위해 한국 시를 탐독한 문익환은 직접 시를 쓰기도 했다. 신학자로 촉망받던 문익환을 민주화운동으로 끌어들인 건 유신정권이었다. 박정희 정권에 맞서 싸우다 의문사를 당한 장준하의 죽음은 문익환의 삶을 송두리째 앗아갔다. 일제강점기에 광복군으로 활동한 장준하는 문익환과 둘도 없는 친구였다.

독실한 신학자에서 민주투사로 거리에 나선 문익환의 미래도 순탄치만은 않았다. 감옥을 제집처럼 드나들었다. 하루는 거리에서 윤동주를 향해 통곡하듯 외쳤다.

동주야
너는 스물아홉에 영원이 되고
나는 어느새 일흔 고개에 올라섰구나
너는 분명 나보다 여섯 달 먼저 났지만
나한텐 아직도 새파란 젊은이다

너의 영원한 젊음 앞에서

이렇게 구질구질 늙어 가는 게 억울하지 않느냐고

그냥 오기로 억울하긴 뭐가 억울해할 수야 있다만

네가 나와 같이 늙어 가지 않는다는 게

여간만 다행이 아니구나

너마저 늙어 간다면 이 땅의 꽃잎들

누굴 쳐다보며 젊음을 불사르겠니

　　—「동주야」(『문익환 전집 2』, 사계절) 부분


　목사이자 시인이요, 사회운동가였던 문익환은 1994년 자택에서 눈을 감았다.


　조양천역 대합실은 전시관을 방불케 했다. 1942년 결성된 조선의용군 자료들이 대합실 벽을 가득 채웠다. 조양천에서 작곡가 동희철을 마지막으로 본 건 2013년 가을이었다. 조선의용군 5지대 선전대가 조양천에 주둔한 사실도 그때 처음 알았다.

　"독립운동이 역사책으로 다가왔다면 조선의용군은 재미난 소설책을 밤새워 읽은 기분이었네. 조선의용군 선전대가 연주를 시작하면 조양천 들녘의 곡식들이 너울너울 춤을 추어댔단 말이지. 어디 그뿐이겠는가. 연변에서 제일 큰 주조창(술공장)이 조양천에 있어 모두들 흥겨운 시간을 보냈었네."

　사범학교에 입학한 동희철은 음악에 푹 빠져버렸다. 유년에 들은 조선의용군의 연주를 잊을 수가 없었다. 하늘이 도왔는지 기회는 곧 찾아왔다. 연변 제일고등학교에서 음악 교사로 재직 중일 때 작곡한 노래가 뜨거운 반향을 일으켰다.

"우리 학교 1학년 학생이 백일장에서 쓴「고향산 기슭에서」라는 시였네. 그 시를 보는 순간 몸이 달아오르면서 요동을 치지 않겠나. 사철 푸른 소나무가 반겨주고, 해란강이 흘러가는 구절에서 곡은 이미 완성이 되었네."

제자의 시에 곡을 붙인「고향산 기슭에서」는 중국어로 번역되어 중앙인민방송국 전파를 탔다. 길림성 대표곡으로 선정이 되자 중국 정부는 동희철에게 1급 작곡가의 영예를 부여했다.

용정

·

·

龙井

## 해란강은
## 흐른다

"이놈의 뻐스가 또 술을 처먹었나. 왜 옳게 가지 못하고 비틀대는 게야."

연길에서 용정을 가려면 산을 하나 넘어야 한다. 어린아이의 모자와 같다고 해서 붙여진 모아산(帽兒山)이다. 1921년 2월 동아일보 장덕준 기자가 모아산에서 사라졌다.

봉오동전투에서 패한 일본군은 끓어오르는 분노를 삭이지 못했다. 더 많은 병력을 연변 지역으로 출동시키려면 중국군을 설득하는 게 순서였다. 하지만 중국군의 반응은 싸늘했다. 정면 돌파가 어렵다고 판단한 일제는 중국인 마적단을 매수해 훈춘 주재 일본영사관을 방화하도록 지시했다. 자작극에 성공한 일제는 드디어 야만의 본성을 드러냈다. 훈춘 주재 일본영사관 방화를 조선인 소행으로 뒤집어씌운 일제는 토벌대를 간도로 끌어들여 무차별 참살을 벌인 것이다. 함경북도 회령을 거쳐 훈춘에 도착한 장덕준은 일제가 자행한 학살을 보고 크게 격분했다.

"빨간 핏덩이만 가지고 나의 동포를 해하는 자가 누구이냐고 쫓아와 보니 우리가 상상하던 바와 조금도 틀리지 않는다."

1920년 11월 장덕준이 『동아일보』에 보낸 첫 기사 제목이다. 불의를 보면 참지 못하는 장덕준은 그러나 '훈춘사건'을 취재하던 중 모아산 자락에서 자취를 감추었다. 1921년 10월 28일 자『독립신문』은 다음과 같이 보도했다.

"장덕준이 여관에 돌아와서 잠이 들었는데, 밤중에 일본군이 찾아와 말하기를 상관이 부르니 같이 가자고 했다. 장덕준은 의심이 들어 밤중이니 가지 않겠다고 하였으나 일본군은 말(馬)까지 끌고 다시 찾아와 강요했다. 하는 수 없이 따라간 것인데 그 후로는 종적을 알 수 없게 되었다."

해발 517m에 자리한 모아산 고개를 넘으면 무한한 서전벌이 펼쳐진다. 북간도의 심장 용정은 지리상으로 만주에 속할 뿐 한반도에 더 가깝다. 함경북도 회령에서 용정까지는 47km, 두만강을 건너 한나절

해란강이 흐르는 용정시 전경

이면 도착할 수 있다.

해란강 입구에서 내려 강변을 거닐었다. 해란강의 총길이는 132km. 백두산맥인 침두봉에서 발원한 해란강은 부르하통하와 합류해 두만강으로 흘러든다.

1932년 어느 여름날이었다. 용정 8경 중 하나인 해란강도 피로 물든 적 있었다. 만주사변을 일으킨 일제의 기세는 하늘을 찌를 듯 등등한 반면 아군의 무기는 턱없이 부족했다. 해란강 상류에 머물고 있는 항일빨치산(동북항일연군) 부대는 십여 일 전부터 일본군 철도호위대(鐵道扈衛隊)를 정탐 중이었다. 철도호위대 무기고를 습격하려면 무엇보다 세밀한 계획이 필요했다. 하지만 항일빨치산의 계획은 백창헌(항일빨치산 부대 조직부장)의 밀고로 더 큰 참사를 불러왔다. 박격포와 기관총을 앞세운 일본군은 해란강 일대를 쑥대밭으로 만들어놓았다. 해란강 학살로 사망한 민간인 수만 1700명에 달했다.

20만 인구를 가진 용정은 도보로 서너 시간이면 시가지 전체를 돌아볼 수 있는 정겨운 도시다. 만주 지역에서 조선족이 가장 많다는 점도 용정만의 자랑이라면 자랑이라 할 수 있겠다. 한족(중국인)이 3명이면 조선족은 7명이나 된다. 조선인의 만주 이주는 '무단으로 국경을 넘어 잠입한 시기(1860~1904년)', '자유 이민 시기(1905~1930년)', '일제에 의한 강제 집단 이민 시기(1931~1945년)' 등 세 단계로 나뉘는데, 용정은 한 번도 선두 자리를 내준 적이 없다.

어딘가에 두고 온 한적한 풍경처럼 용정은 차도를 구경하는 일도 즐거움 중 하나다. 왕복 4차선 아스팔트 위를 자전거, 마차, 손수레가 차량들과 뒤엉켜 마구 흘러간다. 그 사이를 비집고 차도를 건너는 사람들의 여유만만이라니! '문맹을 떨친 인민에게 미래가 보장된다'는 구호가 오히려 무색할 지경이다. 예나 지금이나 용정은 이 노래가 더 잘 어울려 보인다.

만주 땅 넓은 들에
벼가 자라네 벼가 자라
우리가 사는 곳에 벼가 있고
벼가 자라는 곳에 우리가 있네
우리가 가진 것 그 무엇이더냐
호미와 바가지밖에 더 있나
호미로 파고 바가지에 담아
만주벌 거친 땅에 볍씨 뿌리여
우리네 살림 이룩해보세

〈벼 심기〉 노래는 만주로 이주한 조선인들이 즐겨 부른 노동요다. 일제의 핍박과 지주들의 학대에 못 이겨 이주를 택한 조선인들은 만주 땅에 처음으로 벼농사를 지었다. '만주 간다'는 말이 그때 풍자되었다. 너도나도 짐을 꾸려 두만강을 건넜다. 평생 밭농사만 지어온 원주민(한족)들은 만주로 이주한 조선인을 부러운 눈으로 바라보았다. 당시 원주민들의 주식은 조와 옥수수로 끓인 묽은 죽이 전부였다. 중국 정부가 조선족을 높이 평가하는 것도 불모지에서 벼농사에 성공한 결과였다. 한족은 조선인들처럼 벼농사를 짓고 싶어도 물 가두는 법을 알지 못했다.


## 간도파출소

조선인들이 처음 이주한 1860년대만 하더라도 간도(두만강 일대)는 경계가 모호했다. 봉금령에도 불구하고 국경을 넘어 도둑 농사를 짓는 게 예사였다. 청나라가 조선인의 이주를 받아들인 건 1880년이었다.

1902년 고종은 간도로 이주한 조선인들의 영토권 문제가 발생하자 이범윤을 간도 관리사로 파견했다. 용정에 도착한 이범윤은 조선인 농가를 방문해 사정을 들은 뒤, 청나라의 부당한 조세 징수부터 바로잡았다. 사포대(私砲隊)를 조직한 이범윤은 모아산과 투도구 등에 병영을 설치해 조선인 보호에도 앞장섰다. 간도 지역에 전운이 감돌기 시작한 건 1904년 2월이었다. 러일전쟁이 발발하자 이범윤은 200여 명의 사포대를 이끌고 연해주로 망명해버렸다.

1905년 9월 미국 뉴햄프셔주(州)에 있는 군항 도시 포츠머스에서 강화회의가 열렸다. 러일전쟁에서 승리한 일본은 미국, 영국 등으로부터 한국에 대한 지배권과 만주 일대의 조차지 승인을 받아냈다. 11월 17일 을사늑약 체결로 한반도의 외교권을 박탈한 일제는 한국공사관마저 폐쇄했다.

1907년 4월 용정에 간도파출소를 개설한 일제는 사이토 스에지로

(斎藤季治郎, 육군 중좌)를 소장으로 임명했다. 러일전쟁이 벌어진 중국의 여순과 대련이 만주 침략의 정문이었다면, 한반도와 국경을 접한 간도는 뒷문에 속했다. 간도를 손에 넣지 못하면 앞으로 진행될 만주 점령도 수포로 돌아갈 수 있었다. 7월로 접어들자 일제는, 북만주(송화강 일대)는 러시아가, 남만주(두만강을 포함한 압록강 일대)는 자신들이 관리하는 조건으로 러시아와 비밀조약을 체결했다.

1907년 8월, 조선 통감으로 부임한 이토 히로부미가 움직였다. 고종의 명의를 도용한 이토는 중국 정부를 압박했다. 당시 연변 지역에는 중국인보다 4배 많은 조선인(약 13만 명)이 살고 있었다. 이를 배경으로 이토 히로부미는 중국 정부에 조선인의 생명과 재산을 일본이 보호해야 한다는 조건을 내세웠다.

1909년 11월 이토 히로부미가 하얼빈에서 사망하자, 간도파출소를 일본 총영사관으로 확대 개편한 일제는 경찰 병력을 300명으로 보강했다. 연길, 훈춘, 도문, 투도구, 왕청 등 연변 지역에 파출소를 추가로 설치한 일제의 치밀함은 그것으로 끝이 아니었다. 만주 군벌 장쭤린과 결탁한 일제는 항일 세력의 움직임이 포착되면 특별 공작반을 풀어 차단했다. "1000명을 오살할지언정 1명을 놓치지 말라!", 이것이 바로 일본영사관이 내건 슬로건이었다.

조선인을 보호한다는 구실로 설치된 간도파출소는 일본영사관으로 간판이 바뀌면서 본격적인 탄압에 들어갔다. 1919년 3·13 반일 시위운동 진압 과정에서 19명, 1920년 훈춘사건과 간도학살 때 3500여 명, 1931년 팔도하자(八道河子, 화룡)에서 12명, 1932년 해란강에

일본영사관

서 1700여 명, 1933년 가을에는 연길 의란구(依蘭溝)에서 조선인 56
명이 학살되었다. 일제가 용정에 설치한 일본영사관은 이처럼 북간
도 일대에서 벌어진 양민 학살의 주범이자 주요 거점이었다.

해방 후 용정시 인민정부 청사(시청)로 사용된 일본영사관은 2015
년 일제의 만행을 알리는 전시관으로 다시 태어났다.

"일본은 중국 동북(만주)의 조선인들이 일본국의 백성이라는 이유
로 동북에서 살고 있는 조선인들에게 농단과 통제를 감행하여 군사
교육을 위주로 하는 노예화 교육을 실시하였다."

일제의 황민화 교육정책을 설명하는 전시관에 만인갱(滿人坑) 학
살과 삼광작전(三光作戰, 모조리 죽이고 모조리 부수고 모조리 불태우는
것), 재미난 '소가죽 한 장 이야기'도 그대로 남아 있었다.

일제가 용정에 영사관을 시공할 때의 일이다. 중국 관리를 찾아간

일본 영사는 소가죽 한 장 만큼의 땅을 요구했다. 저 소리가 무슨 소린가 싶었던 중국 관리는 미심쩍은 마음이 들면서도 흔쾌히 승낙했다. 그리고 얼마나 지났을까. 일본영사관을 방문한 중국 관리는 허허, 그저 웃고 말았다. 소가죽 한 장 땅이 으리으리한 3층 건물로 변해 있었다.

용정 중심가에 자리한 일본영사관의 총면적은 42만944㎡. 용정에서 이만한 면적의 건물을 찾아보기 힘들다. 잔뜩 화가 난 중국 관리는 일본 영사에게 따져 물었다. 그러자 일본 영사도 부하 직원에게 소가죽 한 장을 가져오도록 했다. 그런데 아뿔싸! 부하 직원이 들고 온 소가죽은 실오라기처럼 가늘게 잘려 있었다. 소 한 마리 분량의 가죽을 가위로 잘라서 가져온 것이다.

"가위질을 해서 그렇지 이걸 다시 합하면 영사관 면적과 같지 않겠소?"

"말 같잖은 소리 그만하시오!"

할 말을 잃은 중국 관료는 일본 영사의 간교함에 치를 떨었다. 나라만 섬나라인 줄 알았더니 소인배가 따로 없었다.

3층 건물로 설계된 영사관 지하실로 내려갔다. 외부 통로와 연결된 지하실에는 넉 자(尺) 깊이의 직사각형 물고문대가 있는데 오싹 한기가 느껴졌다. 동서양을 막론하고 고문실 관람은 상당한 인내가 필요하다. 인류의 잔악상을 가장 적나라하게 보여주기 때문이다. 천장에 형틀이 설치된 일본영사관 지하실도 예외일 수 없다. 정지된 상태에서 숨을 죽이면 고문에 의한 절규가 이명처럼 들려온다. 항일과 밀정,

극과 극으로 치닫는 수레바퀴도 이 지점에서 발생한다. 두 가닥의 선로는 늘 역사의 한복판을 가로지르면서 우리를 괴롭혀왔던 것이다. 만주로 이주한 조선인 중 60퍼센트는 생활고로, 나머지 40퍼센트는 사상적 동기로 망명한 사람들이다. 이들이 바로 항일과 밀정이라는 갈림길에 서야 했다. 3·1운동 이후 만주에서 활동한 밀정은 일경(日警), 보민회(保民會), 조선총독부에서 만주로 파견한 밀정 등 크게 세 부류였다.

일본영사관에서 나오면 길 건너편에, 청기와 한옥 건물이 웅장한 자태로 서 있다. 간도파출소가 있던 자리다. 그런데 마치 용정 조선족 고등학교가 간도파출소를 깔고 앉은 것처럼 보였다.

횡단보도를 건너 건물 안으로 들어갔다. 1992년 한중수교 이후 많은 교사들이 한국으로 떠나갈 때, 조선족 학교를 지키기 위해 남은 황애란 교사는 여전히 활기가 넘쳤다.

"우리 학교는 조문(朝文, 국어) 교학 때 틈틈이 항일운동에 대해 지도하고 있습니다. 아마 연변 지역에서 해(年)를 거르지 않고 청산리 전투지를 견학하는 것도 우리 학교가 유일할 겁니다. 간도파출소 자리에 우뚝 선 우리 학교는 연변인민출판사에서 제작한 『조선역사』를 구입해 교학을 따로 실시하는데, 여기에는 분명한 이유가 있습니다. 고구려, 고려, 발해, 항일운동 유적지가 동북 곳곳에 남아 있기 때문입니다. 그것도 우리 학생들의 심장을 달굴 무기처럼 말입니다."

듣고 보니, 소설가 강경애가 예찬한 일제강점기의 용정과 똑 맞아떨어졌다. 1932년 『조선일보』 간도지국장을 지낸 강경애도 "용정을

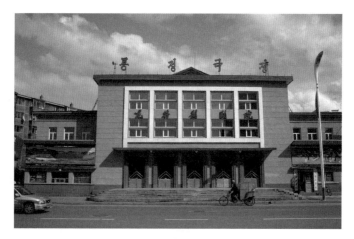

용정극장

자랑하고 싶은 것은 자연의 풍경도 아니요, 또 산물의 풍부함도 아니요, 오직 이곳에 있는 사람들 모두가 씩씩하다는 점"이라고 했던 것이다.

### 서전서숙과
### 용정의 학교들

1877년 두만강을 건넌 함경북도 농민들은 여진족(만주족)이 식수로 사용하는 우물에 용두레를 설치했다. 우물에서 용이 솟아올랐다는 말에 마을 이름도 용두레촌으로 지었다. 지금의 용정(龙井)이 생겨난 배경이다. 용정시 기념물로 지정된 우물터에는 '용정 지명 기원지 우물' 기념비가 세워졌다.

용정 우물터에서 기차역 방면으로 걷다 보면 낡고 빛바랜 건물 한 채가 향수를 불러일으킨다. 〈스팅〉, 〈스잔나〉, 〈벤허〉, 〈빠삐용〉, 〈삼포로 가는 길〉, 〈고교 얄개〉…. 해방 무렵에 지어진 용정극장도 학생들 단체관람

서전서숙 기념비

으로 좌석을 꽉 메우곤 했었다. 이상설이 서전평야에 설립한 서전서숙(瑞甸書塾)은 용정극장 건너편에 있다.

용정실험소학교로 변한 교정은 운동장 오른편에 기념비 두 개와 정자가 보였다. 서전서숙 기념비와 동북해방 기념비, 그리고 이상설을 기리는 정자다.


불함산(백두산)이 높이 있고

두만강이 둘렀는데

서전서숙 창립하니

총준재자(聰俊才子) 운집이라

인일기백(人一己百) 공부하니

구국만민 하여보세

백여 년 전에 지은 서전서숙 교가를 부르려니 '서전서숙 기념 나무' 팻말이 눈에 들어왔다.

"조선족 신학교육의 시작과 함께 이곳에 뿌리내린 이 나무는 력사의 견증으로 리상설의 업적을 후세에 길이 전해가고 있다."

조금 전 용정 우물터에서 본 비술나무다. 서전서숙, 간도보통학교, 용정실험소학교를 거쳐 오늘에 이르렀으니 적잖은 세월이다. 자연만이 가질 수 있는 무한의 힘이랄까. 묵묵히 자리를 지켜낸 한 그루 비술나무가 사람보다 더 반가웠다.

스물다섯의 나이로 성균관에 입성한 이상설은 매우 촉망받는 청년이었다. 대한제국 궁궐이 일제에 무참히 짓밟히자 이상설은 피가 거꾸로 치솟았다. 저들의 만행을 막지 못했다는 자책감에 을사늑약을 파기하는 상소를 올리고 또 올렸다. 다섯 번의 상소 끝에 눈물을 삼킨 이상설은 1906년 이동휘, 정순만과 함께 만주로 망명해 서전서숙을 세웠다. 22명으로 문을 연 서전서숙은 2학기 무렵에 학생 수가 42명으로 불어났고, 교사 월급과 학생들 교재비 등은 이상설이 사비로 부담했다.

일찍이 신학문과 개화에 눈을 뜬 이상설은 낡은 옷부터 벗어던졌다. 식민지 치하에서 벗어나려면 예전과 다른 교육 방법이 절실했다. 교장으로 부임한 이상설은 정치학, 역사, 국제법 등 항일 민족교육에 초점을 두었다. 『산술신서(算術新書)』라는 본인이 직접 저술한 수학 교재를 사용했다.

이상설 - 우수리스크 유허비

1907년 4월 고종으로부터 밀지를 받은 이상설은 블라디보스토크로 향했다. 이준, 이위종과 함께 만국 평화회의가 열리는 헤이그(네덜란드의 수도)로 떠나는 길이었다. 그해 9월, 용정을 다녀간 사람이 있었다. 이상설을 가장 존경한다고 말한 안중근이다.

서전서숙을 방문한 안중근은 심상치 않은 기류를 느꼈다. 곧 이사를 갈 것처럼 학교 내부가 몹시 어수선해 보였다. 이상설이 잠깐 자리를 비운 사이 간도파출소는 서전서숙을 매수하는 조건으로 매월 20원씩 보조금을 주겠다며 회유 중이었다. 이상설의 문하생이 되려고 학교를 찾아간 안중근은 가슴 깊이 분노가 끓어올랐다. 용정은 물론이고 투도구, 개산툰, 연길 등지에 일본 경찰과 일본 군대가 진을 치고 있었다.

일제에 주권을 빼앗긴 한반도의 부당성을 세계에 알리고자 급파한 헤이그 밀사 파견은 실패로 돌아갔다. 고종을 퇴위시킨 일제는 순종을 즉위시켰다. 궐석재판에서 사형을 언도받은 이상설도 끝내 용정으로 돌아가지 못했다. 서전서숙이 문을 닫자 일제는 교명을 간도보통학교로 개명해 황민화 교육의 출발점으로 삼았다.

개교 1년 만에 문을 닫은 서전서숙 옛터에서 이상설 기념관으로 향했다. 윤동주 시비가 세워진 옛 대성중학교 건물 옆에 자리한 이상설 기념관은 찬 바람이 느껴졌다. 우수리스크 수이푼 강변에 잠든 그의 유허비가 새삼 그리웠다.

꿈을 이루지 못하고 죽으니 외로운 혼인들 어찌 조국으로 돌아갈 수 있으랴. 내 모든 것을 불태우고 남은 재마저 바다에 날려라. 나라를 잃은 몸이 어느 곳 어느 흙에 누를 끼치랴. 다만 동지들은 힘을 합쳐 기필코 조국광복을 이룩하라.

서전서숙이 문을 닫으면서 용정에는 창동, 명동, 정동, 동흥, 영신,

대성중학교

은진, 대성 등 더 많은 학교들이 생겨났다. 윤동주의 모교로 알려진 대성중학교는 애매한 부분이 없지 않다. 은진중학교에 입학한 윤동주는 4학년 1학기를 마치고 평양 숭실학교로 전학했기 때문이다. 1946년 은진중학교는 동흥, 영신, 대성 등 6개 학교와 통합을 단행했다.

1921년 대성유교 공교회에서 설립한 대성중학교는 이 학교를 졸업한 주재관 씨가 자세히 설명해주었다.

"윤동주 시인이 다녔던 은진중학교는 개신교 재단, 내가 다녔던 대성중학교는 가톨릭 재단으로 보면 되겠네요. 서양 선교사들 도움 없이 우리의 손으로 건설했으니까요. 대성중학교만의 장점을 꼽으라면 국치일(8월 29일)에 태극기를 걸어 놓고 수업을 강행했다는 것입니다. 그리고 그날은 반드시 역사 선생님이 수업을 도맡아 하셨고요. 우리는 (한)반도에서 온 변경민족(邊境民族)이므로 김약연, 이상설, 홍범도, 나철, 서일, 안중근, 김좌진, 윤준희, 최봉설 등 항일지사들의 활동과 불굴의 의지를 내 목숨처럼 지켜내야 한다고 말씀하셨습니다. '소신 있게 행동하라!', '작은 일에도 소명을 가져라!', '절대 자부심을 잃지 말라!', 이 세 가지가 대성중학교 재학생들의 행동강령이었습니다. 어찌나 자부심이 강했던지 고개 숙인 학생을 보지 못했습니다."

## 용정의 노래, 선구자

배꼽시계가 꼬르륵 신호음을 울렸다. 용정 순이냉면집은 저렴한 가격에 배불리 먹을 수 있어 즐겨 찾는 곳이다. 메뉴를 더 추가하고 싶다면 시원한 냉면과 궁합이 잘 맞는 중국식 탕수육이다. 편으로 썬 돼지고기에 감자 전분을 묻혀 바삭하게 튀겨낸 궈바오러우(锅包肉)는 새콤달콤한 맛이 특징이다.

3·1운동에 발맞춰 서전대야(瑞甸大野)에서 시작된 용정의 3·13 만세운동은 집회 장소가 수시로 바뀌었다. 일제의 감시를 피해 모인 용정역 광장도 그중 하나다. 천주교 교당에서 집회를 알리는 종소리가 울리면 남녀노소 할 것 없이 역전 광장으로 모여들었다. 한 가지 아쉬운 점은 두만강(용정)에서 압록강(단동)을 오가는 기차 운행이 중단되었다는 점이다.

용정에서 기차에 오를 때면 가방에 매번 책이 들어 있었다. 북시장을 기웃거리다 산 헌책들이었다. 1985년 요녕민족출판사에서 펴낸 『고리끼전(傳)』도 압록강으로 떠나는 기차 안에서 읽곤 했었다.

"알렉쎄이 막씨모위치 고리끼(원명은 뻬쉬꼬브이다 ― 작자 주)는 1868년 3월 16일(음력으로는 3월 28일이다 ― 작자 주) 볼가강 중류에 있는 니즈니 노브고로드(지금의 고리끼 시)에서 탄생하였다."

시속 60km로 달리는 삼등열차의 속도만큼이나 느릿느릿 읽히던 색 바랜 책들. 여행이 주는 행복은 늘 소박하고 조용한 가운데 일기처럼 스며들었다.

"고리끼는 몇 편의 동화에서 생명의 원천인 어머니를 노래하고 있다. 제9 동화에서 그는 우선 이런 지적 언어로 첫마디를 떼고 있다. ― 우리는 모두 함께 어머니를 노래하자. 왜냐하면 어머니는 불가전승

적(不可战胜的)인 생명의 영원한 원천이기 때문이다."

색다른 언어와 문장에서 교차되는 어떤 이질감이랄까. 여행 중 현지에서 구입한 헌책들은 뒷맛이 쌉싸름했다.

시장 바닥에 헌책을 펼쳐놓고 파는 용정 북시장은 소설가 강경애가 살았던 곳이다. 1907년 황해도 송화에서 출생한 강경애는「이역의 달밤」(1933)에서 간도를 질긴 생명력의 싸움처럼 적어놓았다.

이곳은 간도(間島)다. 서북으로는 시베리아, 동남으로는 조선에 접해 있는 땅이다. 추울 때는 영하 40도를 중간에 두고 오르고 내리는 이 땅이다. 못 입고 못 먹는 빈부들에게야 저 바람같이 무서운 것이 또 어디에 있으랴! 죽음의 마귀가 손을 벌리고 덤벼드는 듯한 저 바람! 굶주린 저들은 오직 공포에 떨 뿐이다.

색이 누렇게 변한 문고판을 꺼내 읽는 기분이랄까? 옛것은 늘 어제와 오늘의 간극을 좁히는 거울이 되어준다. 그런가 하면 옛것은 비밀스런 연애담을 낳곤 한다. 강경애와 양주동의 밀애가 7월의 밀밭처럼 무르익어갈 즈음, 숭의여학교에 동맹휴학 사건이 터졌다. 가담자로 연루되어 퇴학 처분을 당한 강경애는 서울 동덕여고에 편입했다. 네 살 많은 양주동과의 은밀한 밀애도 더는 지속되지 못했다. 양주동이 만든『금성』에 시를 발표하며 강경애는 본격적인 작가의 길로 들어섰다.

1934년『동아일보』에 연재한「인간문제」로 문단에 이름을 알린 강경애는 새 사람과 용정에서 새살림을 차렸다. 안수길, 박영준 등과 '북

강경애 문학비

향(北鄕)'의 동인으로 활동한 것도 용정에서 『조선일보』 간도지국장을 지낼 때의 일이다. 그의 산문 「이역의 달밤」에서처럼 강경애는 「인간 문제」, 「지하촌」 등 식민지 국가의 빈궁 문제에 천착했다. 일송정을 오르는 산길 모퉁이 언저리에 그의 문학비가 세워졌다.

　인간 사회는 늘 새로운 문제가 생기므로 인간은 이 문제를 해결하기 위해 투쟁함으로써 발전한다.

　용정 시내에서 일송정은 걸어서 두 시간이면 다녀올 수 있는 거리다. 산길을 따라 오르면 비암산 중턱에 화살표 모양의 푯말이 소나무 기둥에 걸려 있는데, 용주사로 들어가는 길목이다.
　비암산(495m)은 우리에게 낯선 이름이다. 1963년 서울 시민회관에서 열린 송년음악회에서 〈선구자〉가 전파를 타면서 일송정과 함께 알려졌다. 그렇지만 〈선구자〉의 원곡은 〈용정의 노래〉다.

　일송정 푸른 솔은 늙어 늙어 갔어도

한 줄기 해란강은 천년 두고 흐른다
지난날 강가에서 말 달리던 선구자
지금은 어느 곳에 거친 꿈이 깊었나


용두레 우물가에 밤새 소리 들릴 때
뜻깊은 용문교에 달빛 고이 비친다
이역 하늘 바라보며 눈물 젖은 보따리
지금은 어느 곳에 거친 꿈이 깊었나


용주사 저녁 종이 비암산에 울릴 때
사나이 굳은 마음 깊이 새겨두었네
조국을 찾겠노라 흘러 흘러 온 신세
지금은 어느 곳에 거친 꿈이 깊었나


일송정, 해란강, 용드레 우물, 용문교, 용주사, 비암산…. 용정의 지명들을 빠트리지 않고 작사한 〈선구자〉는 2절과 3절에서 약간의 손질이 있었음을 알 수 있다. 〈용정의 노래〉에서 이민자들의 애환을 담은 '눈물 젖은 보따리'는 '활을 쏘던 선구자'로, '흘러 흘러 온 신세'는 '맹세하던 선구자'로 바뀌었다. 그리고 또 하나는 1절에만 들어 있던 선구자가 2절과 3절에서도 나타난다는 점이다. 비밀의 열쇠는 〈선구자〉를 만든 두 사람의 이력에서 발견되었다.

노랫말을 지은 윤해영과 곡을 쓴 조두남은 모두 이십 대 청년들이

일송정

었다. 1932년 하얼빈의 한 여관에서 윤해영을 만난 조두남은 그때 일
을 다음과 같이 회고했다.

"윤해영은 나보다 몇 살 아래였다. 하얼빈에서 가사를 전해 받은

나는 이후로 한 번도 윤해영을 보지 못했다."

2009년 11월 마침내 『친일인명사전』이 출간되었다. 조두남의 인터뷰는 곧 거짓으로 밝혀졌다.

조두남은 만주 일대의 대표적인 친일문인 윤해영과 지속적인 관계를 맺으면서 징병제를 찬양하는 〈징병령 만세〉와 일제의 괴뢰국인 만주국을 낙토로 찬양한 〈아리랑 만주〉를 작곡했으며, 친일 가요 〈황국의 어머니〉를 창작 발표하는 등 친일행위가 뚜렷하다. 윤해영 역시 자신이 작사한 〈용정의 노래〉를 해방 후 일부 가사와 제목을 바꿔 〈선구자〉라는 독립군 노래로 둔갑시켰다.

윤해영의 친일 행위는 목단강 오족협화회(伍族協和會) 지부에서 간부를 지낸 점이 더욱 충격적이었다. 일본이 장춘에 만주국을 건국할 때 내세운 '오족협화'는 일본인, 한족, 만주족, 조선인, 몽골족을 이르는 것으로, 다섯 민족이 협력하고 화합하여 구미 제국주의를 막아내고 아시아인의 번영을 이루자는 것이다. 그러나 여기에는 일본이 중심이 되며, 주도권 또한 일본이 가진다는 모략이 담겨 있다. 해방 후 조두남은 한국음악협회 고문과 한국문화예술단체총연합회 마산지부 초대 지부장을 역임했다.

일송정 정자에 새긴 일송(一松)은 '만주벌 호랑이'로 불린 김동삼의 아호다. 한 그루 소나무가 해란강을 굽어보며 서 있는 정자에 오르니 갑갑했던 속이 시원하게 뚫린다. 해란강을 따라 용정의 세전벌과

화룡으로 뻗어나간 평강벌이 거대한 바다처럼 펼쳐졌다. 용정에서
처음으로 벼농사가 시작된 곳이다. 그래그래, 일송정이라면 망국의
청년들이 한달음에 달려와 항전의 결의를 불태울 장소로 충분해 보
였다.


## 영국더기

"명동촌을 걸어가시게?"
"안 그러면 택시를 대절해 다닐까요."
"기래두 너무 먼 길이라서…."
"30리면 소풍 길인데요, 뭐."
민박집 주인이 인절미와 군고구마를 챙겨주었다. 따끈따끈한 아랫
목에서 하룻밤을 보낸 터라 몸도 한결 가벼웠다.
용정 시가지를 벗어나 동산로(東山路) 방면으로 길을 잡았다. 30여
분 만에 도착한 영국더기는 웃음이 나왔다. 고원지대의 평평한 땅을
일컫는 '더기'를 잘못 짚은 것이다. 용정에 최초로 들어선 서양 병원
자리도 아파트 단지로 변해 있었다.
일본 경찰에 쫓기던 상해임시정부 요원들이 프랑스 조계지로 몸을
숨기는 장면을 영화에서 보곤 했었다. 용정에도 유사한 곳이 있다. 북
간도를 무대로 활동한 독립투사들이 은신처로 사용한 제창병원이다.
병원 일대를 영국 조계지(영국더기)로 정하면서 일본인 출입이 금지

제창병원

되었다. 영국에서 선교 활동을 위해 만주로 파견된 선교사들은 핍박받는 자들 편에 섰다. 북간도에서 발간하는 『독립신문』을 인쇄할 수 있도록 자리를 제공해주었으며, 3·13독립선언 포고문도 제창병원 지하실에서 무사히 등사를 마칠 수 있었다.

영국 국적의 선교사들을 용정으로 불러들인 사람은 김약연이었다. 1899년 명동촌을 건설한 김약연은 국적과 인종을 뛰어넘어 — 일본인만 아니면 — 누구에게라도 문호를 개방했다. 북간도 대통령으로 불린 김약연은 서전서숙의 후신으로 명동학교를 설립했으며, 은진중학교 이사장과 명동교회 초대 목사를 지냈다.

1913년 영국더기에 제창병원과 명신여학교를 설립한 캐나다 국적의 바커(Archibald H. Barker) 부부도 김약연 못지않게 헌신적이었다. 선교사 부부는 환자에 따라 약간의 차이를 두어 형편이 좀 나은 환자는 실비 진료를, 형편이 어려운 환자는 무료로 진료해주었다. 1919년 3월 13일 용정에서 만세시위운동이 벌어졌을 때도 바커 부부는 망설이는 기색이 없었다. 만주 군벌과 일본군의 합작으로 발생한 사상자들을 제창병원으로 후송해 치료를 도왔다.

제창병원과 동산교회가 자리를 잡아갈 무렵 영국더기에 은진중학교(1920년)가 들어섰다. 신앙과 의료, 학교교육을 접목한 캐나다 선교사들의 활동은 우리나라 항일운동에도 매우 적극적이었다. 일제의 감시가 어느 때보다 높은 국치일이 다가오면 선교사들은 인근의 교사와 학생들이 안전하게 모일 수 있도록 동산교회를 내주었다. 물론 선교사들도 학생들과 자리를 함께했다.

송몽규, 윤동주, 문익환 등이 다녔던 은진중학교는 1937년 중일전쟁이 발발하면서 일제의 손으로 넘어갔다. 영국더기를 지켜온 선교사들이 떠나자 일제는 은진중학교를 간도성립 제3국민고등학교로 변경해버렸다. 은진중학교 자리에는 현재 중국인 학교(제4중학교)가 들어서 있다.

## 두 청년의 우정

영국더기에서 두 청년(송몽규와 윤동주)이 잠든 묘지를 가려면 시멘트로 포장한 언덕길을 넘어야 한다. 동산(東山) 능선에 다다르면 길은 다시 두 갈래로 나뉘는데, 우측 방향으로 4~5분 걸어가면 '윤동주 묘지 50m'를 알리는 하늘색 표지판이 나타난다. 명동촌에서 나고 자란 두 청년은 식민지 조국의 운명처럼 죽어서도 나란히 누워 있다.

"죽는 날까지 하늘을 우러러/ 한 점 부끄럼이 없기를". 윤동주의 「서시」를 접한 건 스무 살 무렵이었다. 과연 나도 그렇게 살 수 있을까? 숨이 멎을 것 같았다. 설렘과 두려움이 한꺼번에 밀려왔다. 절명

시에 가까운 「서시」를 스물다섯 살에 썼다는 게 믿어지지 않았다.

2018년 겨울 '만주 인문학 모임' 학생들과 후쿠오카구치소(구 후쿠오카형무소)를 찾았을 때의 일이다. 구치소 건물을 보는 순간 말문이 막혔다. 멀고 먼 길을 돌아 북간도의 두 청년은 이곳으로 죽으러 왔단 말인가? 바닷가 마을에 들어선 감옥 주변을 걷고 있는데 두 편의 시가 데칼코마니처럼 겹쳤다.

거 나를 부르는 것이 누구요.

가랑잎 이파리 푸르러 나오는 그늘인데,
나 아직 여기 호흡이 남아 있소.

한 번도 손들어 보지 못한 나를
손들어 표할 하늘도 없는 나를

어디에 내 한 몸 둘 하늘이 있어
나를 부르는 것이오.

일을 마치고 내 죽는 날 아침에는
서럽지도 않은 가랑잎이 떨어질 텐데……

나를 부르지 마오.

― 윤동주, 「무서운 시간」 전문


오오 ― 하늘아 ―

모 ― 든 것이

흘러 흘러 갔단다.

꿈보다도 허전히 흘러갔단다.

괴로운 사념(思念)들만 뿌려 주고

미련도 없이 고요히 고요히……


이 가슴엔 의욕(意慾)의 잔재(殘滓)만

쓰디쓴 추억의 반추(反芻)만 남어


그 언덕을 ―

나는 되씹으며 운단다.

― 송몽규, 「하늘과 더불어」 부분


영화 〈동주〉는 후쿠오카형무소에서 막이 오른다.

"송몽규의 독립운동에 개입했나?"

(한참을 망설이던 윤동주는 힘없는 목소리로) "무슨 얘기인지…."

"송몽규와는 언제부터 알고 지냈지?"

윤동주를 송몽규와 함께 엮으려는 일본 고등계 형사의 심문 장면은 화면을 북간도로 옮겨간다.

두 청년은 고종사촌 간이다. 송몽규를 따라가면 윤동주가 나오고, 윤동주를 따라가면 송몽규가 나온다. 송몽규는 1917년 9월에, 윤동주는 그보다 석 달 늦은 12월에 태어났다. 둘은 모두 유아세례를 받았다. 1925년 명동소학교에 입학한 둘은 김정우, 문익환, 나운규를 만나 문학소년의 꿈을 키워간다.

먼저 싹을 틔운 건 송몽규였다. 1935년 『동아일보』 신춘문예 콩트 부분에 「술가락」이 당선된 송몽규는 그해 4월 학교를 자퇴해버린다. 은진중학교 교사로 부임한 명희조는 상해임시정부에서 특파한 인물이었다.

"송몽규, 국가가 성립되려면 뭐가 필요하지?"

"국토와 국민, 그리고 주권이 필요합니다."

"그렇다. 우리는 지금 주권이 없는 민족이다. 친일로 변절한 이광수의 이상촌(理想村) 운동으로는 독립을 이뤄낼 수 없다."

학교를 자퇴한 송몽규는 가방을 꾸렸다. 근심 어린 눈으로 지켜보는 윤동주를 향해 우정의 말도 잊지 않았다.

"동주 너는 시를 열심히 써라. 총은 내가 들 테니…!"

난징에 도착한 송몽규는 은진중학교 한 해 선배인 나사행과 낙양 군관학교에 입학했다. 김구와 안공근(안중근의 동생)의 얼굴도 보였다. 김구는 군관학교 운영을, 베를린대학 출신의 안공근은 한인훈련반 교관을 맡고 있었다.

영화 〈동주〉에서 일본 고등계 형사가 송몽규에 대해 집요하게 캐

윤동주 묘와 송몽규 묘

물은 것도 이 지점이다. 산둥성 지난(济南)에서 활동한 송몽규는 일본 경찰에 붙잡혀 함경북도 웅기 경찰서로 압송되었다. 거주제한 조건으로 석방된 송몽규는 은진중학교에서 받아주지 않자, 대성중학교 4학년에 편입했다.

송몽규의 요시찰 이력은 그때부터였다. 서울 연희전문학교에서 일본 유학길까지 꼬리표처럼 따라다녔다. 일제의 마수에 걸려든 건 1943년 7월. 교토 지방재판소에서 치안유지법 위반으로 2년 형을 선고받은 송몽규와 윤동주는 후쿠오카형무소에서 복역 중 사망했다.

문익환의 아버지 문재린 목사의 집례로 두 청년의 장례를 마친 뒤, 봄이 되자 양쪽 집안의 어른들은 묘지에 '청년문사송몽규지묘(青年文士宋夢奎之墓)', '시인윤동주지묘(詩人尹東柱之墓)'라는 비석을 세웠다.

해방 후 남은 가족들이 용정을 떠나면서 두 청년의 묘지도 곧 잊혀 갔다. 동산공원에 묻힌 두 청년의 묘지를 찾아낸 사람은 와세다대학 오무라 마스오(大村益夫) 교수였다. 당시 한국은 중국과 수교 전이라 만주 항일운동 유적지 발굴은 엄두조차 낼 수 없었다. 일본은 중국과 1972년에, 우리는 그보다 20년이 늦은 1992년에 공식적인 수교가 이뤄졌다. 1985년 오무라 마스오는 연변대학에 체류 중이었다.

1970년 이미 한국을 방문한 적 있는 오무라 마스오는 "한국을 내 조국이라고 부를 수는 없지만 사랑하는 대지"라는 말로 한국에 대한 애정을 드러냈다. 특히 그는 연암 박지원과 윤동주에 관심이 많았다.

죽는 날까지 하늘을 우러러
한 점 부끄럼이 없기를,
잎새에 이는 바람에도
나는 괴로워했다.
별을 노래하는 마음으로
모든 죽어가는 것을 사랑해야지.
그리고 나한테 주어진 길을
걸어가야겠다.

오늘 밤에도 별이 바람에 스치운다.
— 윤동주, 「서시」 전문

1990년 8월 대한민국 정부는 윤동주에게 건국훈장 독립장을, 1995년 8월 송몽규에게 건국훈장 애국장을 수여했다.


## 3·13 만세운동

두 청년이 잠든 동산공원 묘지는 일송정에서 바라본 풍경과 사뭇 다른 느낌이다. 산정 아래 펼쳐진 용정 시가지가 한적해 보였다. 묘지에서 영국더기 반대 방향으로 산을 내려가면 2m 높이의 굴뚝이 솟아 있는데, 그 옆이 3·13만세시위 의사 능(陵)이다.

우리 대한(大韓)은 완전한 자주독립국가이며 민주국가임을 선포한다. 우리 대한은 타민족의 대한이 아닌 우리 민족의 대한이다. 한반도는 대한의 영토이니, 우리의 독립은 우리 스스로가 보호함이 정당하다. 또한 그것이 우리의 정당한 권리임을 밝힌다. 섬은 섬으로 돌아가고, 반도는 반도로 돌아오게 하고, 대륙은 대륙으로 회복하게 하라.

1919년 2월 중국 만주와 러시아 연해주에서 활동한 김약연, 박은식, 이상룡, 이동휘, 신채호, 김동삼, 안창호, 이동녕, 김좌진 등 39명이 작성한 무오년 독립선언포고문이다.

1919년 3월 18일로 예정된 용정 만세운동은 서울에 파견한 강봉우(영신학교 교감)가 돌아오면서 일정이 조금 앞당겨졌다. 3월 13일 날이 밝자 명동, 정동, 영신 등 12개 학교가 조직한 충렬대(忠烈隊)를 선두로 한인 3만여 명이 서전대야로 모여들었다. 영화 〈아리랑〉을 제작한 춘사 나운규도 시위 대열에 참여했다. 둥둥둥 북소리와 함께 대회장은 '대한독립', '정의인도'라고 쓰인 두 개의 깃발이 힘차게 나부꼈다.

천주교 교당에서 정오를 알리는 종소리가 울렸다. 연단에 오른 김영학 목사는 제창병원 지하실에서 등사한 포고문을 낭독했다.

우리 조선민족은 민족의 독립을 선언하고 민족의 자유를 선언하며, 민족의 정의를 선언하고 민족의 인도를 선언하노라. 하여 최후의 한 사람까지, 최후의 일각까지 우리 민족의 정당한 의사를 표달(表達)한다.

포고문 낭독이 끝나자 서전대야는 "조선독립만세!", "대한독립만

3·13 만세시위 의사 능

세!"를 외치는 태극기의 함성이 메아리쳤다. 북간도에 거주하는 3만 여 명의 한인들이 한날한시, 한자리에 모인 것도 처음 있는 일이었다.

수순에 따른 행사를 모두 마친 충렬대는 태극기와 오장기(伍丈旗)를 흔들며 일본영사관을 향해 가두시위를 벌였다. 북시장 건너편에서 무장한 군벌과 맞닥뜨린 시위대는 더욱 우렁찬 목소리로 구호를 외쳤다.

"섬나라는 섬나라로, 반도는 반도로, 대륙은 대륙으로!"

"중국 경찰과 중국 군인은 우리의 독립을 가로막지 말라!"

바로 그때였다. 골목 쪽에서 시위대를 겨냥한 총소리가 들려왔다. 연길에서 급파된 맹부덕(孟富德)의 부대였다. 일제가 사주한 친일 군벌의 발포로 용정 시가지는 아수라장으로 변했다. 시위 현장에서 19명이 사망하고, 40여 명이 부상당했으며, 90여 명은 일본영사관으로 연행되었다.

3월 17일 오전, 5000여 명이 모인 가운데 희생자들을 애도하는 장례식이 열렸다. 시위 도중 사망한 시신은 용정 시내에서 십 리가량 떨어진 합성리 양지바른 언덕에 안장되었다. '3·13반일의사능' 추모비 뒷면에 김승록, 장학관, 현봉률 등 희생자 명단이 담겨 있다.

용정에서 발화한 3·13만세운동은 개산툰, 투도구, 화룡, 왕청, 훈춘, 안도 등 북간도 전역으로 번져갔다. 두 달여 동안 50회에 가까운 만세시위가 벌어졌으며, 참가 인원만 9만 명에 달했다. 뿐만 아니라 용정 만세운동은 봉오동전투와 청산리전투로 이어지는 만주 독립전쟁의 도화선이 되었다.

## 15만 원과 20원

3·13묘역에서 명동촌 방면으로 가는 길은 정적이 감돌았다. 도심을 완전히 벗어난 왕복 2차선 도로는 차량들마저 뜸했다. 승지촌 입구 도로변에 명동촌과 백금리로 갈라지는 표지판이 나타난 건 반 시간쯤 지나서였다.

백금리 방향의 긴 다리를 건너자, 동량어구(지신향 수동촌) 맞은편 축대 위에 커다란 바위 모양의 기념비가 보였다. 거액의 돈을 탈취한 장소에 기념비를 세우다니…. '놈놈놈'으로 줄여서 부르는 영화 〈좋은 놈 나쁜 놈 이상한 놈〉이 뇌리를 스쳤다. 삭풍이 부는 만주 어디쯤의 벌판, 모래바람을 헤치며 걸어가는 젊은 총잡이, 불을 뿜어내는 총구에 메마른 옥수숫대처럼 스러져가는 이름 모를 악당들…. 15만 원 탈취 사건을 배경으로 제작한 영화는 기대만큼 썩 와닿진 못했다.

1919년 한반도에서 일어난 3·1만세운동처럼 용정의 3·13만세운동도 항일 무장 세력을 빠른 속도로 증가시켰다. 만주의 광복단과 연해주의 철혈단을 통합한 '철혈광복단'은 무기 구입에 총력을 기울였다. 민간에서 사용하는 엽총과 재래식 총기로는 일제의 신식 무기를 따라갈 수 없었다.

1919년 9월, 철혈광복단 윤준희는 조선은행 용정출장소에서 일하는 전홍섭을 찾아갔다.

"홍섭이 형, 상황이 상황인지라 뜸들이지 않고 말하겠소. 일본 놈

15만원 탈취 기념비

들이 회령에서 용정 은행으로 돈을 운반한다는데, 형이 좀 그 날짜를 알아봐주겠소?"

"무슨 말인지 알겠다. 인차 소식을 줄 테니 조금만 참고 기다려라."

연말을 앞두고 윤준희는 단원들을 불러 모았다.

"선바위 쪽보다는 음습한 동량어구가 낫지 않을까? 여차하면 백금리로 빠져나갈 퇴로도 확보할 수 있고….'

"그게 좋겠습니다. 왜놈들을 구석으로 몰아넣을 수도 있고요."

수송 마차 습격 장소를 동량어구로 결정한 단원들은 1920년 1월 3일 저녁부터 매복에 들어갔다. 살을 에는 추위 속에서 밤을 지새운 단원들은 눈이 번쩍 뜨였다. 두 대의 마차가 선바위 쪽으로 들어오고 있었다.

"죽어도 내가 먼저 죽을 테니 절대 서두르지 마라!"

매복 중인 단원들을 향해 주위를 환기시킨 윤준희는 휴대한 권총을 거머쥐었다.

탕! 탕!

사정거리를 재고 있던 윤준희는 거침없이 방아쇠를 당겼다. 그와

동시에 매복 중인 단원들도 일제히 집중사격을 가했다. 불의의 기습을 받은 일본 경찰과 호송대원이 말에서 힘없이 떨어졌다.

"꼼짝 마라!"

땅바닥에 떨어져 신음을 토하는 일본 경찰과 호송대원을 제압한 윤준희의 목소리가 다급해졌다.

"저 말을 놓쳐선 안 된다!"

총소리에 놀란 수송 마차가 백금리 쪽으로 내달리고 있었다. 호송대원의 말에 올라탄 최이붕과 한상호가 급히 뒤를 쫓았다. 수송 마차가 멈춘 곳은 팔포장 산중턱이었다.

"이거 이거, 장난이 아니다야!"

자루에 든 돈을 확인한 두 대원은 기쁨을 감추지 못했다. 10원 권 지폐 5만 원과 5원 권 지폐 10만 원이 마대 자루 속에 들어 있었다. 소총은 20원, 장총은 30원 안팎임을 감안하면 독립군 5000명을 무장시킬 어마어마한 돈이었다.

비밀리에 회동을 가진 철혈광복단은 탈취한 15만 원을 다음과 같이 사용하기로 의결했다. 첫째, 연해주 수청(水淸, 현재 지명은 '빨치산스크'로 1907년 안중근이 의병 모집을 할 때 100여 명의 청년들이 앞다퉈 지원할 만큼 독립의 의지가 매우 뜨거웠던 곳이다)에 사관학교를 세워 군사 인재를 배양한다. 둘째, 신식 무기를 구입해 나자구(羅子沟, 왕청현 소재)에 정식 군대를 편성한다. 셋째, 블라디보스토크에 독립운동 사무실과 출판사를 세워 군사학 교재와 기타 문건들을 출판한다.

일제의 추격을 염려한 윤준희는 최봉설, 한상호, 임국정과 함께 블

붉은 오월 투쟁 기념비

라디보스토크로 떠났다. 만주에서 사용 중인 신식 무기 대부분이 연해주를 통해 들어오고 있었다. 러시아 내전에서 차르 정권(백군)의 패색이 짙어지자 귀국을 서두르는 터키군들이 내놓은 무기였다.

블라디보스토크에 도착한 철혈광복단 단원들은 엄인섭을 찾아갔다. 안중근과 의형제를 맺은 엄인섭은 러일전쟁 당시 러시아군 통역을 맡을 정도로 발이 넓었다. 하지만 엄인섭은 한일병합 이후 일제의 밀정으로 변절해 있었다. 다행히 최봉설은 몸을 피해 달아났지만, 나머지 세 명은 서대문형무소에서 교수형에 처해졌다. 윤준희는 30세, 임국정은 27세, 한상호는 22세로 모두 혈기왕성한 청년들이었다.

15만 원 탈취 현장에서 걸어 나오는데 덤불숲에 웬 비(碑)가 보였다. 1925년 상해 노동자 총파업 5주년을 기념해 일어난 '붉은 5월 투쟁' 기념비였다. 북간도에서 한 달간 진행된 5월 봉기는 일제의 간담을 서늘하게 만들었다. 노동자, 농민이 합세한 5월 봉기는 용정의 동양척식회사 출장소를 파괴하고, 일제의 통신망마저 마비시켜버렸다.

총지휘를 맡았던 23세의 강학제는 일본군과 격전 중 사망했는데,

그의 호주머니에서 스스로를 다짐하는 시가 발견되었다.

> 혁명은 나에게 책임
> 혁명은 나에게 직업
> 책임이니 무거워도
> 직업이니 죽는 그날까지!

15만 원 탈취 기념비에서 가까운 승지촌에도 잠깐 들렀다. 한족 마을로 변한 승지촌은 주덕해가 유년기를 보낸 곳으로, 그의 옛 집터가 말끔하게 단장되어 있었다.


## 선바위 돌아
## 명동촌

검문소를 지나면서 도로변은 더욱 한적해졌다. 'S' 자 모양의 모퉁이를 돌아가자 선바위가 불쑥 고개를 내밀었다. 명동촌이 생기기 전 여진족들은 선바위 일대를 '부걸라재(만주어로 비둘기 바위)'라고 불렀다. 중국어 발음은 '보거라쯔', 한자로 쓰면 '鵓鴿磖子(발합랍자)'이다.

1907년 가을 망명지를 물색 중이던 안중근은 기울어가는 서전서숙을 보며 비탄을 금치 못했다. 1866년 병인양요, 1871년 신미양요, 1876년 강화도조약, 1884년 갑신정변, 1894~1895년 청일전쟁,

선바위

1904~1905년 러일전쟁, 1905년 을사늑약, 1907년 정미7조약…. 한반도의 운명이 섬나라 일본에 놀아나고 있었다. 서전서숙을 나온 안중근은 선바위로 향했다. 하루도 책을 읽지 않으면 입안에서 가시가 돋듯, 사격 연습을 하지 않으면 마음속에 불안감이 생겼다. 하얼빈역에서 이토 히로부미를 저격할 때도 자신을 먼저 갈고 닦았기에 가능한 일이었다. 언제고 비수는 예리할수록 적중률이 높았다. 지금 지나고 있는 선바위 뒷산이 바로 안중근이 사격 연습을 했던 곳이다. 북간도에서 석 달을 머무는 동안 안중근은 틈만 나면 선바위를 찾아 총을 겨누곤 했다.

오후 2시경 장재촌을 지날 때였다. 누군가의 짧은 음성이 단말마처럼 들려왔다.

"내가 걸어온 길이 곧 나의 유언이다."

서른 살이 되던 해(1899년)였다. 함경북도 종성에서 출생한 김약연

윤동주 생가

은 전주 김씨 가문과 문병규 가문 등 142명을 이끌고 두만강을 건넜다. 문익환의 고향인 장재촌에 정착한 김약연은 벌어먹고 살 경전(耕田)과 미래 세대의 교육을 위한 학전(學田), 그리고 군자금을 마련할 군전(軍田) 개발에 매달렸다.

중국인 지주로부터 600만 평의 땅을 매입한 김약연은 명동촌으로 터전을 옮겨 명동서숙을 설립했다. 그사이 한반도는 고종을 총칼로 위협한 일제가 을사늑약을 체결한 뒤였다. 명동서숙을 명동학교로 개편한 김약연은 곧이어 명동중학교를 세웠다. 어느 곳에 살든 민족 교육에 힘쓰지 않으면 뒷방 신세에 지나지 않았다.

명동촌을 처음 찾았을 때만 해도 이렇듯 화려한 색상은 아니었다. 왠지 어설퍼 보이는 모습에서 나름 향수가 느껴졌다. 그때와 비교하면 지금의 명동촌은 마치 패키지 투어를 보는 것 같다. 윤동주 생가는 마당 가득 시비(詩碑)로 들어찼고, 하늘을 우러러 한 점 부끄럼이 없어야 할 전시관은 허술하기가 이를 데 없다. 교회당 꼭대기에서 반겨주던 하얀 십자가도 자취를 감춘 지 벌써 오래다. 꽃 사이로 발자국을 찾아 나서면 일 년 열두 달 하냥 내 마음에는 눈이 내리리라던 윤동주는 어디에 있단 말인가! 흔적은커녕 숨소리조차 들려오지 않는다. 윤동주 생가 마루에 걸터앉아 정재면을 떠올렸다.

1908년 봄, 두루마기 세대와 양복 세대 간의 한바탕 힘겨루기가 벌어졌다.

"학생들을 가르치기 전에 한 가지 조건이 있습니다. 정규 과목으로 성경 공부가 반드시 선행되어야 한다는 것입니다."

스물세 살이면 아직 약관의 나이라 할 수 있었다. 그런데도 정재면은 조금도 거리낄 이유가 없다는 표정이었다. 목하 입장이 난처한 쪽은 정재면을 초빙한 김약연이었다. '신민회'(1907년 4월 안창호, 이동휘, 이동녕, 이갑, 김구 등이 국권 회복을 목적으로 창건한 전국적 규모의 비밀결사 조직)에서 파견한 정재면은 기지가 넘치고, 예리한 통찰력까지 갖춘 보기 드문 청년이었다.

유교를 숭상하는 두루마기 세대로부터 자신의 뜻을 관철시킨 정재면은 다음 단계를 위한 준비에 들어갔다. 서울을 떠나올 때부터 명동촌을 기독교공동체로 바꿔놓는 것이 그의 최종 목표였다. '동쪽(조선)을 밝힌다'는 명동촌(明東村)에 교회를 건립한 정재면은 유학자 김약연부터 기독교에 입교시켰다. 북간도의 대통령을 움직이자 톱니바퀴는 매끄럽게 굴러갔다.

근대 교육의 아버지로 불리는 요한 아모스 코메니우스(Johann Amos

Comenius)는 이렇게 말했다. "교육은 내세의 준비를 위한 과정"이라고. 체코 출신의 철학자이자 신학자인 코메니우스의 영향을 받은 정재면은 여자중학교를 세웠다. 평등한 신앙의 가치를 구현하려면 성차별과 존비귀천(尊卑貴賤)이 사라져야 했다. 명동촌의 변화는 예상보다 일찍 나타났다. 여성들이 학교에 입학하고 예배에 참석하면서 남성들의 양반다리도 차츰 힘을 잃어갔다. 문익환 부자는 목회자로 거듭났으며, 할아버지가 장로였던 윤동주는 문학관이 바뀌었다.

여남은 가구가 명맥을 이어가는 명동촌 골목길을 거닐 때였다. 네 동무의 유년 시절이 궁금했다. 어려서부터 심지가 곧은 동주는 문학에 재주가 있었고, 몽규는 사람들이 모인 앞에서 연설을 곧잘 하였고, 핸섬 보이 익환은 목소리가 고와 노래를 즐겨 불렀다. 그런가 하면 운규는 수업 시간만 되면 맨 뒷줄에 앉아 웃는 연습을 하곤 했었다. 하긴 동주와 몽규, 익환이 어린이잡지를 구독해 읽을 때 문제아 운규는 〈아리랑〉을 만들어 주위를 놀라게 하지 않았던가. 영화를 본 사람마다 나운규의 재능에 찬사를 보냈던 것이다.

새로 복원된 명동학교 건물은 들녘에 신도시가 들어선 것처럼 주변이 시원해 보였다. 3·13만세운동 기념비 앞에 서자, 무관 출신 이동휘의 목소리가 쩌렁쩌렁 울려 퍼졌다.

"우리가 이곳에 왜 왔습니까? 그저 잘 먹고 잘 살려고 왔습니까? 아닙니다. 우리는 결단코 독립을 이뤄내야 합니다. 그러기 위해서는 북간도 도처에 교회를 세워야 하고, 교회를 통해 학교를 세워야 합니다. 그 어떤 비바람에도 흔들리지 않는 독립투사들은 그곳에서 길러

명동학교 터

집니다."

　이동휘의 당부는 조금도 퇴색되지 않았다. 15만 원 탈취에 가담한 철혈광복단 단원들이 명동학교 출신이었다. 청산리전투 이후 일제는 제일 먼저 명동촌을 후테이센진(不逞鮮人, 일제가 자기네 말을 따르지 않는 한국 사람을 이르던 말. 일본에서 활동한 박열은 소책자를 만들어 일본인 노동자들에게 호소하기도 했다. "조선인이 정말 불령한 무리인가, 아니면 자유의 염원으로 불타고 있는 살아 있는 인간인가! 우리의 처지와 닮은 일본인 노동자에게 묻노라." 박열은 22년 9개월이라는 최장의 수감 기록을 세우고 1945년 10월 석방되었다) 본거지로 규정했는데, 1925년 명동학교도 일제의 방화로 잿더미가 되고 말았다.


## 삼합 국경

명동촌 들머리로 걸어 나와 버스를 기다렸다. 가방에 넣어둔 『탈출기』(최서해)를 꺼낼까 하다 그만두었다. 『탈출기』쯤이야 달달 외우고도 남았다. 1918년부터 1923년까지 최서해는 만주를 유랑하며 최말단의 삶을 전전하는데, 이주민들의 빈궁한 처지를 보다 사실적으로 다루었다는 점에서 마음이 끌렸다. 일제강점기에 많은 문인들이 만주를 다녀갔지만 최서해처럼 이주민 삶에 천착한 작품은 극히 드물었다.

김군! 내가 고향을 떠난 것은 오 년 전이다. 이것은 군도 아는 사실이다. 나는 그때에 어머니와 아내를 데리고 떠났다. 내가 고향을 떠나 간도로 간 것은 너무도 절박한 생활에 시든 몸이, 새 힘을 얻을까 하여 새 희망을 품고 새 세계를 동경하여 떠난 것도 군이 아는 사실이다.

(…)

두만강을 건너고 오랑캐령을 넘어서 망망한 평야와 산천을 바라볼 때 청춘의 내 가슴은 이상의 불길에 탔다. 구수한 내 소리와 헌헌한 내 행동에 어머니와 아내도 기뻐하였다.

용정에서 삼합으로 떠나는 막차가 도착했다. 승객은 모두 네 명. 명동촌을 출발한 버스는 십여 분 후 깊은 산속으로 빠져들었다. 늑대와 호랑이가 출몰했다는 오봉산 자락이다. 두만강을 건넌 조선인들은 오랑캐령(오봉산령)을 넘어 북간도로 이주했다. 러시아 사람을 얕잡아 부르는 마우재(毛子)도, 만주 지방에 사는 여진족을 오랑캐(兀良哈)라 부른 것도 함경도 사람들이 시초였다. 투박한 성질의 함경도 사람들은 '예, 아니오'가 분명했다.

> 그가 아홉 살 되던 해
> 사냥개 꿩을 쫓아다니는 겨울
> 이 집에 살던 일곱 식솔이
> 어데론지 사라지고 이튿날 아침
> 북쪽을 향한 발자욱만 눈 우에 떨고 있었다.
>
> 더러는 오랑캐령 쪽으로 갔으리라고
> 더러는 아라사(러시아)로 갔으리라고
> 이웃 늙은이들은
> 모두 무서운 곳을 짚었다.
> ― 이용악, 「낡은 집」 부분

1924년 도문에서 장춘을 잇는 철도를 개설한 뒤였다. 장춘에 만주국을 수립한 일제는 회령에서 삼합을 연결하는 두만강 다리 건설도

마저 완공했다. 이로써 일제는 중국 대륙을 침략할 전초기지를 마련한 셈이었다.

우거진 숲으로 둘러싸인 산길을 서른 굽이쯤 돌았을까. 오봉산 자락을 벗어나자 바리케이드를 친 검문 초소가 나타났다. 아마 모르긴 해도 택시를 탔다면 검문에 걸려 되돌아갔을 것이다. 100년 전이나 지금이나 이 길은 크게 달라진 게 없다. 망명 루트에서 탈북자 루트로 색상만 조금 바뀌었을 뿐이다. 더욱이 서울시청 탈북 공무원 간첩 사건이 터진 뒤로는 주변 경비가 한층 강화되었다.

검문소를 통과한 버스는 북흥촌을 향해 내달렸다. 창문 너머로 부처의 손가락을 상징하는 천불지산(天佛指山)이 모습을 드러냈다.

"저 산이래 나그네(남자)들도 무서워한다오. 인차 잘못 들었다간 길을 잃기 십상이란 말입지."

함경도 어투였다. 억양이 드센 함경도 사투리는 귀에 한번 박히면 잔영처럼 오래갔다. 다시금 재생시키면 큭큭 웃음이 터져 나왔다.

40여 분을 달려 도착한 삼합은 마을 어귀에 내걸린 토닭집 간판들이 식욕을 돋우었다.

"내래 인차 올 줄 알았구면요. 길쎄 우리 집 나그네(남편)가 풍미 좋은 토닭 한 마리를 꼭 숨겨야 한다지 뭡네까. 인차 준비할 테니 두만강이나 구경하고 오시라요."

민박집을 나와 망강각(望江閣) 전망대 쪽으로 걸어갔다. 저녁노을이 번지는 두만강 너머로 함경북도 회령시 유선동 마을이 시야에 들어왔다. 물빛이 뿌연 두만강 기슭 오른편에 일제가 설치한 삼합 해관

망강각에서 바라본 회령 땅

(海關, 세관)도 보였다. 이곳을 처음 방문했을 때 민박집 주인은 밀수꾼 이야기를 들려주었다.

"왜놈들이 쳐들어와설랑 입에 넣을 게 있어야 말입지. 기래 의복이며 소금을 거래하는 밀수꾼들이 두만강 나루터에 쎘었꼬마. 기런데 한날, 아편을 밀수하다 왜경(倭警)한테 붙들렸지 뭐요. 기것도 새파란 아주마이가 말이오. 대중들이 지켜보는 앞에서 왜경 두 놈이 아주마이의 옷을 홀라당 벗겨설랑 검사를 하는데, 아 길쎄 숨겨둔 아편이 음부에서 막 쏟아지지 않겠습둥. 누런 갱지로 둘둘 만 것들이 말이오. 인차 아주마이의 사연을 듣고설랑 눈물이 핑 났더랬소. 어린것이 깊은 병에 걸려설랑 큰돈이 필요했던 것이우다."

두만강을 가로지르는 다리가 점점 더 가까이 다가왔다. 저 다리를 건너면 북한 땅이고, 되돌아 나오면 중국 땅인가? 동맹(同盟)과 혈맹

두만강 다리

(血盟)의 차이를 알 것도 같았다. 혈맹은 서로 얼굴을 마주한 채 이웃
처럼 살아가고 있었다.

　홀로 여행을 하다 보면 때로 그런 날이 있다. 살을 다 발라낸 한 편
의 시처럼 모든 언어가 뼈마디로 전해지는. 망강각 전망대에서 회령
땅을 바라보는 오늘이 그런 밤이다. 삼합, 개산툰, 도문, 량수, 밀강,
훈춘으로 이어지는 두만강을 거슬러 오르면 「국경의 밤」이 사무치도
록 뼈마디를 자극할 때가 있다. 그냥, 서러운 것이다.


　　아하, 무사히 건넜을까,

　　이 한밤에 남편은

　　두만강을 탈 없이 건넜을까?

저리 국경 강안(江岸)을 경비하는

외투 쓴 검은 순사가

왔다 ― 갔다 ―

오르명 내리명 분주히 하는데

발각도 안 되고 무사히 건넜을까?


소금실이 밀수출 마차를 띄워놓고

밤새가며 속 태우는 젊은 아낙네

물레 젓던 손도 맥이 풀어져

파! 하고 붙는 어유(魚油) 등잔만 바라본다.

북국의 겨울밤은 차차 깊어 가는데.

― 김동환, 「국경의 밤」 부분


## 개산툰
## 사이섬


도문을 간다는 말에 민박집 주인을 따라나섰다. 그런데 어제 온 길
이 아니었다. 검문 초소에서 용정으로 가지 않고 산길로 차를 몰았다.

"이 길이 왜정 때 군사물자를 수송하던 곳이오. 회령에서 삼합으로
군사물자를 들여오면 연변의 각 지역으로 보급되었소."

검문 초소에서 도문으로 이어진 군용도로는 정적이 감돌았다. 가

는 길도 제법 가팔랐다.

"저기를 보시라요. 이 도로에서만 볼 수 있는 삼봉마을(함경북도 종성군)이오."

민박집 주인이 가리키는 삼봉마을은 낭떠러지 절벽 아래 놓여 있었다. 협곡 사이를 흐르는 두만강 건너편이 수채화처럼 다가왔다.

"나도 어렸을 적에 선구촌에서 살았지 뭐요. 그때 삼봉 아(아이)들과 두만강에서 멱질하며 지냈습꼬마. 멱질하다 허기지므 미도로 들어가설랑 참외와 토마토를 따먹곤 했습지비."

개산툰에서 도문 방면으로 가다 보면 선구촌이 나온다. 선구촌 앞을 흐르는 두만강에 두 개의 섬이 있었는데, 간도(間島)라는 '사이섬'과 미도(尾島)라는 '꼬리섬'이다. 물살이 완만한 사이섬에서 농사를 짓기 시작한 건 1860년대였다. 거듭된 재해와 흉년으로 살길이 막막해진 조선인들은 간도와 연해주 등지로 떠났다. 소설가 안수길은 『북간도』에서 사이섬을 자세히 기록해놓았다.

살길을 찾아 고장을 떠나는 사람, 거지가 되어 가족이 사방으로 흩어지는 가정들이 많아졌다. 그러는 중에서도 몇몇 약삭빠른 사람들은 '사잇섬 농사'를 지어 초근목피와 함께 겨우 연명을 해왔다.

'사잇섬'이란 이곳, 종성부(鍾城府) 중에서 동쪽으로 십 리쯤 떨어진 이 동네 앞을 흐르는 두만강 흐름 속에 있는 섬이었다.

흡사 고구마 형국으로 생긴 사잇섬은 모래로 이루어진 사주(沙洲)다. 주위가 십 리가 될까? 땅이 검어 기름질 것 같으나 모래로 이루어

진지라 곡식이 되지 않았다.

(…)

대안(對岸)인 청국 땅과 우리나라 사이를 흐르는 두만강, 그 강물 가운데 있는 섬이었다. 그러나 이 섬은 우리나라 영토였다.


간도라는 지명도 그때 생겨났다. 반면 미도는 1976년 여름 홍수 피해로 두만강 변에 둑을 쌓으면서 물에 잠기고 말았다.

"조선족 모두가 많이 아쉬워했었소. 북한과 연결된 마지막 끈이 대홍수가 나면서 끊겼지 뭡네까. 일구칠육년도까지만 하더라도 사이섬은 중국 영토, 꼬리섬은 북조선 영토였단 말임다."

"저는 여기서 내릴게요."

"기래도 국경수비대는 인차 조심하라요. 사진기 단속도 잘하고요, 길쎄 이놈들이 싸드니 뭐니 해설랑 독이 바싹 올라 있지 뭐요."

면 소재지 규모의 개산툰은 역전 주변이 아름다웠다. 초등학교에 갓 입학한 아이가 크레용으로 그린 도화지 속 그림을 연상시켰다. 기차역 앞마당에 놓인 대나무 평상은 여름날이 기다려졌다. 마을 사람들과 빙 둘러앉아 수박을 쪼개 먹으면 밤하늘 은하수가 우수수 쏟아져 내릴 것만 같았다.

해방 직후 문을 연 선구소학교는 흉물로 방치되어 있었다. 다소 마음이 놓인 건 길에서 마주친 노인과 인사를 나눈 뒤였다. 선구소학교에서 학생들을 가르쳤다는 노인은 한족 학생과 조선족 학생 사이에 벌어진 '민족 싸움'을 미담처럼 들려주었다.

선구촌 선구소학교

"지금도 십년동란(문화대혁명) 때를 생각하므 치가 떨린다니. 홍위병들한테 좀 당했어야 말이지. 기래 기걸 학교에서 되갚아준 기라. 싸움을 말려야 할 교원들이 양 진영에서 학생들을 뒤받치고 있어설랑 절대로 지면 안 되는 싸움이었단 말이지. 교학(수업) 중에 운동장으로 뛰쳐나가 민족 싸움을 벌인 게 한두 번 아니었꼬마. 세 번 싸우면 두 번은 꼭 우리가 이겼더랬지. 보다시피 여긴 연변 땅이란 말입지."

선구촌에서 도문으로 가는 길이었다. 정동중학교 건물도 보였다. 1912년에 설립한 정동중학교도 명동중학교와 같은 해 문을 닫았다. 청산리전투에서 패한 일제는 3·13만세운동 시위에 참가한 학교들을 선별해 끈질긴 보복을 일삼았다.

도문

·

·

图们

# 눈물 젖은
## 두만강

국경 다리를 걸어보고 싶으세요? 두만강에서 유람선을 타고 싶으세요? 그럼 돈을 내세요.

바다를 국경으로 알고 살아온 게 잘못이었을까. 한반도 이방인에게 도문은 무척 신기한 도시였다. 얼마간의 돈을 지불하면 분단의 비극이 씻은 듯이 사라졌다. 하지만 그건, 잠시 잠깐의 미몽이었음을 곧 깨닫게 된다. 우리에게 국경은 여전히 문명의 사생아였던 것이다. 그것도 벌써 70년째 손발이 묶인.

함경북도 온성군(남양)과 국경을 접한 도문은 연변 지역에서 후발주자에 속했다. 1932년 5월 도문 – 장춘 간 철도가 완공되면서 300명이었던 인구는 3만 명으로 증가했고, 그해 8월 도문과 북한을 연결하는 철교가 세워졌다. 도문에서 함경북도 동해안 북쪽 끝에 자리한 나선까지는 160km 떨어져 있다.

'꽃제비'(일정한 거주지 없이 먹을 것을 찾아 떠돌아다니는 탈북 소년들)가 유행하던 때였다. 그날따라 눈보라가 심하게 몰아쳤다. 옷깃을 잔뜩 여민 채 두만강 변을 걷고 있는데 두 소년이 길을 막아섰다.

"밥을 먹지 못했시요. 20위안만 주시라요."

열네댓 살쯤 됐을까, 며칠 굶은 사람처럼 두 소년의 행색이 몹시 초라해 보였다.

국경 조형물

"너희들 혹시, 저 강을 건너온 거니?"

"기딴 건 묻지 마시라요!"

소년이 인상을 찌푸렸다. 순간 당황스러웠다. 말로만 듣던 꽃제비가 눈앞에 나타날 줄이야…! 영화 〈두만강〉의 실제상황을 현장에서 직접 확인하고 있는 기분이었다.

"돈은 나중에 줄 테니 밥부터 먹으면 안 될까?"

"…"

매섭게 쏘아보던 소년이 입을 꼭 다물었다.

"20위안이 없으면 10위안만 주시라요. 여기 오래 있다 중국 공안한테 붙들리면 변방구류소로 끌려갑네다."

소년이 말한 변방구류소는 도문에 있는 탈북자 수용소였다. 중국에서 검거된 탈북자들은 변방구류소에서 1차 조사를 마친 뒤, 북한으로 다시 이송되었다. 따순 밥 한 그릇 먹여 보내려던 마음이 갑자기 바빠지고 말았다. 감옥도 무서운 곳이지만 변방구류소는 더 무섭게 들렸다. 한번 잡혀가면 영영 못 돌아올 것처럼 보였다.

"미안하구나. 여기 있으면 위험하니 어서 가거라."

두 소년이 꼬맹이여관(小不点旅店) 간판이 걸린 골목 안으로 쏜살같이 사라졌다.

그때 만난 두 소년은 무사할까? 도문에 오면 제일 먼저 떠오르는 얼굴들이다.

해관이 있는 다리 입구에서 걸음을 멈추었다. 입장권을 구입한 뒤 나선형 철제 계단을 타고 전망대에 올랐다. 3층 전망대에서 내려다보는 두만강 국경은 이편과 저편이 극명하게 갈렸다. 중국 쪽 다리의 절반은 밤사이 내린 눈을 깨끗하게 치운 반면, 나머지 절반은 인적조차 없었다. 북한 쪽 왕래가 그만큼 뜸하다는 걸 알 수 있었다. 다리 난간을 칠한 페인트 색도 이색적이다. 중간 지점을 경계로 붉은색과 파란색으로 도색되어 각자의 영역을 암시하는 듯했다.

백두산에서 발원하는 세 개의 강을 이곳 사람들은 '삼형제강'이라 부른다. 두만강(547km)은 동해에서, 압록강(803km)은 황해에서, 송화강(1927km)은 아무르강에서 소멸된다. 세 개의 강 모두 고구려와 발해의 영토로 불렸던 곳이다.

북한 땅이 굽어보이는 전망대에서 내려오자 국경수비대원이 기다리고 있었다. 중국 군인과 나란히 두만강 다리를 걸으려니 마음이 좀

두만강 국경 다리

착잡해졌다. 재주는 곰이 부리고 돈은 되놈이 챙겨가는 꼴이었다. 국
경 다리 걷기도 절반에서 멈춰 섰다. 다리 한가운데 국경을 상징하는

붉은 선 두 개가 1m 간격으로 그어져 있고, 그 안에 변계선(邊界線)이 들어앉았다. 영화 〈해안선〉에서처럼 통통 족구 한판 하면 딱 좋을 공간이었다.

장동건, 유해진이 출연한 〈해안선〉은 사금파리를 수놓아 만든 한반도 지도 위에서 펼치는 족구 장면이 무척 신선해 보였다. 세트가 끝나면 북쪽 선수들은 남으로 내려가고, 남쪽 선수들은 북으로 올라갔다. 시합을 마친 군인들이 네트를 챙겨 막사 안으로 들어간 뒤였다. 텅 빈 족구장은 사금파리 한반도만 선명하게 남아 있었다.

1920년 간도참변 소식을 듣고 만주로 건너간 시인 김기림은 두만강을 '호곡(號哭)의 강'이라고 불렀다.

너 두만강이여, 나는 너를 나의 북방의 애인이라 부를까? 모두 고요한 죽음과 같은 분위기다. 말할 수 없는 우울! 이것이 일찍이 우리들의 시인 파인(巴人, 김동환의 호 ― 인용자)이 읊조리던 국경 정조인가. 우리의 귀에는 누더기 보꾸러미를 둘러메고 남부여대(男負女戴)하여 이 강을 건너는 유랑민들의 어지러운 호곡(號哭) 소리가 들리는 것 같다.
― 김기림, 「간도기행(間道紀行)」, (『조선일보』 1930년 6월 13일 자)

일제가 만주사변을 일으킨 1930년대는 국경을 넘어 만주로 이주하는 행렬이 끊이지 않았다. 북간도의 인구 45만 명 중 조선인이 65퍼센트를 차지했다.

북간도 지역을 순회 중인 신파극단 예원좌(藝苑座)는 용정 공연을 마친 후 도문으로 이동했다. 두만강 변 만춘여관에 든 일행은 깊은 잠속으로 빠져들었다. 새벽녘 눈을 뜬 사람은 하얼빈상업고등학교를 졸업한 이시우였다. 건넛방에서 웬 여자 울음소리가 들려왔다. 날이 밝기를 기다린 이시우는 여관 주인을 찾아갔다.

"저 아주마이가 우리 여관에 든 거이 그제였꼬마. 독립군에 나간 나그네가 왜군 수비대에 붙잡혀설랑 달려갔더니 길쎄, 벌쎄 총질을 당한 기라. 기것도 나그네가 태어난 날 말이외다."

예원좌 단원들과 만주를 유랑 중인 이시우는 급히 방으로 뛰어 들어갔다. 가방에서 노트를 꺼낸 그는 미친 듯이 악보를 써 내려갔다.

그날 밤 이시우는 막간을 이용해 반나절 만에 완성한 노래를 무대에 올렸다. 소녀 가수 장성월의 목소리를 타고 흐르는 〈눈물 젖은 두만강〉은 대반전이었다. 독립군 남편을 둔 한 여인의 사연에 관객들은 흘러내리는 눈물을 감추지 못했다.

두만강 푸른 물에 노 젓는 뱃사공
흘러간 그 옛날에 내 님을 싣고
떠나간 그 배는 어디로 갔소
그리운 내 님이여 그리운 내 님이여
언제나 오려나

여인의 소식을 다시 전해 들은 건 며칠 지나서였다. 여인도 남편을 따라 두만강에 몸을 던졌다는 여관 주인의 말에 이시우는 2절을 마저

완성했다. 1절은 일본군에게 총살당한 독립군 남편을, 2절은 한 여인
의 애절한 사랑을 담았다.

강물도 달밤이면 목메어 우는데

임 잃은 이 사람도 한숨을 지니

추억에 목메인 애달픈 하소

그리운 내 님이여 그리운 내 님이여

언제나 오려나

만주 공연을 마치고 서울로 돌아온 이시우는 평소 알고 지낸 김정
구를 찾아갔다. 만요(漫謠) 가수 김정구는 일제의 탄압을 비웃는 듯한
익살과 해학으로 인기가 높았다. "비단이 장사 왕서방 명월이한테 반
해서"로 시작되는 〈왕서방 연서〉는 까까머리 아이들도 따라 부를 정
도였다. 1939년 도문의 한 여관방에서 작사·작곡한 〈눈물 젖은 두만
강〉이 마침내 레코드로 발매되었다. 하지만 조선총독부는 가사에 문
제가 있다며 금지곡으로 지정했다.

일제에 묶였던 〈눈물 젖은 두만강〉이 전파를 타기 시작한 건 〈5분
드라마 김삿갓 북한 방랑기〉라는 라디오드라마를 통해서였다. 김삿
갓 방랑기 테마곡으로 선정되면서 〈눈물 젖은 두만강〉은 일반 대중
에게 널리 알려졌다.

## 과자도 한 근
## 술도 한 근

1945년 8월 6일 히로시마에, 9일에는 나가사키에 원자폭탄이 투하되었다. 스탈린의 명령은 11일 0시를 기해 떨어졌다.

"만주로 출동해 일본의 관동군을 격멸하라!"

해방을 며칠 앞둔 도문은 일본군과 러시아군 사이에 치열한 공방전이 벌어졌다. 러시아군의 공격으로 일본군이 퇴각하자 도문은 승리의 함성으로 들썩였다. 그러나 시민들의 반응은 우울해 보였다. 두 번 다시 그날을 기억하고 싶지 않다고 했다.

"왜놈들만 물러가면 만세를 부를 줄 알았더니 마우재들은 사람도 아니라. 마우재들한테 겁탈당한 아녀자들이 한둘 아니었단 말이지. 실성한 나머지 두만강 물에 빠져죽은 처자도 있었꼬마. 처음엔 우리도 해방군이 왔다기에 거리로 뛰쳐나가 마우재들을 쎄게 반겼다니. 키도 껑충하고 얼굴도 늠름한 게 영 좋아 보이더란 말이지. 기란데 이것들이 따발총으로 가축을 쏴대는 것도 모자라 힘없는 아녀자들을 밖으로 막 끌어내지 뭐야. 기래 마우재 놈들 손에 끌려가지 않으려고 버티므 사람들이 보는 앞에서 무릎을 꿇린 채 총구로 속옷까지 벗기고…. 어쩌다 남의 나라에서 생겨나 팔십 평생을 살고 있지만 기렇게 흉측한 꼴은 내 처음 봤꼬마."

러시아 홍군이 만주를 해방시키면서 벌어진 일이었다. 중국인과 조선인, 조선인과 일본인을 식별하지 못한 러시아군의 약탈은 고삐

도문역

풀린 망아지가 따로 없었다. 언어마저 꽉 막힌 상태에서 시키는 대로 따르지 않으면 무차별적으로 총을 쏴댔다.

"나도 왼쪽 가슴팍에 붉은 천 조각을 달고 살았지 뭐야. 붉은 천이 되놈들 홍기(紅旗)를 표식하는 방법이었단 말이지."

8·15 해방을 전후해 만주에서 6개월 이상 머문 러시아군의 만행은 훈춘, 량수, 목단강 등 곳곳에서 나타났다. 러시아군의 아이를 임신한 여성은 귀국마저 포기한 채 러시아로 건너갔다. 이제 남은 방법은 고려인으로 살아가는 길밖에 없었다.

러시아 홍군을 기리는 동북해방기념탑에서 시장으로 향했다. 보온 효과를 높이기 위해 설치한 이중 가리개를 밀치고 들어서자 시장안은 생방송 그 자체였다. 한쪽에서는 빵과 감자밴새(감자만두)를 찌느라 더운 김이 피어오르고, 돼지고기를 파는 전(廛)은 그 끝이 아스라해 보였다. 중국 사람들은 젓가락 끝에서 망한다는 말이 빈말은 아닌 듯했다. 중국 전체 소비량 중에서 돼지고기와 술, 담배가 차지하는 비율은 약 40퍼센트. 한 해 술을 빚을 때 사용하는 쌀로 베이징 인구 2000만 명을 4년 동안 먹여 살릴 수 있다.

지친 다리를 쉴 겸 플라스틱 의자가 놓인 아주머니 곁으로 다가갔다.

"지금도 잎담배를 피우는 사람들이 있나요?"

"궐련은 맛이 없다며 한 달 치를 한꺼번에 사가곤 해요."

"그럼 잎담배만 파신 거예요?"

"이 자리에서만 벌써 삼십 년째네요. 조선족 어른들 기질이 보통 쎄야 말이지요. 한족들은 단골 개념을 잘 몰라요. 맛있는 음식을 하는 식당이라도 거리가 멀면 돌아서죠. 그렇지만 조선족들은 한번 옳다 싶으면 구들을 깔고 앉잖습니까."

농사를 천직으로 여겨온 조선족의 변화는 문화대혁명 이후에 나타났다. 덩샤오핑(鄧小平)의 시장 개방 정책은 커다란 호재로 작용했다. 가정에서 만든 짠지를 시장에 내다팔면 제법 돈벌이가 되었다. 만토우(饅頭, 소를 넣지 않은 중국식 찐빵)를 즐겨 먹는 중국인들에게 짠지는 식탁에 없어서는 안 될 품목이었다.

시장의 풍경은 다양하다. 단순히 물건을 사고파는 거래에서 벗어나, 사람과 사람을 이어주는 플랫폼 역할을 수행하기도 한다. 민란의 불길이 타오른 곳도, 일제의 조선 식민지에 반대하는 독립 만세 함성이 울려 퍼진 곳도 바로 장터였다.

　연변 지역에서만 맛볼 수 있는 옥수수면과 언감자밴새로 늦은 점심을 먹고 밖으로 나오는 길이었다. 시장 입구에서 파는 군고구마를 그냥 지나칠 수 없었다.

　"아이, 사진은 안 됩니다."

　가방 안에서 카메라를 꺼내 들자 군고구마를 파는 아주머니가 고개를 휙 돌렸다.

"나는 일없꼬마. 대신 사탕만 많이 사주시라요."

군고구마 옆에서 사탕을 파는 아주머니가 팔을 잡아끌었다.

"사탕도 근으로 파나요?"

"사람 눈은 속여도 저울눈은 못 속인다는 옛말도 있잖소, 그러니 얼마나 좋아요. 과자도 근으로 팔고, 과일도 근으로 팔고, 술도 근으로 팔고…."

"그다음은요?"

"어디 물건뿐이겠어요. 사랑도 근으로 팔고, 미움도 근으로 팔고…. 저울만 있으면 무언들 못 팔겠어요. 안 그래요?"

이동이 잦은 여행일수록 그때그때 간식거리를 사두는 것이 좋다. 한반도 면적의 세 배가 넘는 만주는 10시간 이상 기차를 타는 일이 많기 때문이다. 사진을 거부하던 군고구마 아주머니도 비슷이 포즈를 취해주었다.


## 봉오동전투

"임무는 단 하나! 달리고 달려, 일본군을 죽음의 골짜기로 유인하라!"

2019년 8월에 개봉한 〈봉오동전투〉의 서막이다.

1919년 5월 28일 대한독립군(홍범도), 국민회군(안무), 군무도독부 (최진동)를 연합한 대한북로독군부(大韓北路督軍府)는 봉오동에 집결했다. 대한북로독군부 총책임자는 최진동, 부책임자는 안무, 그리고 홍범도는 군사책임을 맡았다. 일본군을 유인하는 '국내진공작전'은 6월 4일 새벽에 펼쳐졌다. 두만강을 건넌 30여 명의 척후병은 함경북도 종성군 강양동의 일본군 순찰대를 습격한 뒤 본대로 돌아왔다.

날이 밝아오자 일본군 남양수비대장 니미지로(新美二郎)는 수비대 10여 명을 인솔해 삼둔자로 향했다. 봉오동전투는 삼둔자와 인근 후안산에서 벌어진 소규모 전투에서 비롯되었다. 독립군을 발견하지 못한 일본군 수비대는 영화 〈봉오동전투〉에서처럼 조선인 농가를 불태우고, 20여 명의 양민을 학살했다. 6월 5일 밤 일본군을 안산촌 후방까지 유인한 독립군은 삼둔자에서 총공세를 이어갔다.

도문 시내에서 봉오동전투가 벌어진 일광산까지는 약 7km.

두만강에서 불어오는 바람이 기승을 부렸다. 목 토시를 눈 밑까지 끌어 올렸는데도 얼굴이 순식간에 얼어붙었다. 도보 여행 중 가장 반가운 손님은 도로변에 설치된 이정표. 삼거리 나들목 수금소(요금소)에서 왕청 방면으로 반 시간 정도 걸었을 때, 수남촌(水南村) 이정표가 반갑게 다가왔다.

만주 항일운동 답사길에서 교통사고로 세상을 떠난 강룡권(연변 조선족 향토사학자) 선생 댁을 방문한 날이었다. 선생이 집필한 『동북 항일운동 유적 답사기』(연변인민출판사)에 봉오동전투와 관련한 리종만의 증언이 눈에 띄었다.

그때(1920년) 나이가 열세 살이었는데 관개지에서 농사를 지었어

봉오동전투 기념비

요. 두만강을 건넌 일본 토벌군은 하전자마을에서 고개를 넘어 마촌으로 들어왔지요. 하지만 마을에 남은 사람은 마도윤이라는 노인뿐이었죠. 토벌군이 온다는 소식을 듣고 하루 전에 벌써 몸을 숨긴 겁니다. 마촌에 도착한 일본군은 아침을 지어 먹은 후 마도윤 노인을 협박하여 수레에 경기관총 2정을 싣고 봉오동으로 갔어요. 그리고 그날은 천지를 분간할 수 없이 폭우가 쏟아지며 우박까지 퍼부었습니다. 천지신명이 우리 독립군을 도운 겁니다.

봉오동전투지는 하촌을 시작으로 중촌, 상촌, 태촌, 마촌, 박촌, 조촌, 강촌, 호박골 등 십여 개 마을이 십 리 안팎으로 부챗살처럼 퍼져 있다.

수남촌 입구에서 전투가 벌어진 봉오동 저수지 쪽으로 걸어갈 때였다. 왼편 야산에 시멘트로 봉한 세 개의 흔적이 남아 있었다. 리종만이 증언한 대피소였다. 일본군 토벌대 소식이 들려오면 마을 주민들은 식량과 이불을 챙겨 야산 굴속으로 몸을 피했다. 간도 양민 학살 때는 집보다 굴속에서 지낸 시간이 더 많았다.

봉오동전투 기념비가 들어선 자리는 한 그루 소나무가 늠름한 자태를 뽐냈다. 힘차게 가지를 뻗은 낙락장송이 마치 북간도에서 벌어진 독립전쟁의 제1회전을 보는 것 같았다. 최진동과 홍범도, 안무 등이 첫 승전보를 전해온 것이다.

1920년 6월 7일 반일명장(反日名將) 홍범도를 사령으로, 최진동을 부장으로 한 대한북로독군부는 협산벽곡 봉오골에서 두만강을 건너 침입한 야스카와 소좌가 거느린 일본군 19사단 소속부대, 아라요시 중위의 남양경비대와 싸워 세계를 진감한 반일무장투쟁의 첫 봉화를 지폈다.

반일독립군은 빈틈없이 매복진을 처놓고 있다가 오후 한 시경 일본군이 기여들자 삼면고지에서 일제히 불벼락을 퍼부었다. 이 맹격전에서 일본군 150여 명을 살상하고 10여 명을 부상 입혔으며, 보총 60여 자루와 기관총 3정 및 권총과 탄약 등 무기를 로획하였다.

함경도 말과 경상도 말이 뒤섞인 조선족 언어는 투박한 면이 없지 않으나, 그 기세만큼은 나무랄 데가 없다. "오후 한 시경 일본군이 기어들자 삼면고지에서 일제히 불벼락을 퍼부었다"는 비문(碑文)에서 통쾌함이 느껴졌다.

홍범도는 무장투쟁의 전설이다. 백발백중의 사격술과 뛰어난 게릴라전술은 일본군도 높이 평가했다. 이처럼 홍범도는 봉오동에서 두만강 이남의 지리와 산세를 손금 보듯 훤히 꿰고 있었다. 일본군이 봉오동을 점령하려면 삼둔자에서 고려령(해발 1500m)을 넘어야 하는데, 포수 출신 홍범도는 그 길목까지 계산에 넣었다. 일본군을 봉오동 분지로 유인만 하면 이번 전투도 손쉽게 끝날 수 있었다.

삼둔자전투에서 패한 일본군은 병력을 재정비했다. 수비대 병력만으로는 위험에 빠질 수도 있었다. 야스카와(安川二郞, 일본군 19사단 단장) 소좌는 급히 300명 규모의 '월강(越江) 추격대'를 편성했다.

"고려령 서쪽 2킬로미터 지점을 향해 전진하라!"

고려령을 넘은 일본군 추격대의 함성이 뜨거워지고 있었다. 부대원들을 소집한 홍범도는 차분한 어조로 설명해주었다.

"탄환은 곧 생명이다. 목표물을 겨누지 않고는 함부로 쏘지 마라."

잠시 시간을 두었다가 다시 입을 열었다. 전투에 임할 때는 되도록 말을 삼가는 편이었다.

"총을 쏜 후에는 반드시 자리를 옮겨 사격하라. 적에게 노출되어 당할 수 있다."

1920년 6월 7일 낮 12시경이었다. 홍범도는 회심의 미소를 지었다. 독립군 700여 명이 잠복 중인 죽음의 골짜기로 일본군 추격대가 들어오고 있었다. 손을 번쩍 치켜든 홍범도는 사격 명령을 내렸다. 이로써 봉오동전투는 불과 네 시간 만에 싱겁게 끝이 났다.

1868년 평안남도 평양에서 출생한 홍범도는 드라마틱한 이력의 소유자다. 태어난 지 이레 만에 어머니를 여읜 홍범도는 아홉 살이 되던 해 아버지마저 잃고 만다. 졸지에 고아가 된 소년은 머슴, 산포수, 광산노동자 등 안 해본 일이 없었다. 일이 안 되려고 그랬는지 병영생활 또한 순탄치 못했다. 나팔수로 입대한 홍범도는 각종 부조리를 일삼는 상관을 차마 눈 뜨고 볼 수 없었다. 상관을 폭행하고 부대를 탈영한 홍범도는 금강산 신계사로 들어가 몸을 피했다. 여승과 사랑에 빠진 것도 신계사에서 잠시 승려로 지낼 때였다. 절에서 나온 두 사람은 정식으로 결혼식을 올렸다. 그런데 일제가 포수들의 심기를 건드렸다. 한국 군대를 해산시킨 것도 모자라 전국 포수들에게 총기 수거령을 내린 것이다. 포수 생활을 하고 있던 홍범도는 항거의 뜻으로 의병부대를 조직했다. 사냥을 해서 먹고사는 포수들의 총을 앗아간다는 건 굶어 죽으라는 소리였다. 삶의 터전을 잃은 홍범도는 산포수들을 규합해 러시아 연해주로 망명해버렸다.

이토 히로부미를 저격한 안중근이 심문을 받을 때다. 일본 검사의 입에서 홍범도가 튀어나왔다.

"홍범도라는 자를 아는가?"

"알고 있다."

"그는 뭘 하는 자인가?"

"홍범도는 의병부대 거물이다."

홍범도와 안중근은 1907년 러시아 크라스키노에서 처음 만났다. 최재형의 집에서 연해주 의병부대가 창설된 날이었다. 크라스키노에서 시작된 홍범도의 무장투쟁은 일본군 관사, 헌병 분견소, 주재소, 우체국, 친일 주구와 친일 부호 등 닥치는 대로 응징하고 닥치는 대로 처단했다. 함경북도 후치령전투를 비롯해 홍범도가 감행한 국내 진공 유격전만 60회가 넘었다.

"내가 어디 좌익을 택했나요. 조선을 떠나 처음 찾아간 곳이 그런 사람들이 모인 곳이어서 그렇게 된 것뿐이오. 나는 좌도 우도 모르오. 그냥 일본 놈이 꼴 보기 싫어 원수를 갚겠다고 싸웠을 뿐이오."

그랬었다. 홍범도는 좌익도 우익도 아니었다. 삼둔자, 봉오동, 청산리전투 모두 혈혈단신의 몸으로 임했을 뿐이다. 항일 독립운동에 각종 색깔을 뒤집어씌워 진영을 갈라놓은 건 한반도의 분단이었다.

청산리전투 이후 독립군 부대는 가장 참담한 시간을 보내야 했다. 간도에서 벌어진 일본군의 양민 학살로 얻은 것보다 잃은 게 더 많았다. 혹독한 추위와 싸우며 흑룡강성 밀산에 집결한 독립군 부대(3000여 명)는 국경을 넘어 러시아로 망명했다.

1921년 1월 한인 무장세력 대표로 선출된 홍범도는 모스크바에서 열린 극동인민대표대회에 참석했다. 그때 레닌(본명은 블라디미르 일리치 울리야노프)으로부터 금화 100루블과 모젤 권총을 선물로 받았는데, 크렘린광장에서 군복 허리춤에 권총을 차고 찍은 흑백사진이 그 사진이다.

1937년 9월 러시아에서 발생한 고려인 강제 이주 정책은 홍범도에게 네 번째 망명길이었다. 카자흐스탄 콜호스(집단농장)에 정착한 홍범도는 레닌에게 받은 선물을 애지중지 여겼다. 누군가로부터 선물을 받아본 건 그때가 처음이었다.

농장에서 일할 때도 홍범도 대장은 시넬(러시아식 군복)과 기다란 가죽끈을 어깨에 걸쳐 멘 야전가방은 벗지 않았다. 그의 가방 속에는 모젤 권총이 들어 있었다. 레닌에게서 선물로 받은 것이었다. 누군가 홍범도 대장에게 조 베는 일을 도와주겠다고 하면 그는 한사코 손사래를 쳤다.

"왜놈들을 벨 때 돕자는 사람이 있으면 눈물 나게 반가웠지만 조를 벨 때 돕자는 사람은 반갑지가 않아. 이 야전가방은 내 분신이야."

—『레닌기치』(1968년 8월 27일 자)

1942년 카자흐스탄 크질오르다로 주소를 옮긴 뒤였다. 고려인 극장에서 경비원으로 일하던 홍범도는 75세를 일기로 세상을 떠났다.

홍대장 가는 길에는 일월이 명랑한데
왜적군대 가는 길에는 눈비가 쏟아진다
에헹야 에헹야 에헹 에헹 에헹야
왜적군대가 막 쓰러진다

도문

봉오동전투가 벌어진 일광산 골짜기

오연발 탄환에는 군물이 돌고

화승대 구심에는 내굴이 돈다

에헹야 에헹야 에헹 에헹 에헹야

왜적군대가 막 쓰러진다

(…)

왜적 놈이 게다짝을 물에 버리고

동래 부산 넘어가는 날은 언제나 될까

에헹야 에헹야 에헹 에헹 에헹야

왜적군대가 막 쓰러진다

〈홍범도 찬가〉를 부르며 봉오동 저수지로 올라갔다. 봉오동전투가 벌어진 일광산 골짜기는 일부러 덫을 놓은 듯한 천연 요새였다. 기념비에서 본 협산 벽곡이 두만강 쪽으로 드넓게 펼쳐졌다.

화룡

·

·

和龙

## 청산리 가는
## 길

청산리전투는 사전에 계획된 싸움은 아니었다. 독립군 부대의 의견도 찬반으로 갈렸다. 일본군에 맞서 싸우자는 쪽과 피하자는 쪽으로. 다만 일제의 추격이 그 어느 때보다 집요했다. 3·1운동 이후 신식 무기로 무장한 일제는 독립군 토벌에 사활을 건 듯 보였다. 턱밑까지 따라붙는 일제의 추격에 독립군도 근거지를 떠나 화룡 방면으로 이동 중이었다.

봉오동전투지에서 내려와 용정으로 향했다. 독립군 부대가 이동한 화룡을 가려면 용정에서 버스를 갈아타야 했다. 막차에 오른 건 오후 5시경이었다. 3·13만세운동이 전개된 투도구 수금소를 지나자 눈 덮인 서성평원이 그림처럼 펼쳐졌다. 동모산(돈화)에서 점화된 발해국은 서고성(서성), 동경성(훈춘), 상경성(발해) 등지로 수도를 세 차례 더 옮겼는데, 서성평원은 발해의 두 번째 수도다.

용정을 떠난 버스는 어랑촌사거리에서 잠시 정차했다. 어둑해진 차창 너머로 천보산 자락이 모습을 드러냈다. 1920년 10월 21일 백운평에서 시작된 전투는 22일 어랑촌과 천수동에서, 23일 만록구에서, 24일 천보산에서, 26일 고동하에서 승전보를 울렸다. 일본군 병력은 3만여 명, 독립군은 3000여 명에 불과했다.

강룡권이 발로 뛰며 기록한 『동북 항일운동 유적 답사기』에 마을

청산리 가는 길

주민들의 목소리가 담겨 있다.

"경신년 9월(음력)에 홍범도 장군이 100여 명의 독립군을 이끌고
우리 마을(어랑촌)로 왔어. 모두 군복을 입고 총을 멨는데, 군복은 광
목에 나무껍질 물을 들여 얼룩진 천으로 지어 입은 거였어. 모표에는
태극기가 그려져 있었고. 참으로 놀란 것이, 병사들 차림보다 홍범도
장군의 옷차림이 더 누추하지 않겠나. 우린 그저 독립군에게 집을 내
주고 한곳에 모여 살았지 뭐."(유덕규, 1911년생)

"김좌진 장군은 항상 검정말을 타고 다녔어. 주민들을 모아놓고 연

설을 했는데 목소리가 어찌나 세차 보이던지. 전투가 일어난 날 아침에도 주민들은 눈코 뜰 새 없었어. 독립군들에게 밥을 지어 날라야 했거든."(박경남, 1898년생)

전투가 벌어지기 며칠 전이었다. 자피골(청산리에서 30리 떨어진 마을)에서 온 병사가 대장을 찾았다.

"대장님, 저에게 반나절만 시간을 주십시오."

"마 병사 집에 급한 일이라도 생긴 건가?"

"왕청에 있을 때는 잘 몰랐는데, 집 가까운 곳으로 온 뒤부터는 통 잠을 잘 수가 없습니다. 눈만 뜨면 애들이 보고 싶고요."

"마 병사가 간청을 하니 생각은 해보겠네. 집에 다녀온다고 하고서 돌아오지 않으면 대장 꼴이 우습지 않은가."

"말씀만 하십시오. 대장님이 원하시면 무엇이든 다 하겠습니다."

"그 말 믿어도 되겠나?"

"대장님께 목숨을 걸고 맹서합니다."

"정 그렇다면 마 병사의 두 발 중 하나를 끊어놓고 가게나."

상사병에 걸린 사람처럼 마 병사는 일체의 망설임도 없었다. 부엌에서 도끼를 들고 나와 대장에게 내밀었다.

"지금부터 이 다리는 제 다리가 아니니 대장님 마음대로 하십시오."

순간 주위는 웃음바다가 되었다. 몇몇 병사들은 눈물을 훔치기도 했다. 마 병사처럼 어린 자식을 두고 떠나온 아비들이었다. 일제에 빼

화룡시 상징탑

앗긴 조국을 되찾기 전에는 집으로 돌아갈 수 없는….

백두산 동쪽에 인접해 있는 화룡은 19세기 말, 북한의 양강도 주민들이 이주하면서 마을이 형성되었다. 화룡(和龙)이라는 지명도 이주민들이 지었다. 권력과 부를 상징하는 용이 많을수록 다투기 마련인데, 화룡은 지세가 서로 어우러지는 형상을 하고 있었다. 그러고 보니 화룡에서 다투는 걸 보지 못했다. 아파트 벽에 우리의 전통문화를 알리는 사물놀이 벽화를 그려놓은 것만 봐도 화룡 사람들의 심성을 짐작할 수 있다.

버스가 도착할 즈음 시장기가 몰려왔다. 뜨끈한 국물 생각이 간절했다. 시간을 확인한 후 시장으로 달려갔다.

"개장 드시게?"

"한 그릇 뜨끈하게 말아주세요."

타임캡슐을 타고 백 년 전 그날로 되돌아간 기분이랄까. 기다란 나무 의자에 엉덩이를 걸치고 앉아 먹는 저녁 식사는 그 의미가 남달랐다. 항일투사들이 먹었던 개장국을 같은 자리에서 맛볼 수 있기 때문이다. 밥을 척 말아서 주는 개장국은 뜨끈한 국물이 진국이다. 송송 썬 대파와 양념장을 넣어 먹으면 얼었던 몸이 거짓말처럼 풀린다.


## 6일간의 전투

화룡시 삼도구에서 청산리까지의 거리는 28km. 이 구간을 '청산리 70리 계곡'이라 부른다. 산으로 둘러싸인 70리 계곡은 소화평, 록수평, 십리평, 청산리 등 10개 마을이 산재해 있다.

1919년 4월 만주에서 창설된 북로군정서는 1000여 명의 병력을 갖춘 최고 정예부대였다. 봉오동전투에서 패한 일본군의 추격으로 왕청 본거지를 떠난 북로군정서는 삼도구로 이동했다. 전투에 사용할 무기는 러시아에서 들여왔다.

1차대전 중 독일·오스트리아가 러시아와 평화협정에 서명했다. 이어 체코슬로바키아는 오스트리아로부터 독립해 자유민주국가가 되었다. 이 같은 소식이 알려지자마자 전쟁에 참전하고 있던 체코슬로바키아 군대는 동유럽의 최전선에서 시베리아를 거쳐 서유럽으로 간다는 계획을 세웠다. 서유럽에서 연합군의 일원으로 전투를 벌이면서 독립을 되찾은 조국으로 돌아간다는 계획이었다. 이것이 체코슬로바키아 군대가 러시아를 가로질러 우랄산맥을 넘어 블라디보스토크에 집결한 이유였다. 블라디보스토크항에서 서유럽행 배편을 기다

백운평 전투지

리고 있을 때 체코슬로바키아 군대는 한국에서 독립운동이 일어났다
는 말을 전해 들었다. 이들은 체코슬로바키아가 오스트리아 제국 식
민 통치 아래서 겪어온 노예 상태를 떠올렸고 우리에 대해 연민을 표
시했다. 결국 체코슬로바키아 망명군대는 그들이 보관하고 있던 무기
를 북로군정서에 판매하기로 했다. 무기 거래는 깊은 숲에서 한밤중
에 이뤄졌다. 이러한 무기들은 우리 진영으로 옮겨져 숲속에 무더기
로 쌓아놓았다.

　　― 이범석,『우등불』중


　10월 12일 삼도구에 도착한 북로군정서는 백운평 격전지로 향했다.
눈보라가 치는 100년 전 그 길을 따라 〈독립군가〉를 힘차게 불렀다.

신대한국 독립군의 백만 용사야
조국의 부르심을 네가 아느냐
삼천리 삼천만의 우리 동포들
건질 이 너와 나로다

원수들이 강하다고 겁을 낼 건가
우리들이 약하다고 낙심할 건가
정의의 날쎈 칼이 비끼는 곳에
이길 이 너와 나로다

너 살거든 독립군의 용사가 되고
나 죽으면 독립군의 혼령이 됨이
동지야 너와 나의 소원 아니냐
빛낼 이 너와 나로다

나가 나가 싸우러 나가
나가 나가 싸우러 나가
독립문의 자유종이 울릴 때까지
싸우러 나가세

첫 전투가 벌어진 백운평은 '청산리항일대첩기념비'에서 8km를
더 들어가야 한다. 2009년 여름 조선족 후배와 함께 모험을 강행했다.

화룡

청산리항일대첩기념비

전투 현장을 눈으로 직접 보고 싶었다. 사방이 산으로 뒤덮인 덤불숲을 헤쳐 반 시간쯤 달렸을까. 비로소 인기척이 들려왔다. 산막에서 생활하는 중국인 벌목꾼들이었다. 차에서 내려 주변을 살폈다. 가파른 계곡과 울창한 숲으로 형성된 백운평은 매복 장소로 그만이었다.

1920년 10월 20일, 백운평에 도착한 북로군정서는 계곡 양쪽에 매복조를 편성했다. 다음 날 오전 9시경 봉오동전투에서 살아남은 야스카와 부대가 계곡 안으로 들어오고 있었다. 100명에 가까운 전위대 병력이었다. 매복 중인 독립군이 먼저 기습 공격을 감행하자 일본군은 흩어지기 바빴다. 교전 20분 만에 적의 전위대를 전멸시킨 독립군은 전열을 가다듬었다.

야스카와 전위대를 뒤따르던 야마다(山田) 본대가 집중사격을 가해왔다. 독립군도 치열한 공방전을 펼쳤다. 당황한 쪽은 일본군이었다. 산포대와 기관총으로 중무장한 야마다 본대는 결사항전으로 맞섰다. 하지만 백운평 전투는 시간이 흐를수록 희생자만 늘어났다. 일본군이 퇴각한 후 확인한 사망자만 200명이 넘었다. 김좌진은 부대를 이끌고 갑산촌으로 떠났다. 청산리전투는 아랫녘에서 윗녘으로 들불처럼 번져갔다.

같은 날 오후 완루구에서는 일본군의 공격을 받은 홍범도 부대가 고전 중이었다. 봉오동전투에서 패한 일본군의 협공 작전은 아군의 진지를 포위한 상태였다. 날이 어두워지길 기다린 홍범도는 정중앙에 위치한 일본군 부대를 표적으로 삼았다. 독립군을 에워싼 일본군의 중심부를 집중적으로 공략하면 적군과 아군을 식별하기 어려웠다. 자정을 넘긴 홍범도의 지략은 적중했다. 일본군의 정중앙을 집중사격으로 돌파한 홍범도 부대는 400여 명을 사살한 끝에 완루구를 빠져나올 수 있었다.

10월 22일 새벽녘엔 천수평에서 전투가 벌어졌다. 인근 주민들의 제보가 큰 힘이 되었다. 갑산에서 어랑촌으로 이동 중이었던 김좌진은 일본군 기병대가 천수평에서 야영 중이라는 제보를 듣고 전면 공격에 들어갔다. 천수평전투에서는 일본군 100여 명을 사살했다. 기세가 오른 김좌진은 매우 특이한 점을 발견했다. 산악 지형에 약한 일본

화룡

군은 한낮에도 자기편끼리 총격을 가하는 일이 벌어졌다.

22일 오전에 전개된 어랑촌전투는 가장 치열한 전투였다. 독립군 1500명이 투입된 전투에서 아군 사상자만 100명에 가까웠다. 21일부터 23일까지 이어진 만록구전투에서는 이범석 부대가, 24일에는 독립군 연합부대가 천보산에서, 25일에는 일본군에게 빼앗긴 고동하 계곡을 홍범도 부대가 재탈환했다.

청산리 일대에서 벌어진 6일간의 전투는 이렇게 모두 끝이 났다. 일본군 사상자는 1200여 명, 독립군 사상자는 100여 명으로 집계되었다. 청산리전투에 참전한 독립군들의 증언도 이어졌다. 1994년 세상을 떠난 이우석은 분단의 아픔을 영화 속 한 장면에서 유언처럼 남겼다.


그때 엄호를 맡았던 동지들은 모두 전사했거나 실종을 했어요. 이제 나도 머지않아서 저세상으로 가겠죠. 헌데 이 늙은이 죽기 전에 한 가지 아쉬운 것이 있어요. 나라가 반쪽으로 갈라졌단 말이에요. 요즘 젊은이들은 그래도 마음이 편할지 모르겠는데, 우리같이 반평생을 남의 땅에서 고생한 사람들은 그게 자꾸 서럽단 말이에요. 우리 후손들 모두 똑똑하고 능력도 많은데, 어서 이 나라 한 나라로 합쳐지게 힘들 좀 써봐요.
— 이장호 감독의 〈일송정 푸른 솔은〉(1983) 마지막 장면 중 이우석 내레이션

청산리전투는 끝이 났지만, 그보다 더 큰 학살이 기다리고 있었다. 용정에서 제창병원을 운영하며 독립운동가들을 후원한 스탠리 마틴 (Stanley Martin) 선교사는 자신이 목격한 현장을 글로 남겼다.

먼동이 틀 무렵 무장한 일본군 보병이 마을을 포위하여, 먼저 노적가리에다 불을 질러 태웠다. 곧이어 집 안에 들어 있는 사람들을 밖으로 나오게 하여 남자는 노인과 어린애를 막론하고 그 자리에서 총살하였다. 채 숨이 끊어지지 않으면 섶에 불을 붙여 던졌다. 사람들마다 아픔을 못 견뎌 펄펄 뛰며 비명을 질렀다. 일본군은 이처럼 잔인하게 사람을 죽이면서도 사망자의 부모처자로 하여금 지켜보게 했다.

경신년에 일어난 일제의 만행은 4개월에 걸쳐 진행되었다. 조선인 마을과 학교를 불태우고, 양민 학살을 서슴지 않았다. 간도 지역에서 학살당한 조선인 수만 3500명에 달했다.

청산리마을 전경

청산리항일대첩기념비에서 내려오자 추위가 몰려왔다. 잠시 몸을 녹일 겸 마을 안 상점으로 들어갔다. 팔순에 가까운 상점 주인이 청산리 지명에 대해 들려주었다.

"다들 이곳을 청산리로 알고 있는데, 전투가 벌어질 당시 지명은 평양촌이었소. 해방이 되고 얼마 지나지 않아 청산리로 바뀐 것이오."

"그래도 마을은 크게 변하지 않았네요. 해방 전에도 30여 가구가 살았다고 들었습니다."

"그렇긴 하오만 태반이 빈집이라오. 저기 백운평 너머로 산정이 보이지요. 사실은 청산리가 끝이 아니라오."

"백리평을 말하시는 건가요?"

"가보았소?"

"네. 한 번 다녀온 적 있습니다."

오래전 겨울이었다. 청산리에서 100리만 더 들어가면 북한으로 통하는 길이 있다기에 차마 돌아설 수 없었다. 하지만 백리평은 들어갈 때보다 나올 때가 더 까다로웠다. 첫 번째 검문은 차 안에서, 두 번째 검문은 밖에서 이뤄졌다. 중국 군인에게 이유를 묻자 마약과 무기 밀매가 자주 발생한다고 했다.

어랑촌

## 어랑촌 874고지

청산리전투에서 독립군 사상자가 가장 많이 발생한 어랑촌은 깊은 산골 마을이다. 마을 이름도 함경북도 경성군 어랑사(漁浪社)에 살던 사람들이 집단으로 이주해 어랑촌으로 지었다.

시간이 비껴간 듯 어랑촌은 초가집이 여러 채 보였다.

"안녕! 한국말 할 줄 아니?"

마을 안으로 들어서자 자전거를 타던 두 소녀가 다가왔다.

"한국말은 잘 못하지만 조선말은 잘해요."

아뿔싸! 초등학교에 다니는 두 소녀에게 뒤통수를 제대로 얻어맞은 기분이었다. 조선말과 한국말 사이에 지뢰가 묻혀 있었다.

마을 뒷산 쪽으로 걸음을 옮겼다. 산정에 오르면 천리가 보인다는 천리봉이 방위를 잡아주었다. 전투가 벌어진 어랑촌 874고지는 마을에서 서북쪽에 자리한 야계골(野鷄谷)을 의미했다.

"나의 군도는 포탄 파편에 두 동강이 났다."

이범석이 후일담에서 보여주듯 어랑촌은 독립군에게 사활이 걸린 전투였다. 10월 22일 천수평전투에서 일본군을 섬멸한 김좌진은 화룡 초입에 위치한 어랑촌으로 이동했다. 일본군의 대반격은 백운평전투에서 이미 예견한 일이었다. 백운평에서 탈출한 일본군 4명이 본대가 있는 어랑촌에 패전을 알린 것이다.

아즈마(東正彦)가 이끄는 일본군 주력부대가 골짜기 안으로 진격해 들어왔다. 매복 중인 김좌진 부대는 몇 차례 사격을 가한 뒤 야계골 쪽으로 퇴각했다. 본격적인 전투는 오전 9시부터 불을 뿜었다. 어느 쪽이 먼저 874고지를 선점하느냐에 따라 승패가 갈리는, 일종의 쟁탈전이었다.

"아주마이들이 고생하매 싼 밥이 식기 전에 끝나야 할 텐데…."

874고지를 향해 오를 때였다. 독립군의 한마디에는 주먹밥의 온기

어랑촌 항일유적근거지 기념비

가 따스하게 스며 있었다. 전투는 독립군이 치르고 있지만 그 뒤를 받치고 있는 건 마을의 주민들이었다. 전투지를 이동할 때면 주민들은 독립군을 먹일 밥부터 지었다.

시간이 흐를수록 전투는 점점 더 치열해졌다. 완루구를 무사히 빠져나온 홍범도 부대가 어랑촌으로 들어선 건 오후 2시경이었다. 김좌진 부대 쪽으로 접근 중인 일본군의 동태를 확인한 홍범도는 그보다 약간 높은 지대로 부대를 이동시켰다. 고지 점령에 앞서 사격 거리를 유지하는 일이 효율적이라는 판단이 섰다.

오후 5시, 날이 어두워지고 있었다. 홍범도 부대가 먼저 일본군을 향해 사격을 가하자 김좌진 부대도 총공세를 펼쳤다. 오전 9시부터 오후 7시까지 전개된 어랑촌전투는 숨 가쁘게 진행되었다. 일본군 사상자는 300여 명인데 반해 독립군 사상자는 100여 명이었다.

일제의 양민 학살은 청산리전투 이후에도 지속되었다. 어랑촌을 습격한 일본군 토벌대는 앙갚음이라도 하듯 주민 40여 명을 학살했다. 마을 뒷산 언덕에 세운 '어랑촌항일유격근거지' 기념비와 '십삼용사기념비'가 당시의 상황을 말해주고 있다. 주민들의 희생을 최소화하기 위해 항일유격대원들이 대신 죽음을 택한 것이다. 30여 가구가 모여 사는 어랑촌은 일본군 토벌대의 방화로 마을 전체가 사라졌다가 1932년 지금의 모습으로 복원되었다.


## 대종교 3종사
### 묘역

화룡에서 용정 방면으로 옛 도로를 따라 가면 교도소 건물이 나온다. 대종교 3종사 묘역은 청호마을(본래 지명은 청파호) 건너편 언덕 위에 자리하고 있다.

고려시대에 사라졌던 대종교를 700년 만에 부활시킨 사람은 묘역에 잠든 나철이다. 1863년 전라남도 벌교에서 출생한 나철은 문과에 급제하여 승문원에서 부정자(副正字, 조선시대에 경서 및 기타 문서의 교정을 맡아보던 종9품의 벼슬)를 지냈다. 일본의 침략이 날로 심해지자 관직을 사임한 나철은 1904년 유신회(維新會)를 조직해 구국운동에 나섰다. 이듬해 6월 오기호, 이기, 홍필주 등과 함께 일본으로 건너간 나철은 천황궁 앞에서 단식투쟁을 벌였다.

"동양의 평화를 위하여 한·일·청 3국은 상호 친선 동맹을 맺고 한국에 대해서는 선린의 교의로써 부조(扶助)하라."

3일간의 단식투쟁을 통해 나철은 깊이 깨달았다. 이 같은 외교 방식으로는 일본을 설득시킬 수 없다는 걸. 국내로 돌아온 나철은 을사오적(이완용·이근택·이지용·박제순·권중현) 암살 사건에 뛰어들었다.

"이 오적을 베어 내부의 병통(病痛)을 제거한다면 우리 자손들은

대종교 3종사 묘역

길이 독립된 나라에서 살 수 있다."

비록 미수에 그쳐 유배형을 받았지만 나철은 자신의 뜻을 굽히지 않았다. 1909년 단군교를 재건한 나철은 교명을 대종교로 개편했다. 주시경, 최현배, 이극로, 신채호, 박은식, 정인보, 신규식, 이시영, 이동녕, 홍범도, 김좌진, 서일 등 내로라하는 인물들이 대종교 사상을 바탕으로 독립운동을 펼쳐나갔다.

단군을 받드는 대종교 교도 수가 2만여 명에 이르렀을 때다. 조선 총독부 초대 총독으로 부임한 데라우치 마사타케(寺內正毅)가 본색을 드러냈다.

"전국의 각 도(道), 군(郡)의 경찰서를 총동원하여 단군 조선과 관련된 역사를 모두 소각하라."

데라우치의 선언은 일제의 위기의식에서 비롯되었다. 한반도에서 단군은 민족혼(民族魂)의 상징으로, 대종교를 말살하지 않으면 조선의 식민화도 어렵다고 판단한 것이다.

1910년 한일병합이 체결되자 나철은 단군 성지인 백두산으로 떠났다. 화룡 청파호에 대종교 지사를 설립한 나철은 포교 활동에 전념했다. 서일을 중심으로 북로군정서를 창설한 것도 그 무렵이었다.

청산리전쟁에서 북로군정서의 독립군이 큰 승리를 거둘 수 있었던 것은 지휘부의 탁월한 작전 능력에도 요인이 있겠지만, 무엇보다도 전체 독립군 한 사람 한 사람이 평소의 강인한 훈련과 대종교 신앙을 통한 정신무장을 철저히 갖추었기에 애국심과 단결력을 유감없이 발휘할 수 있었다.

— 박영석, 『한 독립군 병사의 항일전투』(박영사, 1984) 중

청산리전투의 숨은 주역은 북로군정서를 이끈 서일이었다. 나철이 대종교 후계자로 지목했을 때 서일은 지금은 일제와 무력으로 싸워야 할 때라며 끝내 자리를 사양했다.

대종교에 위기가 찾아온 건 3대 교주 윤세복의 편지가 발단이었다. 이극로(조선어학회 회장)에게 보낸 편지를 중간에서 가로챈 일제는 '일어나라, 움직이라'를 '봉기하라, 폭동하자'로 날조해 대대적인 탄압에 들어갔다. 1942년 '임오교변사건'으로 일본 경찰에 체포된 안희제, 이정, 권상익 등 대종교 간부 10여 명은 목단강 액화감옥에서 모두 사망했다. 옥사한 사망자 속에는 나철의 두 아들(나정련, 나정문)도

청호(청파호)마을 전경

있었다.

해방 후 한국과 중국의 단절로 나철, 김교헌, 서일이 잠든 대종교 3종사 묘역은 오랫동안 묻혀 있었다. 1987년 대종교 묘역을 찾아낸 사람은 연변 향토사학자 강룡권이었다. 3년을 찾아 헤맨 끝에 묘역을 발견한 강룡권은 청호마을 주민들과 가토를 한 후 해마다 청명절에 제를 올렸다. 묘역 아래쪽에 당시 무기고로 사용한 건물이 남아 있다.

백두산에서 자결한 나철의 유언에 따라 청파호 언덕에 봉장된 대종교 묘역에서 내려와 마을로 향했다. 나철이 세운 청일학교는 모습을 감췄지만 노거수 한 그루가 발길을 붙들었다. 지나는 주민에게 물으니 오백 살이 넘었다고 했다. 안중근보다 먼저 동양평화론을 주창한 나철의 마지막 일기가 겨울바람에 스쳐갔다.

내가 스스로 목숨을 끊는 것은 세 가지 이유에서다. 하나는 대종교

요, 다른 하나는 하늘이요, 마지막은 인류를 위해서다.

대종교를 상징하는 천신교기(天神教旗)는 ○(하늘), □(대지), △
(산) 순으로 이뤄져 있다. '나누면 셋이요, 합하면 하나이니, 셋과 하
나로써 한얼자리(우주)가 정해진다'는 삼일원리(三一原理)의 교칙을
나철이 따른 것이다.

량수 · 훈춘

•

•

凉水 · 琿春

**버드나무**

**국경**

　작은 소읍 규모의 량수진(鎭)은 만주에서 유일하게 두만강을 건너온 북한 주민들이 벼농사를 짓는 곳이다. 두만강 너머 중국 땅에 북한 영토가 있다는 것도 신기한 일이지만, 철책이 없는 국경은 더 신비롭다. 량수에서만 볼 수 있는 럭비공 모양의 버드나무 국경이 잔잔한 풍경처럼 다가온다.

　논일을 마친 북한 주민들이 나룻배를 타고 집으로 돌아가던, 두만강 나루터와 연결된 강둑을 따라 거닐 때다. 한 무리의 양 떼가 눈밭

에서 마른 풀을 뜯고 있었다. 잠시 걸음을 멈추고 양 떼를 지켜보았다. 옥수수밭 너머로 앙상한 버드나무 국경이 보였다. 량수에서 북한 주민들을 볼 수 있는 시간은 4월에서 10월까지. 그들은 항상 3, 5, 7 홀수로 강을 건너와 일했다. 초록으로 가득 찼던 버드나무 국경도 추수철이 지나 앙상한 가지만 남긴 채였다.

두만강 나루터에 다다를 즈음, 먼발치에 누워 있던 왕재산이 시야에 들어왔다. 저 길을 따라가면 시베리아 수용소를 연상케 하는 아오지탄광과 연결된다. 한국전쟁 당시 국군 포로들이 갇혀 지낸 곳이다.

가족을 따라 함경북도 온성군에서 량수로 이주한 김금록 할머니는 땔감에 얽힌 사연을 풀어놓았다.

"강만 하나 건너왔을 뿐 량수와 온성은 이웃이나 다름없꼬마. 량수는 산이 많지 않아서리 가을걷이만 끝나면 땔감을 하러 왕재산으로 건너갔단 말입지."

추수를 마친 할머니는 평소에 해왔던 대로 량수다리를 건너 왕재산으로 올라갔다. 인적이 전혀 없는 산기슭에 삭정이가 수북이 쌓여 있었다. 새끼줄로 갈무리한 땔감을 머리에 이고 두만강 다리를 건넌 할머니는 머리가 곤두섰다.

"다리 난간에서 거들먹거리던 주재소 놈이 글쎄 땔감을 전부 압수한다지 뭡네까. 주재소에 미리 신고를 하지 않았다고 말입네다. 기래 나도 이판사판이라 정신 나간 사람처럼 막 소리를 쳤꼬마. 여섯 식구 겨울을 나자므 땔감보다 더 중한 게 뭐 있슴까. 배곯아 죽는 것도 서럽지만 추위에 떠는 자식들 지켜보는 것도 못할 짓이란 말임다."

1937년 일제가 건설한 두만강 다리는 앙상한 뼈대만 남긴 채 엿가락처럼 부러져 있었다. 하지만 저 다리는 북한의 온성과 중국의 량수를 연결한 단순한 다리가 아니었다. 량수다리를 한번 건너려면 "와타시와 코오코쿠신민다(나는 황국신민이다)"를 세 번씩 외쳐야 했다. 꾸물대거나 일본어 발음이 정확치 않으면 채찍이 날아왔다.

1945년 8월, 일본군이 주둔하고 있던 량수는 긴장이 고조되었다. 때아닌 러시아군이 들이닥친 것이다. 급기야 일이 터진 건 자정 무렵이었다. 군수물자를 빼돌리려다 발각된 일본군 2명이 러시아군 총에 사살되는 일이 벌어졌다.

"그때는 숨도 크게 쉴 수 없었꼬마. 마우재와 왜놈 사이에 전쟁이라도 터질 것 같지 뭡네까."

해방을 사흘 앞둔 저녁 시간이었다. 량수다리 쪽에서 쾅! 쾅! 쾅! 엄청난 굉음과 함께 불꽃이 하늘로 치솟았다. 저녁을 먹다 말고 밖으로 뛰쳐나간 주민들은 십 년 묵은 체증이 한꺼번에 사라지는 걸 느꼈다. 다리 한가운데가 부러진 채 두만강 강물에 곤두박여 있었다.

그러나 어찌된 사연인지 폭파된 다리에 일본군은 그림자도 보이지 않았다. 러시아군의 추격이 두려운 일본군은 벌써 패주한 뒤였다. 해방 후에도 량수는 공산주의를 선전하는 삐라가 한동안 나부꼈다.

두만강 나루터에서 마을로 다시 돌아가는 길이었다.

"한 인민의 고통과 희생이 많은 인민의 가정을 따뜻하게 한다."

벽보를 보는 순간 입맛이 당겼다. 중국의 탄광 시설을 엿볼 기회가 찾아온 것이다. 겉보기와 달리 7인승 승합차 내부는 엉망이었다. 바

뼈대만 남은 두만강 다리

닥에 숭숭 구멍이 뚫려 있고, 타고 내리는 문마저 누군가 꼭 붙들어야 할 판이었다.

'安全第一'.

한국이나 일본이나 중국이나 탄광 표어는 동일해 보였다. 안전(安全)이 제일(第一)이었다. 승합차에서 내려 탄광 입구로 들어섰다. 경비소 문이 열리는가 싶더니 오십 대 후반의 사내가 부리나케 뛰어나왔다. 명함을 꺼내 내밀자 경비원은 조선족을 불러왔다.

"이 동무는 외부인 출입을 담당하고 있는 한족입니다. 밖에서 구경하는 건 일없지만 굴 안으로 들어가는 건 금지되어 있답니다."

"잘 알겠습니다. 이곳에서 일하는 광부는 얼마나 됩니까?"

"80명이 조금 못 됩니다. 몇 해 전만 해도 300명이 넘었는데, 죄다 한국으로 돈 벌러 나갔지 뭡니까."

　전 세계 석탄 매장량 중 70퍼센트를 보유한 중국은 마치 그걸 증명이라도 하듯, 석탄을 실은 차량들이 반 시간 간격으로 정문을 빠져나갔다. 강원도 사북에서 광부로 일한 경험을 되살려 주변을 살폈다. 탈의실 건물을 끼고 왼편으로 돌아가자 석탄을 적재한 탄차가 갱 밖으로 빠져나오는 중이었다. 후쿠오카를 여행할 때 찾아간 치쿠호탄광이 머리를 스쳐 지났다.

　"잘 들어라! 노동은 육체로 하는 것이 아니다. 진정한 노동은 정신 무장에서 시작된다."

　하루 세끼 중 두 끼를 옥수수로 연명하던 조선인 징용자들은 귀가 닳을 지경이었다. 일과를 시작할 때 신사(神社)에 들러 외치는 "텐노

헤이카 반자이(천황폐하 만세)!"도 힘에 부쳤다. 하루 16시간씩 일본인 감독의 명령에 따라 움직이는 채탄 노동은 지옥의 군대나 다름없었다.

신사(神社)의 나라에서 신사(紳士)만 강조할 뿐, 일제는 단 한 번도 식량이 없으면 없다고 말하지 않았다. 그때마다 징용자들은 옥수수를 알갱이째 꿀꺽 삼켜야만 했다. 허기진 배를 채우려면 변으로 나온 옥수수 알갱이를 물에 다시 헹궈 먹는 수밖에 없었기 때문이다. 치쿠호탄광에서 사람 목숨은 파리만도 못했던 것이다. 사고로 죽거나 징벌을 견디지 못해 사망하면 서류에 '병사(病死)'로 처리되었다.


## 훈춘사건


량수를 떠난 완행버스는 장안쯤에서 가다 서다를 반복했다. 무리를 지은 소와 양들이 도로를 점거한 채 어기적댔다. 갈 길 바쁜 버스 기사가 뛰뛰뛰뛰, 길을 좀 터달라며 애원해도 소귀에 경 읽기였다. 오히려 소 주인은 빵빵대는 버스 기사를 힐끔 뒤돌아보며 이맛살을 찌푸렸다.

연변조선족자치주 동쪽에 위치한 훈춘은 북한과 러시아로 통하는 마지막 국경도시다. 우수리스크는 9시 30분, 블라디보스토크는 11시 30분, 그리고 훈춘에서 53km 지점에 위치한 북한 나선행 버스는 13시에 출발한다.

훈춘 시가지

관광거점도시로 선정된 훈춘의 거리는 한글 간판보다 키릴문자 간판이 더 자주 눈에 띄었다. 하루가 다르게 옛 정취는 사라지고 러시아풍으로 단장 중이었다. 고속철도가 개통되면서 인구도 25만 명을 넘어섰다.

1920년 6월 봉오동전투에서 패한 일제는 중국 정부에 손을 내밀었다. 연변 지역에서 활동 중인 독립군을 토벌하려면 중국 측 도움이 절실했다. 협상에 실패한 일제는 중국 마적단을 매수해 기상천외한 자작극을 벌였다.

1920년 9월, 마적단 두목 장장하오(張江好)는 일본군이 작성한 시나리오에 따라 훈춘 시가지를 습격했다. 민가를 불태우고 인질을 납치한 뒤, 3시간 만에 종적을 감추었다. 장장하오가 훈춘에 다시 나타난 건 10월 2일 새벽 4시경이었다. 400여 명의 마적과 야포를 앞세운 장장하오는 훈춘현성(시청)과 일본영사관을 거침없이 공격했다. 그날 새벽 마적단에게 피살된 사람만 모두 90여 명(중국인 병사 70여 명,

한국인 7명, 일본인 9명)이었다. 더욱 놀라운 사실은 마적단이 일본영사관을 습격할 때 일본인이 아무도 없었다는 점이다. 그들은 벌써 영사관 건물을 빠져나간 뒤였다.

자작극에 성공한 일제는 중국 정부를 압박해 들어갔다. 중국 정부도 딱히 변명할 처지가 못 되었다. 일본영사관을 방화한 주범이 중국 마적단 소행으로 밝혀진 것이다. 훈춘사건이 일단락되자 일제는 한국, 러시아, 만주에 주둔 중인 일본군 병력 2만여 명을 연변 전역에 집중 배치했다.

일제의 독립군 토벌 계획은 두 단계로 나뉘어 진행되었다. 첫 번째는 북간도 지역에서 활동 중인 독립군을 섬멸해 근거지를 없애는 일이고, 두 번째는 잠복 중인 독립군과 독립투사들을 색출해 독립운동의 뿌리를 제거하는 일이었다. 하지만 일제가 구상한 간도 대토벌 작전은 독립군이 먼저 웃었다. 무장한 독립군은 봉오동전투에 이어 청산리에서도 대승을 거두었다.

중국 마적단이 방화한 훈춘현성은 현재 훈춘시 공안국(경찰국)이, 일본영사관 자리에는 훈춘시립병원이 들어섰다. 훈춘시립병원은 일본군 '위안부'를 지낸 조윤옥 할머니가 마지막 생을 마쳤던 곳이다.


## 일본군 위안소

• 1925년 5월 14일 경북 성주군 청파면에서 3남 3녀 중 다섯째로

태어남(호적에는 6월 10일로 되어 있음).

- 1929년 경북 대구부 대명동 2구 신지내 1860번지로 이사함.
- 1934년 함경남도 북청군 신창면 박옥주에게 양딸로 감.
- 1940년 11월 함경남도 청진군 신암동 위안소로 팔려감.
- 1943년 겨울~1944년 3월까지 중국 길림성 훈춘시 성북가 위안 소.
- 2001년 2월 6일 오후 6시 훈춘시립병원에서 사망.


2004년 겨울, 모 시민단체에서 전화가 걸려왔다. 조윤옥 할머니의 일대기를 써달라는 전화였다. 훈춘에 도착한 날 시청부터 들렀다. 1940년대를 조망할 훈춘 지도가 필요했다. 일제의 만주국 시절 지도와 조윤옥 할머니의 호적 관련 서류를 복사해 숙소로 향했다.

해방 직후 조윤옥 할머니의 호적이 마음에 걸렸다. 신분증을 발급받는 과정에서 할머니는 돌이킬 수 없는 강을 건너고 말았다. 인적을 묻는 시청 직원에게 청진에서 왔다고 대답해버린 것이다. 그 한 번의 실수로 조윤옥 할머니는 여생을 조선민주주의인민공화국 신분으로 살아야 했다.

복사본 지도를 들고 찾아간 위안소 건물은 미용실로 바뀌어 있었다. 4년 뒤 다시 찾았을 때는 재개발로 흔적마저 사라지고 없었다. 위안소 동무들과 영화를 봤다는 훈춘극장만 겨우 남아 있었다.

조윤옥 할머니의 훈춘 생활은 수소문 끝에 찾아낸 박봉희 할머니를 통해 실타래가 풀렸다.

일본군 위안소 터

"윤옥이는 내가 잘 알아. 20년을 친구처럼 지냈거든. 성질이 좀 괴팍해 그렇지 거짓은 없어."

조윤옥 할머니의 파란 많은 인생은 '가난이 죄'였다.

나에게는 어린 시절이 없었다. 눈물 많은 고역살이가 전부였다. 보모로 들어간 집의 물독이 높아 쫓겨난 적도 있었다. 내 키가 너무 작은 탓이었다. 물독에 넣어야 할 물을 부엌 바닥에 쏟고 만 것이다.

집으로 손님이 찾아왔다. 사십대 미만의 박옥주라는 여자였다. 양딸을 삼고 싶다는 말에 소녀는 박옥주를 따라나섰다. 기차를 타고 도착한 곳은 함경북도 북청군 신창면. 인신매매꾼으로 돌변한 박옥주는 열다섯 살 소녀를 일본군 위안소에 500원을 받고 팔아버렸다.

"내가 윤옥이였어도 기가 차지 뭐. 선보러 간다는 말에 곱게 차려입고 따라나섰더니 위안소였단 말이지. 그것도 열다섯 살에… 안으로 들어갔더니 복도 양편에 조그만 방들이 따닥따닥 붙어 있고, 방문 위에 위안부 사진과 함께 이름이 적혀 있더래."

처음엔 무슨 수를 써서라도 도망가려고 했다. 하지만 곧 포기하고 말았다. 위안소를 탈출한 동료가 다섯 시간도 못 되어 붙잡혀온 것이다. 위안소 주인은 도주죄를 물어 갚아야 할 돈을 두 배로 올렸다.

"윤옥이 말로는 일본군 한 명당 1원을 받았대. 그러니 500원을 어느 세월에 갚겠어. 그래 윤옥이도 500원이 1300원으로 불어나자 훈춘 위안소로 다시 팔려간 거야."

쌀 한 가마에 20원 하던 시절이었다. 1300원을 갚는다는 건 상상이 되지 않았다. 성병에 걸리면 606호 주사를 맞았고, 그래도 병이 낫지 않으면 콩알만 한 수은제를 삼켜야 했다.

"글쎄 빚을 갚는 데만 꼬박 4년이 걸렸대. 불어나는 빚을 갚으려고 하루에 40명을 받을 때도 있었고. 말이 40명이지, 그게 어디 사람이 할 짓이야. 윤옥이는 한 번도 여자로 살아보지 못했어. 윤옥이 인생 전체를 박옥주라는 여자와 왜놈들이 망가뜨린 거야. 하루는 병원에 찾아갔더니 죽음을 앞둔 윤옥이가 뭐란 줄 알아? 칠십 평생을 살아오는 동안 병원에 입원했을 때가 가장 행복했대. 꽃다운 나이에 엉망진창이 돼버렸으니 그 한을 누구한테 말할 수 있겠어. 불쌍한 윤옥이는 그렇게 죽었어."

허름한 판자촌에 기대어 살아가는 박봉희 할머니의 처지도 무척 힘겨워 보였다. 영하 20도를 밑도는 냉방에서 누더기 이불 한 장으로 겨울을 나고 있었다.

"윤옥이나 나나 서럽지 뭐. 살아도 불쌍하고 죽어서도 불쌍한 인생이잖아. 그리고 중국 땅이 좀 넓어야 말이지. 여기 가면 천 리 길이고 저기 가면 만 리 길이잖아. 남의 땅에서는 이웃하며 지내기도 쉽지 않아."

지금이라도 받아만 준다면, 고향(함경북도 부령)으로 돌아가고 싶다며 연신 눈물만 훔쳤다.

## 세 나라
### 국경

"방천(防川) 가는 버스는 몇 시에 있나요?"
"오늘은 운행하지 않습니다."

겨울철에 흔히 있는 일이다. 2012년에도 폭설이 내려 발이 묶인 적 있는데, 간만에 찾아온 뜻밖의 여유랄까. 낯선 도시에서 보내는 하룻밤이 썩 나쁘지만은 않았다. 그동안의 여행길들이 하나둘 정리가 되었다.

도심을 빠져나온 택시는 국제연합(UN)이 지정한 도포촌 습지를 지나는 중이었다. 한겨울인데도 얼지 않고 말간 물이 졸졸졸 흘러내렸다. 면적도 꽤 넓어 보였다. 십여 분을 달린 끝에 습지를 벗어날 수

망해각에서 바라본 세 나라 국경(왼쪽은 러시아 오른쪽은 북한)

있었다.

　세 나라 국경은 두만강에 이르러 더욱 선명해졌다. 철조망이 드리워진 왼편은 러시아, 두만강이 흐르는 오른편은 북한, 대절한 택시는 두 영토 사이에서 삼각 지점을 향해 내달렸다.

　훈춘에서 중국 최동단에 자리한 방천까지는 71km.

　세 나라를 소개하는 안내 간판이 눈에 거슬렸다. 서쪽은 '조선(朝鮮, DPRK)', 동쪽은 '아라사(俄羅斯, Russia)', 남쪽은 '일본해(日本海, Sea of Japan)'로 표기돼 있었다. 분단국가의 현실을 받아들이는 일은 인내가 필요했다. 한반도의 동해를 'East Sea'로 표기한 지구촌의 국가는 4퍼센트에도 못 미치기 때문이다. 일본에 침략당한 중국마저도 'East Sea'를 'Sea of Japan'으로 표기하고 있지 않은가. 망해각(望海閣) 전망대에서 바라보는 러시아 핫산과 두만강 철교가 부러울 수밖에 없었다. 육로가 끊긴 한반도 남쪽만 외딴섬처럼 보였다.

'닭 울음소리가 3국을 깨우고, 개 짖는 소리가 세 나라 변경에 울린다'는 망해각 전망대에서 내려와 초소로 향했다. 2m 높이의 철책 문이 열리는 순간 가슴이 뛰었다. 비무장지대나 다름없는 공간에서, 3국의 국경과 마주한다는 건 결코 쉬운 일이 아니기 때문이다.

촘촘하게 얽힌 철조망 숲길을 따라 십여 분 남짓 걸었을까. 토자비(土字牌)와 함께 러시아 경계비가 모습을 드러냈다. 러시아 우수리강 어구에서 두만강 어구까지 총 8개의 분계선(야, 혁, 객, 라, 나, 왜, 파, 토)이 놓여 있는데, 토자비는 러시아 최남단에 설치된 중국 경계비다.

러시아 국경비와 중국 국경비(토자패)

경계비 너머로 러시아 군인이 순찰 중이었다. 동행한 중국 군인에게 러시아 군인과 인사를 나눈 적 있느냐고 묻자 그는 손으로 감시초소를 가리켰다. 중국 쪽 감시초소에서 우리를 지켜보고 있다는 신호였다.

권하촌 안중근 거주지

두만강이 동해로 흘러드는 방천을 떠나 훈춘으로 돌아가는 길이었다. 삼합을 시작으로 개산툰, 도문, 량수, 밀강 국경이 아스라이 스쳐갔다. 두만강과도 이제 이별할 때가 다가온 것이다.

권하촌 입구에서 잠시 차를 세웠다. 만나볼 사람이 있었다.

"여긴 아무도 없는데요."

도로변에 차를 정차한 택시 기사가 고개를 갸웃거렸다. 차에서 내려 마을 어귀로 들어섰다. 한적한 초가 마루 위에 안중근 영정이 걸려 있고, 방 안에는 허름한 옷장과 철제 침대가 놓여 있었다.

망명지를 물색 중인 안중근은 연변 지역에서 석 달을 머무는 동안 일정한 숙소가 없었다. 주로 찾아다닌 곳이 안씨 성을 가진 동포들이었다. 영정이 내걸린 초가집도 그중 하나로 보였다. 권하촌에서 단지 동맹(斷指同盟)을 결행한 연추(크라스키노)까지 거리는 90km. 연해주에서 의병으로 활동한 안중근에게는 매우 익숙한 길이다. 뗏목을 이용해 핫산 국경을 건넌 안중근은 권하촌을 경유해 국내로 들어갔다.

# 백두산
## 장백산

6일 만에 돌아온 연길 숙소는 더없이 반가웠다. 프런트에 맡겨둔 여행 가방을 돌려받은 뒤 방으로 들어서자 몸이 먼저 반응했다. 침대를 보는 순간 벌렁 누워버렸다. 아무 생각 없이 한 시간만 누워 있고 싶었다.

> 1962년 10월 12일, 북한은 이미 평양에서 중국과 '중조변계조약(中朝邊界條約)'을 맺고 국경선을 확정했다. 천지와 백두산도 그때 분할(북한 45.5%, 중국 54.5%)됐다. 그러나 양국은 지금까지도 이 사실을 공개하지 않고 있다.
>
> (…)
>
> 인도의 한 신문은 1965년 7월 북한 외교관의 말을 인용해 "중국은 6·25전쟁 참전 대가로 백두산 지역 250km²가량을 떼어달라고 북한에 요구했다"고 보도하기도 했다.
>
> ── 임채청 외, 『간도에서 대마도까지』(동아일보사, 2005) 중

다음 날 오후, 작은 가방만 챙겨 숙소를 나섰다. 용정에서 기차를 이용하면 백두산을 여유롭게 다녀올 수 있다.

16시 13분에 용정역을 출발한 심양행 기차는 18시 57분 백하역에 정차했다. 신채호는 『조선상고사』에서 송화강을 아리수(큰 강)라 불

백두산 오르는 길

렀는데, 방금 도착한 백하(白河)가 송화강 원류다. 고조선, 부여, 고구려, 숙신, 여진 등 우리 민족의 고대국가들이 송화강 부근에서 발흥하고 쇠퇴했다.

'백두산 아래 첫 동네' 백하는 한여름에도 두꺼운 이불을 덮어야 할 만큼 기온이 낮고 울창한 삼림으로 둘러싸여 있다. 그중 으뜸은 백두산 자락에서 자생하는 미인송(美人松)이다. 미인송 군락은 하늘을 향해 곧게 뻗은 자태가 감탄을 자아낸다. 뿐만 아니라 백하는 낮보다 밤이 더 아름다운 고장이다. 어둠이 깊을수록 백두산 아래 첫 동네는 무수한 별천지로 변해간다.

백하에서 백두산 초입까지는 34km. 동서남북으로 길이 트인 백두

량수·훈춘

산 천지는 북한 쪽에서 오르는 동파를 제외하면 세 곳 모두 중국 영토에 자리하고 있다. 아침상을 차리던 민박집 주인이 엄지손가락을 치켜세웠다.

"천문봉에서 연락이 왔는데 천지가 화창하답네다."

해발 2744m에 자리한 백두산의 날씨는 그야말로 변화무쌍하다. 쾌청한 날에도 비옷을 챙겨야 한다. 1년 중 맑은 날이 한 달도 채 되지 않는 천지는 올라가봐야 알 수 있기 때문이다.

장백산 입구에서 천지(天池)는 금방이다. 셔틀버스에서 내려 사륜구동으로 갈아타면 절로 비명이 터져 나온다. 지그재그로 개설한 산길도 문제지만 자동차 경주를 하듯 전속력으로 내닫는다. 천문봉(해발 2670m)에 도착해 천지 쪽으로 걸음을 옮겼다. 1597년과 1668년, 1702년, 1900년 모두 네 차례에 걸쳐 화산이 폭발한 주변은 화산석들이 어지럽게 널려 있었다.

삼천만이여!

오늘은 나도 말하련다!

백호의 소리 없는 웃음에도

격파 솟아 구름을 삼킨다는

천지의 푸른 물줄기로

이 땅을 파몰아치던 살풍에

마르고 탄 한가슴을 추기고

천년 이끼 오른 바위를 벼루돌 삼아

곰팡이 어렸던 이 붓끝을
육박의 창끝인 듯 고루며
이 땅의 이름 없는 시인도
해방의 오늘 말하련다!
— 조기천, 「백두산」 부분


여기서 하늘과 땅이 시작되고
세상의 모든 비바람과 눈보라가 시작되고
아침이면 해가 솟고 밤이면 별들을 거느린
달이 솟아올라 낮과 밤이 여기서 엇바뀐다
— 박세욱, 「백두산」 부분


두 북녘 시인이 노래한 백두산 천지는 비경 중에 비경이었다. 쾌청한 천지를 보는 순간, 무거웠던 마음이 말끔히 사라졌다. 일찍이 한민족의 발상지요, 개국의 터전으로 숭배해온 영산(靈山)의 의미를 비로소 알 것 같았다. 감개무량한 이 순간을 오래오래 간직하고 싶었다.

석봉(石峰)이 늘어선 것이 병풍을 두른 것 같고 높이 솟은 것이 군자와 같은데, 그 복판에 큰 못이 고여 있다. 움푹 꺼져 들어가기를 천 길이나 되며 물이 독에 있는 것 같아서 엎드려 보면 무서워서 몸이 떨리고, 검푸르게 깊은 것이 잴 수 없으며 땅 구멍에 통할 것만 같다.

량수·훈춘

1764년 백두산을 다녀간 박종이 『백두산유록(白頭山遊錄)』에 남긴 글이다. 하늘보다 더 파란 천지는 천 길 낭떠러지에서 엎드려 보면 온 몸이 떨려온다. 하늘이 내려앉은 검푸른 저 깊이를 가늠조차 할 수 없는 것이다. 북한 영토에 7개, 중국 영토에 9개, 총 16개의 봉우리도 병풍을 두른 듯 하늘 높이 솟아 있다.

한 해 10만 명 넘는 한국인이 찾는 천지에서 내려와 장백폭포로 나가는 길이었다. 호루라기 소리에 뒤를 돌아보니 태극기가 보였다. 중국 군인의 저지로 태극기 사태는 수습되었지만, 뒷맛이 영 개운치 않았다. 중국 영토였음을 깜빡 잊고 있었던 것이다. 장백산에서 태극기를 펼치는 행위는 절대 금물이다.

천문봉과 용문봉 사이에서 흘러내리는 장백폭포도 보기 드문 장관이다. 백두산 북파로 오르는 68m 높이의 수직 암벽에서 천지 물이 거침없이 몸을 내던졌다. 송화강 원류인 장백폭포에서 시작되는 1920km의 여정을 잠시 그려보았다. 내일부터는 길림, 하얼빈, 치치하얼, 흑하로 이어지는 송화강을 따라가야 하기 때문이다.

동녕 삼차구

•

•

东宁 三岔口

## 노흑산령

연길을 떠나는 날은 제법 많은 눈이 내렸다. 과연 국도를 이용하는 버스가 운행을 할지, 염려가 되었다. '일없다'는 매표 직원의 말에 무작정 올라탔다. 도중에 버스가 멈춰서더라도 겨울 여행의 별미로 받아들일 생각이었다. 어차피 여행은 일과 생존 투쟁의 제약을 받지 않는 또 다른 여분의 삶이지 않던가.

연길에서 동녕(东宁)으로 가는 길은 만주 여행에서 가장 험난한 여정이다. 고개만 일흔두 개를 넘어야 한다. 1941년 『조광』에 발표한 글에서 리욱(해방 전 이름은 리학성)은 노흑산령을 악마가 사는 마경(魔境), 땅의 형세가 천연적으로 험준한 천험촉도(天險蜀道)로 표현했었다. 그러나 길이 보이지 않아도 운명처럼 걸어가야 할 때가 있듯이, 조국을 잃은 독립군의 심정도 그와 같지 않았을까. 블라디보스토크에서 구입한 무기를 간도로 운반하려면 노흑산령을 넘어야만 했다.

연길을 떠난 버스는 왕청을 지나고 있었다. 왕청에서 가까운 덕원리(태평촌)는 만주로 망명한 서일이 중광단(重光團)을 결성한 곳이다. 의병 조직을 전열한 중광단은 북로군정서로 다시 태어났고, 상해임시정부 산하로 편입되었다.

왕청을 본거지로 삼은 북로군정서는 먼저 병력 충원에 초점을 두었다. 1920년 3월 사관연성소(군사간부학교)를 설립한 북로군정서는 6개월 단기 속성 과정으로 1000여 명의 훈련생을 배출해냈다. 군사

연길-동녕 버스

훈련은 신흥무관학교 출신 이범석과 박영희 등이 맡았다. 그해 9월 수료식을 마친 북로군정서는 김좌진의 지휘 아래 청산리로 향했다.

왕청을 지나온 버스가 금창향(鄕)에 닿았을 때 한글 간판이 모두 사라졌다. 연변 지역을 벗어났다는 신호였다. 한풀 꺾이는가 싶던 눈발도 다시 거세졌다. 운전 중인 기사가 룸미러를 통해 '요러우탕'과 '교로우탕'을 외쳤다. 발음은 부정확해도 꿰맞추는 건 어렵지 않았다. 20분 뒤에 잠깐 쉬어갈 예정인데, 소고기탕과 개고기탕 중 희망자가 있으면 손을 들어달라는 내용이었다. 시간도 아낄 겸 미리 주문을 받는 눈치였다.

버스가 정차한 곳은 노흑산을 32km 남겨둔 어느 상점 앞이었다. 상점 안에는 주문한 음식이 벌써 차려져 있었다. 각자 알아서 주문한 그릇 앞으로 다가앉는 모습이 무척 생경해 보였다. 휴게소가 따로 없는 동녕행 버스는 모든 것이 겸사겸사 이뤄졌다.

소고기탕을 달게 비우고 밖으로 나오자 버스 기사가 다가왔다.

"요러우(니우러우)탕 하이하오마(소고기탕 괜찮았어요)?"

"헌하오치(맛있었습니다)."

이쑤시개를 입에 문 버스 기사가 식당 뒤편에 있는 간이 화장실을 가리켰다. 측간에서 변소로, 변소에서 위생간으로, 위생간에서 화장실로 변모해가는 중국 화장실 문화에 그만 웃고 말았다. 측간에 얽힌 에피소드라면 차고 넘쳤던 것이다.

출입문이 따로 없는 남녀 공용 화장실 안으로 들어섰을 때다. 남성들은 입사 자세로 일을 보고, 여성들은 비좁은 칸막이 안에 쭈그리고 앉아 일을 보는 중이었다. 버스가 곧 출발할 시간이어서 바지춤을 급히 내렸다. 한데 자꾸만 뒤통수가 가려워 미칠 지경이었다. 누군가 뒤에서 아주 편안한 자세로 앉아 소변 누는 뒤태를 지켜보고 있을 거라는 생각 때문이었다. 더욱 민망스러운 것은 용무를 다 마친 뒤였다. 칸막이 안에서 용을 쓰는 여성과 눈이 마주쳤는데도 당황하는 기색이 전혀 없었다. 도둑이 제 발 저린 것처럼 죄 없는 뒤통수만 긁어댈 뿐이었다.

노흑산으로 접어든 20인승 버스는 갑자기 속도가 뚝 떨어졌다. 반대편에서 오는 차량들도 사정은 다르지 않았다. 목재와 석탄을 적재한 대형트럭 두 대가 엉금엉금 거북이걸음을 하고 있었다. 목재는 러시아에서, 석탄은 노흑산 인근에서 채굴한 것으로 보였다.

노흑산 가는 길

　어슴푸레 자다 깨니 어느덧 날이 밝았다. 자세히 집 안을 살피니 수십 자루의 총과 기타 무기 등이 보였다. 그리고 수상한 복장도 있었다. 마치 산중왕국처럼 보였다. 물론 그중에는 수령도 있고 규율도 있었다. 서로 노얼(둘째), 노산(셋째)하고 부른다. 그들의 특수한 점은 첫째 건강하다는 것이고, 둘째 규율이 엄하다는 것이고, 셋째는 웅도(雄圖)도 있다는 것이다. 밤이면 『삼국지』와 『수호지』를 읽곤 했는데 행동과 말하는 것도 매우 모험적이었다.

　　― 리욱, 『東滿(동만)의 魔境(마경) · 天險蜀道(천험촉도)』 중


　왕청에서 만난 팔로군 병사는 토비들의 각개전투에 혀를 내둘렀

다. 한차례 소탕전을 벌인 후 일정한 시간이 지나면, 토비들은 마치 팔로군을 비웃기라도 하듯 동에 번쩍 서에 번쩍 반격에 나섰다. 하루는 토비들에게 붙잡힌 팔로군 병사 두 명이 말에 실려 돌아왔는데 차마 눈뜨고 볼 수가 없었다. 한 병사는 얼굴 가죽이 몽땅 벗겨진 채였고, 나머지 한 명도 사지가 너덜너덜 꺾인 채였다. 노흑산 일대에서 활동한 토비들은 일본군도 뒷걸음을 칠 정도로 조직력이 매우 뛰어났다. 같은 국적의 마적단은 돈으로 매수가 가능한 반면 토비들은 군사 조직을 능가할 만큼 규율이 무척 엄했다. 하여 교란에 능한 토비를 소탕하려면 벼룩(군대), 날쏘시개(탄알), 판산(밥), 탕두(신발), 표(인질) 등 토비들이 사용하는 은어부터 배워야 했다.

생각했던 것보다 해발(482m)은 그렇게 높은 편이 아니었다. 그렇지만 노흑산령은 한번 방향을 잃으면 중심을 잃고 마는, '72고개'라는 말이 그냥 생겨나지 않았다는 걸 몸으로 느낄 수 있었다. 앞으로 나아가는데도 자꾸만 깊은 수렁 속으로 빨려 들어가는 기분이었다. 노흑산을 넘는 데만 꼬박 1시간이 소요되었다.

쾌활한 성격의 버스 기사도 눈길에 잔뜩 긴장을 했는지 준령을 넘어서자마자 줄담배를 피워댔다. 2014년 봄에 노흑산령을 넘은 일이 있는데, 두 성(길림, 흑룡강)의 경계가 도로 색깔에서 확연히 구분되었다. 방금 넘어온 길림성은 시멘트가, 흑룡강성은 검은 아스팔트가 깔려 있었다.

"우린 말입네다, 몸뚱이만 동북(만주)에 있고 기실은 연해주 사람입네다. 눈만 뜨면 인차 보이는 것이 러시아 땅인데 어찌 동북 사람이라 할 수 있겠습네까."

동녕 사람들의 말은 옳았다. 고개를 하나 넘었을 뿐인데 들녘은 온
통 흑빛으로 변했다. 노흑산령만 넘으면 만주는 점차 멀어지고 러시
아가 코앞이었다.


## 동녕 요새

다섯 시간 넘게 달려온 버스는 동녕삼거리에 정차했다. 흑룡강성
동남부에 위치한 동녕은 2015년 시로 승격하면서 인구도 20만여 명
으로 늘었다. 숙소에 큰 가방만 맡겨둔 채 동녕 요새로 향했다.


동녕에서 삼차구로 가는 길은 기분이 상쾌해진다. 찻길 양쪽으로
논밭이 있다. 등굣길에 나는 이 논밭들과 많은 대화를 나눈다. 사람의
생명이 저 논밭에 있기 때문이다. 개구리는 우는 게 아니라 노래한다
는 것도 논밭을 깊이 생각하면서 알게 되었다.

동녕에서 버스를 타고 15분쯤 걸리는 삼차구는 별로 크지 않다. 음
식점, 목욕탕, 슈퍼마켓 등이 있다. 이것들 중에서 우리 조선족의 전통
음식인 찹쌀순대와 떡볶이는 맛이 참 좋다. 하지만 가장 좋은 것은 푸
른 하늘이다. 우리 학교가 있는 삼차구는 동녕 하늘과 다르다. 파란색
하늘에 하얀 구름이 예쁜 그림을 닮았다.

서산포대

삼차구 조선족중학교에 재학 중인 차길상의 글처럼 시내버스는 탁
트인 들판을 힘차게 내달렸다. 만주에서 마지막 전투가 벌어진 서산
포대(西山砲隊) 산마루도 차창 밖으로 스쳐갔다. 러시아 접경 지역 동
녕에 기지를 건설한 일제는 '1급 국경 진지', '동방의 마지노선'이라며
스스로를 자평했다. 동녕 일대에 구축한 군사기지는 러시아를 견제
하면서 가까운 연해주를 공략할 계획이었다. 동녕에서 자동차로 우
수리스크는 1시간, 블라디보스토크는 3시간이면 닿을 수 있다.

1933년 9월에 벌어진 동녕전투는 한중연합군이 첫 포문을 열었다.
동녕시 서산(西山)에 위치한 관동군 포대는 다량의 무기를 보유한 무
기고였다. 자정이 가까워올 무렵 한중연합군은 서산포대를 습격했다.
순조롭게 진행되던 한중연합군의 진격은 이튿날 새벽 교착상태에 빠

동녕 삼차구

동녕요새에서 내려다보는 러시아 영토

졌다. 장갑차와 함께 대포를 동원한 관동군의 반격이 예상보다 격렬
했다. 전세가 불리해진 한중연합군은 퇴각을 서둘렀다. 이틀간 벌어
진 전투에서 한중연합군은 수십 명의 사상자가 발생했고, 독립군을
지휘하던 지청천(27년간 줄기차게 독립전쟁에 매진한 광복군 사령관)마
저 큰 부상을 입었다. 항일유격대 대원으로 서산포대 전투에 참전한
김일성은 "항일 전투를 전개하는 과정에서 서산포대전투처럼 이틀이
나 끈 일은 극히 드물었다"며 당시를 술회하기도 했다.

러시아 접경 지역에 걸쳐 있는 동녕 요새는 훈산, 승훈산, 삼각산,
마달산, 남천산, 북천산, 409고지, 236고지 등 10여 곳의 요새(要塞)
를 통칭하는 말이다. 동녕 요새에 주둔한 관동군 병력은 13만 명, 요
새의 총길이는 110km에 달했다.

중국 정부가 'AAAA(주요 역사 유적지)'급으로 지정한 동녕 요새 야외 전시장은 러시아 군용헬기와 장갑차 등 전투에서 사용된 각종 장비와 무기들로 꾸며졌다. 배코머리를 한 한국 독립군 이경천(1896~1941년)의 흉상도 눈길을 끌었다. 한국 독립군으로는 유일하게 러시아, 중국 군인들과 어깨를 나란히

독립군 이경천 흉상

하고 있다는 점이 인상 깊었다. 만주 어디에서도 이와 같은 기념비를 보지 못했던 것이다. 블라디보스토크를 여행할 때 낯이 익은 페이얼소프 알렉산더 하사의 동상도 반가웠다. 일본군과 마지막 전투에서 실탄이 바닥나자 스무 살의 기총 사수는 적진에 뛰어들어 최후를 장식했다.

동녕 요새 실내 전시관에는 일본군 '위안부'를 지낸 김선옥 할머니의 사진도 보였다. 김선옥, 김순옥, 이수단, 지돌이 등 동녕 인근 위안소로 끌려온 사람만 20여 명. 사망 전 지돌이, 김순옥 할머니는 짤막한 기록을 남겼다.

동녕에 도착한 것은 1945년 3월이었다. 천막을 씌운 군용트럭 한 대가 왔다. 10여 명의 일본 군인이 타고 있었다. 천막 문을 아래로 내

리니 차 안은 컴컴해졌다. 일본 군인들은 좋다고 외쳐대며 우리 세 여자들을 만지고 주물러댔다. 우리가 비명을 지르니 재미있다고 더욱 기승을 부렸다. 장난감처럼 희롱당하며 도착한 곳은 석문자촌이었다. 처음에 나는 방직공장이 산골에 있는 줄 알았다. 방직공장에 취직시켜준다고 해서 따라왔던 것이다. 위안소에는 일본 여자도 있고 조선 여자도 있었다. 위안소 주인은 매일 쌀밥을 먹었으나 우리는 고량밥(옥수수밥)이 전부였다. 반찬은 때마다 무짠지였다.

석문자촌에는 엄청나게 많은 일본군이 주둔하고 있었다. 일본군이 많으니 위안부도 많았다. 40명쯤 되었다. 위안소도 네 채나 되었다. 그렇지만 주인은 달랐다. 내가 든 위안소 주인은 50이 넘은 일본 사람이었다. 일본군 위안소에서 돈을 받지 않고 주는 것은 삿쿠(콘돔)뿐이었다.

두 할머니가 증언한 석문자촌은 동녕 요새에서 남쪽으로 8km 떨어져 있다. 마을 뒷산에 말 사육장이 있었고, 그 너머 음습한 동굴 입구에 일본군 위안소가 설치되었다. 비가 오면 지붕에서 방바닥으로 빗물이 뚝뚝 떨어지는 초막 위안소였다.

전시관 관람을 마친 후 지하 요새가 있는 산으로 올라갔다. 훈산(勳山) 200고지에 구축한 지하 요새 입구에서 바라본 전경은 입을 다물게 만들었다. 코앞에 펼쳐진 러시아 국경 지역(총길이 110km)이 사정거리 안으로 빨려 들어오는 기분이었다.

동녕 요새

　총면적 5만m², 통로 길이만 1163m에 달하는 지하 요새 구조는 전
시관에서 본 분포도보다 훨씬 쉽게 다가왔다. 경사로에 무기와 식량
을 운반하는 레일이 깔려 있고, 굴 안은 차량도 다닐 수 있도록 사통
팔달이었다. 지하 3층으로 설계된 동녕 요새는 가장 깊은 곳이 100m
에 가까웠다. 유사시를 대비한 수직 통로 높이가 험준한 절벽처럼 느
껴졌다. 박격포 공격에도 끄떡없을 정도로 견고한 지하 요새에는 각
통로가 교차하는 지점에 표지판이 설치되어 있는데 작전지휘소, 무
선실, 탄약고, 전기실, 사병숙소, 목욕탕, 취사장 등 그 규모가 말로 표
현하기 어려웠다.

　1933년 일제는 동녕 일대를 관동군 특별구역으로 지정한 뒤, 러시
아 접경 지역에 거주하는 민간인 마을부터 철거했다. 동녕 요새 공사

는 일본이 패전할 때까지 지속되었으며, 강제 노역으로 끌려온 중국인 노동자만 17만 명에 이르렀다. 이들의 노역은 하루하루가 사선을 넘나드는 공포의 현장이었다. 강제 노역을 거부하거나 기대만큼의 성과를 내지 못하면 '만인갱'이라고 부르는 지하 흙구덩이에 던져 생매장시켜버렸다. 1945년 8월 일제는 러시아군이 요새를 공격하자 중국인 노동자 3000여 명을 곧바로 사살했다. 러시아군과의 접촉을 차단하려는 의도였다. 그로 인해 동녕 요새에서 생명을 부지한 중국인 노역자는 소수에 불과했다. 지하 100m 요새에서 집단학살이 벌어진 것이다.

해방을 며칠 앞둔 날이었다. 러시아군은 국경을 넘어 동녕 요새로 진격했다. 병력만 무려 170만 명이 넘었다. 일본군은 필사항전을 펼쳤다. 통신 두절로 히로히토의 항복 선언을 전해 듣지 못한 것이다. 러시아군은 연변 지역에서 포로로 잡힌 일본군 제3군 참모장 고노사다오(河野貞夫)를 동녕으로 불러들여 항복할 것을 종용했다. 제2차 세계대전의 마지막 격전지였던 동녕전투는 8000여 명의 사망자를 내면서 22일 만에 그 막을 내렸다.


## 후보터강


두만강 국경에 비하면 러시아 접경 지역은 대체로 한가로운 편이다. 중국과 러시아의 인적 교류가 그만큼 자유롭다고나 할까. 동녕 요

고안촌

새에서 내려오자 주변 들녘도 한결 평화로워 보였다.

토지가 비옥한 삼차구는 동녕에서 제일 먼저 개발한 조선족 마을이다. 세 개의 강(호포도·소오사구·대두천)이 한곳에서 만나는 삼차하구(三岔河口)로 불렸다가, 1988년 삼차구 조선족향(鄕)으로 개칭되었다. 그 첫 번째 마을이 고안촌이다. 100호 남짓한 고안촌은 흑룡강성 일대에서 최초로 한인공동체를 이뤘고, 3·13만세운동이 일어났던 곳이다.

"왜놈들만 기어들지 않았다면 고안촌 역사도 쭉 이어졌을 거야. 30년을 잘 지내오다 왜놈들이 기어들면서 우여곡절을 겪었단 말이지."

황무지를 개척해 자리를 잡아가던 때였다. 일제는 삼차구 주변 마을을 모두 철거해버렸다.

"그나마 삼차구는 러시아와 인접한 중국 땅이라서 다들 안심하고

삼차구의 겨울

살았단 말이지. 아, 그런데 왜놈들의 기세가 보통이 아닌 거라. 전쟁에 필요한 물자를 보급한다며 마을을 싹 비우라지 뭔가."

일정한 거처도 없이 쫓겨난 주민들은 해방 후 다시 돌아와 학교를 세웠다. 1947년 조선족 소학교를 시작으로 중고등학교가 완공되었다. 조선족 중학교에 다니는 박정화의 작문이 흥미로웠다.

삼차구의 특징은 몇 년에 한 번씩 열리는 운동회다. 운동회가 시작되면 각종 악기가 울려 퍼진다. 상모를 돌리는 사람, 장구를 치는 사람, 예쁘게 한복을 입고 등장하는 사람…. 남자들은 축구, 배구, 씨름을 하고 여자들은 그네를 탄다. 씨름은 우리 고장에서 매우 중요한 경기다. 남자들의 매력이 한꺼번에 터져 나온다.

우리 고장은 또 예모가 반듯하다. 반상에서 어른들이 먼저 식사를

삼차구 국경 표지석

해야 우리도 숟가락을 들 수 있다. 어른들과 한자리에서 술을 받아 마실 때도 몸을 돌려서 마셔야 한다. 명절에는 한복을 입고, 설날에는 어른들을 찾아가 큰절을 올린다.

유독 이 글에 눈이 간 건 오래전 이야기로 들려오지 않았기 때문이다. 서슬 퍼런 중국의 문화대혁명을 이겨낸 조선족들은 요즘도 진달래 색깔의 한복을 즐겨 입는다. 일터에서 돌아온 아낙들이 회관에 모여 우리가락에 맞춰 춤을 추는 모습을 어렵지 않게 감상할 수 있다. 조선족 사회에서 춤과 노래는 하나의 전통처럼 뿌리를 내린 지 오래다.

삼차구에는 우수리강 지류인 후보터강(마을 사람들은 호포도강이라 부른다)이 마을 앞으로 흐른다. 강폭도 그다지 넓지 않다. 멀리뛰기를 해본 사람이라면 훌쩍 건너뛸 수 있다. 후보터강 너머는 러시아 연해주에 속한 폴타브카(Полтавка). 삼차구 주민들은 우수리스크를 연길보다 가까운 옆 동네라며 웃곤 한다. 왕복 3시간이면 다녀올 수 있기 때문이다. 삼차구 학교 교원들에게 국경 수당이 지급된다는 사실도 얼마 전에 처음 알았다.

이웃집 울타리처럼 보이는 후보터강 국경을 산책한 뒤 지인들과 함께 세관 앞으로 몰려갔다. 식당 안은 벌써부터 러시아 사람들로 붐볐다. 중국과 러시아를 오가는 화물차 기사들이었다. 테이블에 둘러앉은 우리도 양고기를 숯불에 구워낸 샤실릭을 입안으로 밀어 넣었다. 샤실릭은 주먹만 한 양고기를 통째로 먹어야 제대로 된 육즙의 맛을 느낄 수 있다. 샤실릭에 곁들이는 술도 독할수록 좋다. 러시아인들처럼 보드카를 즐길 줄 알아야 눈 덮인 벌판을 더욱 가슴 시리게 감상할 수 있기 때문이다.

수분하 · 목릉

綏芬河 · 穆稜

# 유동하를
# 만나다

버스를 이용할 때는 느긋한 자세가 필요하다. 장거리 버스는 정해진 시간에 떠나지만, 한두 시간 거리는 좌석이 채워질 때까지 기다려야 한다. 동녕에서 수분하로 떠나는 시외버스도 다르지 않다. 승객을 채우는 데만 20분이 소요되었다.

삼차구 국경이 무역상들 위주로 열려 있다면 수분하 국경은 개방형이다. 누구나 육로를 통해 러시아를 다녀올 수 있다. 버스는 슬라비얀카, 우수리스크, 블라디보스토크 노선을, 기차는 그라데코보까지 운행한다.

러시아 그라데코보역

수분하에서 26km 떨어진 그라데코보(포그라니치니)는 당일치기 여행도 가능하다. 2016년 봄에 기차를 타고 포그라니치니를 여행한 적 있는데 굉장히 즐거운 하루였다. 우리 돈 5만 원으로 러시아에서 점심을 먹고 산책을 즐기다, 수분하로 돌아온 것이다. 흑룡강성 동북부에 위치한 수분하는 이처럼 러시아 관광객들이 즐겨 찾는 곳이다.

　수분하 여행에서 빠트릴 수 없는 장면은 안중근과 유동하의 만남이다. 제2차 아편전쟁을 빌미로 북경조약(1860년)을 체결한 러시아는 중국 측으로부터 연해주를 넘겨받는다. 이어 만주로 진출한 러시아는 흑룡강성 일대를 조차하면서 언어마저 바꿔놓았다. 블라디보스토크에서 하얼빈으로 이동 중인 안중근도 그 점이 염려되었다. 하얼빈 거사를 성공시키려면 러시아어 통역사가 필요했다.

　1909년 10월 21일 21시 25분.

수분하 옛 역

러시아 국경을 넘어온 하얼빈행 기차는 수분하역에서 한 시간 정차했다. 기차에서 내린 안중근은 유경집을 찾아갔다. 수분하 역전에서 한의원을 하는 유경집은 그 전에도 몇 번 만난 적 있었다. 자초지종을 들려주자 유경집은 흔쾌히 응해주었다.

"그렇지 않아도 약재가 떨어져 동하를 하얼빈에 보내려던 참이었소."

"감사합니다, 선생님."

유경집의 도움으로 하얼빈에서 묵을 숙소와 통역사까지 해결한 안중근은 그제야 마음이 놓였다. 블라디보스토크를 떠나올 때부터 호주머니 사정이 썩 좋은 편은 아니었다.

수분하 터미널에 도착해 옛 기차역으로 향했다. 안중근과 유동하의 만남을 100년 전 현장에서 직접 느껴보고 싶었다.

유경집과 이야기를 나누던 안중근이 밖으로 나오고 있었다. 이를 본 유동하가 먼저 알은체를 했다. 지난봄 안중근을 처음 봤을 때, 잘려 나간 손가락이 마음에 걸렸다. 1909년 2월 7일 열두 명의 동지와 크라스키노에서 자른 왼손 무명지 끝마디였다. 단지동맹을 마친 안중근은 손가락을 자른 피로 태극기 앞면에 '大韓獨立(대한독립)' 네 글자를 큼직하게 썼다.

유동하의 마음이 더욱 끌렸던 건 수분하 세관에서 일하는 정대호와의 대화였다.

"이제 나랏일은 그만하고 처자식과 함께 살 궁리를 해야지 않겠나?"

"글쎄…."

말끝을 흐린 안중근은 허허 웃기만 했다.

"이 사람 보게. 지금 웃음이 나오는가. 중이 제 머리 못 깎는다는 말도 있듯, 자네가 정 어려우면 내가라도 고향에 있는 처자식들을 데려다줄까?"

"자네의 마음이 그렇다면 말리진 않겠네."

열여덟 살 유동하에게 이 장면은 두고두고 잊지 못할 기억으로 남아 있었다. 스스럼없이 대화를 나누는 두 사람의 우정이 남달라 보였다. 진정한 친구란 내 슬픔까지도 등에 지고 간다지 않던가.

1892년 함경남도 덕원에서 태어난 유동하는 가족을 따라 연해주로 건너갔다. 약재상을 하는 아버지의 일을 돕던 그는 러시아어를 그때 배웠다. 만주로 다시 이주한 건 사오 년 지나서였다. 수분하에 정착한 유동하는 독학으로 한의학을 공부한 아버지를 통해 자주독립의 중요성을 깨달았다. 안중근처럼 대한독립을 위해 싸우는 손님이 찾아오면 아버지는 친형제처럼 반겨 맞았다. 하얼빈 사건으로 여순 감옥에서 출소한 유동하가 안창호의 러시아어 통역사를 자처한 것도 그런 이유였다. 아버지처럼 자신도 독립투사들에게 힘이 되는 일을 하고 싶었다.

1899년 러시아가 건설한 수분하 옛 역은 철도박물관이 들어섰다. 기차역에서 이삼백 보 거리에 있었다는 유동하의 집도 가늠만 해볼 따름이다. 백 년 전 지도를 보면 수분하는 야산이 대부분이었다. 인구도 500명에 불과했다.

러시아 정교회당

　안중근 일행(우덕순·유동하)이 하얼빈으로 떠난 기차역에서 경사
가 가파른 언덕을 힘겹게 걸어 올랐다. 6차선 도로 건너편에 러시아
조차지를 알리는 성당이 보였다. 1902년 완공된 정교회당은 수분하
시에서 교회로 사용 중이었다.

　문화광장으로 이어지는 가로수 길을 따라 걸을 때였다. 한적한 거
리는 화려한 색상으로 바뀌었다. 러시아영사관, 문화예술관, 교통국,
학교 등이 원을 그리듯 한곳에 모여 있었다. 도색이 벗겨진 러시아교
통국(交通局)에 눈이 멈췄다. 해방 전 노동당사로 사용된 러시아교통
국은 단동(요녕성)의 이륭양행(怡隆洋行)과 닮은 점이 많다. 상해임시
정부는 조지 쇼(George Shaw, 영국계 아일랜드 출신)가 운영하는 이륭

러시아영사관과 일본영사관

러시아 교통국

양행(선박회사)을 임시정부 단동교통국 비밀기지로 사용했는데, 수분하교통국도 항일투사들의 은신처로 활용되었다. 러시아 학교 건물은 얼마 전 수분하 역사박물관으로 단장을 마친 뒤였다.

일제가 한반도 면적의 세 배가 넘는 만주를 점령할 수 있었던 가장 큰 요인은 무엇이었을까? 1932년 9월 독일, 스페인, 이탈리아, 헝가리 등 8개국이 승인한 일만의정서(日滿議定書)에 일본군의 만주 주둔을 승인하는 내용이 들어 있다. 물론 중국 정부는 일제가 장춘에 수립한 만주국을 공식화하지 않았다. 학생들이 배우는 역사 교과서에 위만(僞滿), 위만주국(僞滿州國), 위황제(僞皇帝)로 표기되어 있다. 여기서 위(僞)는 괴뢰, 즉 '거짓'을 의미한다.

러시아 건축물 중에서 가장 화려한 자태를 간직한 문화예술관도 1924년 수분하 주재 일본총영사관으로 변경되었다. 하얼빈 사건을 계기로 수분하를 강탈한 일제는 일거양득을 노렸다. 연해주에서 활동하는 항일 독립투사들의 만주 진입을 차단함과 동시에, 러시아 국경 지역에 병참기지를 건설할 목적이었다. 일제는 계획대로 수분하에서 가까운 동녕에 관동군 10만 명이 주둔할 수 있는 요새를 구축했다.

국경 개방도시로 선정된 수분하는 문화광장 주변이 제일 붐비는 곳이다. 시장, 쇼핑센터, 레스토랑, 호텔 등 거리의 간판들도 꽤나 이국적이다. 러시아 키릴문자에 가려 중국 간체는 서자처럼 느껴진다. 각 상점마다 루블(ruble)을 표시하는 알파벳 'P'가 내걸린 것도 수분하에서만 볼 수 있는 색다른 풍경이다.

관광지로 조성한 수분하 국경은 서로 다른 양면성을 보여주었다. 사진 촬영은 자유로운 반면에 접근 금지 표지판이 길을 막아섰다. 철조망 너머 숲속에서 요술 궁전처럼 반짝이는 양파 모양의 돔(dome)

수분하 문화광장

이 시선을 잡아 끌었다. 그라데코보 여행을 마치고 수분하로 넘어올 때 본 황금빛 러시아 돔하우스였다. 러시아 국기가 게양된 국경 초소를 지나자 30m 지점에 중국 국기가 펄럭였다. 비무장지대가 전부인 한반도 국경이 무색할 지경이었다.

중국과 러시아를 반반씩 섞어놓은 수분하는 철도 노선이 다양한 도시이다. 유럽은 물론이고, 만주횡단철도의 종착지인 만주리(내몽골, 1440km)와 대련(요녕성, 1274km)을 한 번에 갈 수 있다. 1909년 10월 21일 수분하를 떠난 안중근도 하얼빈역에서 거사를 마친 후, 만주 최남단 여순감옥(1310km)에 수감되었다.


## 분도의 죽음

수분하에서 목릉으로 가는 길은 옥중서신이 차창에 어른거렸다. 사형을 앞둔 안중근은 아내에게 쓴 마지막 편지에서 장남 분도를 향한 아비의 심정을 담아두었다.

예수를 찬미하오.
우리들은 이 이슬과도 같은 허무한 세상에서 천주님의 안배로 부부가 되고 다시 천주님의 명으로 헤어지게 되었으나, 또 멀지 않아 천주님의 은혜로 천당에서 영원히 만나게 될 것이오.
감정으로 인하여 괴로워하지 말고 천주님의 안배만을 믿고 열심히 신앙을 지키시오. 어머님께 효도를 다하고, 두 아우들과도 화목하여 자식의 교육에 힘써 주시오. 장남 분도를 신부가 되게 하려고 나는 마음을 정했으니, 그리 알고 반드시 천주님께 바치어 신부가 되게 하시오.

1920년 2월 14일

오후 4시경 목릉역에 도착해 팔면통행 기차로 갈아탔다. 안중근의 장남 분도를 만나려면 50여 분을 더 가야 했다.

안중근이 세상을 뜨자 남은 가족들도 몸을 피해 연해주로 떠났다. 일본 군경에 거주지가 노출되면 위험에 처할 수도 있었다. 크라스키노에 머물던 안중근 가족이 목릉시 팔면통으로 주소를 옮긴 건 1911년 4월이었다. 소식을 듣고 달려온 사람은 안창호, 이갑, 이동휘 등 일제가 하얼빈 사건의 배후로 지목한 '신민회' 출신들이었다.

이토 히로부미 저격 사건으로 안중근과 관련된 인물들이 속속 드러났다. 팔면통에서 안중근 가족과 이웃하며 지낸 대한제국 장교 출신 이갑도 그중 하나였다. 고종 퇴위 반대운동에 앞장선 이갑은 도산 안창호가 주선한 서우학회(西友學會, 1908년 1월 평안도, 황해도 출신의 지식인을 중심으로 조직된 애국계몽운동 단체) 모임에서 안중근과 첫 인연을 맺었다. 나이는 안중근이 두 살 아래였다.

이토 히로부미가 사살되자 일본 헌병대는 안중근과 친분이 있다는 이유로 이갑을 체포했다. 헌병대 감옥에서 3개월간 옥고를 치른 이갑은 만주(흑룡강성 밀산)로 떠났다. 신민회가 추진한 밀산무관학교 교장으로 선임된 이갑은 독립군 양성을 위해 혼신의 힘을 다했다. 하지

팔면통역

만 밀산무관학교는 자금난에 부딪히면서 문을 닫고 말았다. 우수리
스크로 건너가 독립운동에 매진하던 이갑은 전신이 마비되는 괴질로
하루하루가 고통스러웠다. 혹독한 시베리아 추위를 피해 목릉으로
거처를 옮긴 이갑은 안정근(안중근 친동생)의 집에서 요양하다, 1917
년 사망했다.

안중근 가족이 머문 팔면통 항양촌은 아무런 흔적도 남아 있지 않
았다. 재개발을 앞둔 마을은 폐허로 변해 있었다.

김아려와 결혼한 안중근은 슬하에 2남 1녀를 두었다. 세 자녀를 마
지막으로 본 건 1907년 가을 연해주로 떠날 때였다. 장녀 현생은 여
섯 살, 장남 분도(진생)는 세 살, 차남 준생은 이제 막 걸음마를 배우는
중이었다. 분도의 죽음을 세상에 알린 사람은 유동하의 여동생 유동
선이었다. 1985년 유동선은 조선족 문예지 『송화강』에 분도의 마지
막 모습을 글로 남겼다.

1911년 여름이었다. 나는 목릉에 있는 안중근 가족에게 문안을 갔었다. 나는 그곳에서 분도, 준생과 함께 강변에 나가 가재를 잡곤 했다. 그러던 어느 날이었다. 강변에 나간 분도가 배를 움켜쥔 채 비지땀을 흘리면서 집으로 들어오더니 "엄마, 나 죽소. 아이고 배야"하면서 쓰러지고 말았다.

당황한 분도의 어머니 김아려는 어쩔 바를 몰랐다.

"애, 분도야! 어찌된 일이냐? 어서 말을 하려무나."

그러자 분도가 모질음(고통을 견디어 내려고 모질게 힘을 쓴다는 북한어)을 쓰며 입속말로 말했다.

"낚시질하는 사람이 불러서 갔더니 과자를 먹자고 했어요. 그 사람도 먹고 나도 먹었는데 이렇게 배가 아파요."

"그 사람 지금 어딨니? 강변에 있니?"

"가, 갔어요."

눈을 한 번 치뜬 분도는 더 이상 말을 잇지 못했다. 그 낚시꾼은 바로 일본 놈들이 파견한 첩자였다. 그 일이 있은 후 선생님들은 안중근의 유가족을 보호하기 위해 니콜리스크(우수리스크)로 이주시켰다.

안중근 가족

유동선의 목격담은 일제가 작성

수분하 · 목릉

한 기록물과도 맞아떨어졌다. 당시 일제는 안중근 가족과 이갑이 머무는 목릉을 예의주시하고 있었다. '과격패 두령 이갑이 목릉에서 불령선인들을 규합하는 중'이라며 경계를 늦추지 않았던 것이다.

조그만 개천이 흐르는 항양촌을 거닐면서 남편과 아들을 잃은 김아려의 심정을 헤아려보았다. 이미륵은 『그래도 압록강은 흐른다』(범우사)에서 김아려를 참으로 쓸쓸하게 표현했었다. 창가에 조용히 앉아서 먼 하늘을 바라보는 일이 그녀의 습관이 되었노라고…. 목릉에서 의문의 죽음을 당한 분도의 나이는 겨우 일곱 살이었다.

중동선 철도가 통과하는 목릉은 1925년 김좌진이 '신민부(新民府)'를 결성한 곳이다. 자유시참변을 피해 만주로 돌아온 김좌진은 독립군 재건을 위해 목릉에 성동사관학교를 세우려 했지만, 한인들의 반대로 무산되고 말았다. 만주 어느 곳을 가더라도 일제가 자행한 간도참변 후유증은 치료가 불가능해 보였다. 독립군이 나타나면 동포들은 몸을 피하기 바빴다. 새로운 근거지를 찾아 해림으로 군영을 옮긴 김좌진은 산시에서 최후를 맞았다. 안중근 가족이 우수리스크로 떠난 뒤였다.

목릉에도 동신, 신안, 원동, 후영, 신일, 팔면통 등 한인 학교가 들어섰다. 필수 과목으로 노서아어(露西亞語, 러시아어)가 채택된 점이 오래전 그날을 상기시켜주었다. 현재 목릉에는 팔면통에 설립한 목릉 조선족학교가 남아 있다.

밀산

·

·

密山

## 기차 여행

중국의 총인구는 14억, 그중 만주 인구는 1억1000만 명.

고속열차가 개통되면서 속도는 빨라졌지만 꼬리는 여전히 길다. 일반 기차의 경우 스무 량이 넘는다. 그리고 기차를 타려면 30분 전에 도착해야 한다. 신분증과 함께 기차표 예매, 신분증과 함께 기차표 확인, 엑스레이선 통과, 탑승할 기차 번호 확인, 신분증과 함께 개찰 등 번거로운 일이 한두 가지가 아니다. 기차에 탑승할 때도 승무원에게 일일이 표(호실)를 확인받아야 한다.

중국은 기차 노선도 많지만 종류 또한 다양하다. 속도에 따라 뚱처(動車), 트콰이(特快), 콰이커(快速), 즈콰이(直快), 푸커(普快), 요우(遊)⋯. 여행자들이 주로 이용하는 기차는 냉난방 시설을 갖춘 트콰이와 콰이커다. 좌석은 잉쬒(硬座)와 롼쬒(軟座), 침대는 6인 1실의 잉워(硬臥, 딱딱한 침대)와 4인 1실의 롼워(軟臥, 부드러운 침대)가 있다.

만주 여행의 백미는 차창 너머로 펼쳐지는 무한한 벌판. 좀처럼 터널을 보기 어렵다. 가도 가도 끝이 없는 가슴 시린 만년설은 신의 선물처럼 다가온다.

"추위는 말이지, 이겨내는 게 아니야. 드팀없이 싸워야 물리칠 수 있어. 춥다고 뒤로 물러서보라지. 기러다간 얼어 죽는다야!"

북방 민족의 기질이다. 미사여구는 변명과 거짓으로 치부되는. 거칠고 투박한 북방 언어의 결말은 얼음처럼 차갑다. 모든 건 너와 나,

밀산

기차 여행

이 둘에서 결판이 난다.

"북방 기질이 어데서 생겨난 줄 알아? 토비들이 득실거렸던 흑룡강성이야. 눈에 거슬리고 비위에 안 맞으면 냅다 대가리부터 들이댄단 말이지. 기러니 어느 나라님이 좋아하겠나. 흑룡강성 쪽 발전이 낙후한 것도 다 그 때문이라. 고분고분 고운 짓을 해야 떡 하나라도 더 주지 않갔어?"

겨울 기차 여행은 소소하지만 재미난 일도 벌어진다. 10시간 이상 소요되는 장거리 열차가 많기 때문이다. 그 예로 6인실 침대 열차에 오르면 여성들은 먼저 치마나 바지부터 벗는다. 수줍음 많은 여성은 잠들 때 벗기도 하지만 극소수다. 집에서 하던 것처럼 속옷 차림으로 객실을 오간다. 남성들도 예외는 아니다. 여름엔 팬티 차림으로, 겨울엔 내의 차림으로 객실을 활보한다.

하얼빈에 사는 한족 친구의 집을 방문한 날이었다. 아파트 현관문을 들어서다 말고 잠시 멈칫거렸다. 저녁 식사에 초대한 부부가 모두

내의 차림이었다. 친구는 주방에서 열심히 요리를 하고, 아내는 식탁을 차리는 중이었다.

"왜, 이상해? 우린 늘 이래. 집에선 서로 편한 게 좋잖아."

일본을 여행할 때는 더 황당한 일도 벌어졌다. 욕실에서 샤워를 마치고 나온 지인이 비치 타월로 아랫도리만 겨우 가린 채 식탁에 앉지 뭔가. 그날 식탁에는 시아버지와 며느리, 어머니와 아들 등 모두 다섯 명이었다. 서로의 차이를 존중해야 한다는 건 알고 있었지만, 생각처럼 쉽진 않았다. 그 나라의 문화(중국인들은 몸이 자유롭고 일본인들은 성이 자유로운)를 온전히 받아들이려면 더 많은 여행과 더 많은 경험이 필요했다. 6인실 침대 열차에서 아무렇지 않게 내의만 입고 잠들려면….

목릉에서 밀산으로 떠나는 10시 14분 기차는 이태준(1930년대 빼어난 미문으로 단편소설의 묘미를 보여준 작가)의 만주 여행기가 떠올랐다.

조선에서 보는 농가들과는 윤곽이 다르다. 모두 직선들이다. 기다란 한 채를 토막토막 잘라놓은 것처럼 좌우에는 처마가 없이 창 없는 벽이 올라가 지붕을 끊어버린 것들이다.

산은 물론 언덕 하나 보이지 않는다. 밭이 연달아 오고 지리할 만하면 백양목 대여섯 수가 모여선 숲이 지나간다. 이 차창에 앉아서 저 변두리 없는 흙을 내다보며 순전히 흙으로써 감격하는 사람은 흙을 주지 않는 고향을 버린 우리 이민(移民)들일 것이다.

1940년에 발표한 이태준의 「만주 기행」은 숨을 고르듯, 찬찬히 읽어야 한다. 그렇지 않으면 흙을 잃은 사람들의 애환을 놓치기 십상이다. 만주의 농가 풍경도 1940년대와 크게 달라진 건 없다. 볏짚으로 이엉을 얹었던 한인 초가는 회칠한 벽으로, 성냥갑처럼 잘린 한족 농가는 붉은 벽돌로 치장했을 뿐이다. 끝없이 이어지는 자작나무 숲만 지난 세월을 말해주고 있다.

기차 안 객실 풍경은 또 얼마나 변했을까. 어른은 어른들끼리, 아이는 아이들끼리 포커를 하느라 바쁘다. 어른들 판에서는 높은 단위의 지폐가 수시로 오가건만 승무원은 보고도 못 본 척 스쳐 지나고 만다. "만주는 술이 싸고 도박이 성행하며, 주색잡기에 눈을 뜬 그들은 곡식이 채 익기도 전에 선변(빚)을 내다가 하룻밤에 다 털어 없애고 만다"며 오래전 이기영(식민지 체제하의 농촌과 농민들의 궁핍한 삶을 실물대로 그려낸 작가)도 지적했던 부분이다. 청나라를 쇠락시킨 아편만 자취를 감추었을 뿐, 중국에서 포커와 마작은 길거리에서 흔히 보는 장기놀이와 다를 게 없다.


## 돌아오지 못한
## 국경


삼면이 바다로 둘러싸인 반도에 국경이 있었던가?

국경은 그저 영화에서나 보는 동경에 지나지 않았다. 봄은 늘 더디 찾아왔고, 완충 지역을 뜻하는 비무장지대는 공포를 조성하는 공간으로 활용되었다. 난민은 월·탈북으로 수정되었고, 어렵사리 성사된 상봉의 자리에는 "아, 산이 막혀 못 오시나요/ 아, 물이 막혀 못 오시나요/ 다 같은 고향 땅을 가고 오련만/ 남북이 가로막혀 원한 천 리길…", 남인수가 부른 〈가거라 삼팔선〉만 애달프게 들려왔다.

만주에서 바라보는 두만강과 압록강도 마냥 기쁠 수만은 없다. 반도에서 날아온 이방인의 정체를 들킬까 봐 낯선 틈바구니에서 슬그머니 빠져나오곤 했다. 흑룡강성에 이르러서야 갑갑한 가슴이 조금씩 풀렸다. 소설 속의 국경과 마주한 것이다. 문이 열려 있는 국경. 그래서 누구나 오갈 수 있는 국경. 밀산 여행은 시간을 좀 길게 잡았다. 독립군들이 넘었던 국경을 어느 누구도 다녀왔다는 소리를 전해 듣지 못했다.

오후 3시경 도착한 밀산역은 눈이 부셨다. 이렇듯 아름다운 역사(驛舍)는 처음이다. 화려하면서도 사치스럽지 않은, 어느 유럽 마을의 한적한 미술관을 보는 것 같았다.

수분하 인구와 비슷한 밀산은 거리의 간판만 요란할 뿐 정작 러시아인들은 보이지 않았다. 약국을 찾아 들어간 건 거리를 한참 헤맨 뒤였다. 한글 간판을 찾는 일이 쉽지 않았다.

"정말, 혼자 오신 거예요?"

40대 중반의 여성 약사가 놀란 표정을 지었다.

"수분하에서 목릉을 거쳐 오는 길입니다."

"현지인들도 꺼리는 지역을 혼자서 잘 다니시네요."

봉밀산

잠시 숨을 고른 뒤, 가방에서 책을 한 권 꺼내 내밀었다. 밀산에 온 궁극적 목적은 국경이었다. 청산리전투를 마친 독립군 3000여 명이 밀산 국경을 통해 러시아로 망명한 것이다.

"갈수록 태산이시네. 그 국경은 이제 들어갈 수 없단 말입니다."

허탈하게 웃던 약사가 어디론가 전화를 걸고 있었다. 딱딱하게 굳은 얼굴빛이 다소 수그러들었다.

"술은 좀 하시나요? 아무래도 오늘은 술잔에서 판가름 날 것 같네요."

"무슨 뜻인 줄 알겠습니다."

저녁에 다시 만나기로 시간을 정한 뒤 약국 문을 나섰다.

한족 친구들과 어울리면서 몇 가지 배워둔 게 있다. 한족들은 상대방과의 신체 접촉을 꺼린다는 점이다. 일정한 거리를 둔 채 "에이, 니 하오?" 정도에서 인사를 마치곤 한다. 술자리 문화도 우리와 달랐다.

밀산

일본처럼 첨잔을 하는 중국인들은 가볍게 술잔을 들어 올린 뒤 눈만 마주친다. 술잔을 돌리거나 잔을 부딪치는 경우는 서로의 빗장이 열렸을 때만 가능하다. 즉, 술자리에서 어느 정도 신뢰가 쌓이면 일은 곧 성사되었다.

기대했던 술자리는 다음 날로 미뤄졌다. 약속 시간에 맞춰 갔더니 약사의 표정이 밝아 보였다.

"오해하지 말고 들으세요. 훔쳐보려고 했던 건 아니니까요. 글쎄, 인터넷 검색을 통해 작가님 신상을 다 알아버렸지 뭐예요."

"그럼 일이 잘 풀린 건가요?"

"그렇다고 봐야겠죠. 중학교 동기가 직접 안내하겠다고 했으니…."

"친구분 이름을 알 수 있을까요?"

"리랜썽이요."

"한족이네요."

"우리말도 조금씩 합니다. 저랑 조선족 중학교를 다녔거든요. 한국 역사에 대해서도 깡통은 아니고요."

이튿날 아침, 숙소 로비에 리랜썽이 먼저 와 기다리고 있었다.

"반갑습니다, 작가님."

"고맙습니다. 어려운 부탁이었을 텐데…."

밀산에서 양곡상을 하는 리랜썽은 작은 체구에서 에너지가 느껴졌다. 한족이 먼저 다가와 악수를 청한 것도 매우 드문 일이었다.

리랜썽과 함께 밖으로 나오는데 웬 사내가 손을 치켜들었다. 자다 일어난 사람처럼 차림이 부스스해 보였다. 가볍게 목례만 나눈 뒤 승

중러 국경세관

용차에 올랐다. 자신의 직업을 밝히진 않았지만 세관에 근무하는 직원으로 짐작되었다. 승용차 앞좌석에서 나누는 두 사람의 대화가 하이관(海關) 쪽으로 흘러갔다.

도심을 벗어난 승용차는 검은 들판을 끝없이 달렸다. 하늘과 맞닿은 지평선 너머로 봉밀산(蜂密山)이 눈에 들어왔다. 1908년 봄 연해주에 머물던 이상설은 유인석, 이승희와 함께 우수리강 국경을 넘어 밀산에 정착했다. 황무지를 사들인 이상설은 밀산에 흩어져 사는 한인들을 봉밀산 자락으로 불러들였다. '대한을 부흥시키자'는 뜻에서 마을 이름도 한흥동(韓興洞)으로 지었다. 새해가 밝아오자 한민학교를 설립한 이상설은 용정에서 이루지 못한 한인공동체를 밀산에 건설하고 싶었다. 러시아와 국경을 이루고 있는 밀산은 일제의 손이 미치지 않는 오지 속의 오지였다.

한 시간여 만에 도착한 국경 주변은 적막이 감돌았다. 승용차 앞좌

밀산

국경 너머로 보이는 러시아군 초소

석에 탄 사내가 손을 들어보이자, 경비를 서던 중국 군인이 거수경례로 응대했다. 첫 번째 검문소를 통과한 승용차는 속도를 줄여 두 번째 검문소로 향했다.

"작가님은 여기서 내리세요. 일반 차량이 들어가면 안 되는 구역입니다. 저기 앞에 서 있는 군인 보이시죠? 저 군인을 따라가면 됩니다."

승용차 뒷문을 열고 내리자 추위와 함께 긴장감이 몰려왔다. 집총자세를 취하고 있는 경비병과 눈인사를 나눈 뒤 철문 쪽으로 걸음을 옮겼다. 2m 높이의 철문 바닥에는 손가락 크기의 쇠침판이 놓여 있었다.

굳게 닫힌 철문 너머로 러시아 국경경비대 초소가 보였다. 잠깐이면 걸어갈 수 있는 '통한의 길'이었다.

1920년 10월, 청산리전투를 마친 독립군 부대는 일본군의 추격이 계속되자 밀산으로 이동했다. 500km가 넘는 강행군 중 가장 힘들었던 점은 추위와 굶주림이었다. 식량이 바닥난 병사들은 소나무 껍질을 벗겨 먹으며 추위를 건뎌야 했다. 청산리에서 밀산까지는 꼬박 열흘이 걸렸다.

밀산에 집결한 독립군 부대 수장들은 북로군정서 주도 아래 대한독립군, 대한정의군정사, 대한신민회, 대한국민회, 간도국민회, 의군부, 광복단, 군무도독부, 혈성단, 야단을 하나로 묶는 통합에 나섰다. 거듭되는 회의 끝에 '대한독립군단'을 결성한 항일 독립군은 서일을 총재로, 홍범도·김좌진·조성환을 부총재로 추대했다. 독립운동 역사상 독립군 전체 통합은 밀산이 처음이자 마지막이었다.

두 번째 안건은 앞으로 전개될 대한독립군단의 진로였다. 이대로 만주에 남을 것인가, 러시아로 넘어갈 것인가. 의견이 분분한 가운데 신식 무기 확충과 식량문제가 제기되었다. 3000여 명의 병력이 밀산에서 겨울을 나는 건 매우 어려운 일이었다. 그렇다고 내전 중인 러시아로 들어가는 것도 문제였다. 레닌의 적군파와 차르 왕정의 백군파 중 어느 쪽을 택할 것인가? 자칫 발을 잘못 내디뎠다간 내전에 휘말릴 수도 있었다. 러시아 이만(지금의 달네레첸스크)과 인접한 밀산에서의 최종 결정은 그래서 더욱 힘들고 어려운 과제였다.

1921년 1월 대한독립군단은 러시아를 향해 부대별 이동을 시작했다. 우수리강을 건너 이만에 집결한 독립군 부대는 불길한 예감이 들었다. '대한독립군단'이 '대한의용군 총군부'로 명칭이 바뀌더니, '대한독립단'으로 다시 변경되었다. 사태의 발단은 대한독립군단을 통솔하려는 두 단체에서 비롯되었다. 연해주 한인 사회를 대표하는 고려혁명군과 상해임시정부에서 파견한 대한의용군 총사령부 사이의 반목이 끊이질 않았다. 이 같은 혼란이 계속되자 대한독립군단도 각기 다른 양상을 보였다. 홍범도·안무·지청천 등은 고려혁명군에 속한 반면, 서일·김좌진 등은 거부 의사를 밝혔다.

상황은 더욱 급박하게 돌아갔다. 러시아 내전에 일제가 끼어들면서 항일 독립군의 미래는 한순간에 무너져 내렸다. 레닌과 비밀리에 협약을 맺은 일제는 항일 독립군의 와해를 요구했고, 이에 레닌은 적군파(러시아 홍군 제29연대 4개 중대)를 앞세워 무장해제에 저항하는 독립군을 공격한 것이다. 1921년 6월 28일 제야강 변에 위치한 스보보드니(Свободны, 자유시)에서 벌어진 대참사로 독립군 300여 명이 전사하고, 250여 명이 행방불명되었으며, 1000명에 가까운 포로가 발생했다.

독립군 부대와 러시아 적군파가 교전한 자유시참변(흑하사변)은 이처럼 항일운동의 방향성마저 갈라놓았다. 봉오동전투에서 공을 세운 홍범도는 카자흐스탄에서, 자유시참변 이후 반공 노선을 택한 김좌진은 공산당 계열 손에, 백포 서일은 밀산에서 생을 마쳤다.


## 서일의 최후


리랜썽과 세관 직원을 먼저 보낸 뒤 홍개호(興凱湖)로 향했다. 천천히 걸으면서 국경 주변을 둘러보고 싶었다.

홍개호(싱카이호)

만주의 바이칼호로 불리는 홍개호는 탁 트인 바다를 보는 것 같
았다. 아무르강에서 유입되는 홍개호의 총면적은 4190km². 그중
3030km²는 러시아에, 1160km²는 중국에 접해 있다. 러시아에서는 홍
개호를 '한카호(Ханка)'라 부른다.

1899년 겨울, 꽁꽁 언 한카호를 걸어서 건넌 연해주 한인 10여 명
은 당벽진(当壁镇)에 터를 잡았다. 비옥한 토지에 습지가 많아 벼농사
를 짓기에 최적의 조건이었다. 한인들은 훗날 노래를 만들어 부르기
도 했다.

홍개호 푸른 물 하늘가에 넘실넘실
고깃배 젓던 늙은이 흰옷 자락 보이는 듯
돛을 올려라 돌아가자 반겨 맞는 초가집

호수가 바라보던 그 옛터 어데냐

백 리 호수 다 돌아봐도 파도만 넘실넘실

1921년 6월 스보보드니를 탈출한 서일은 부하들과 함께 밀산시 당벽진으로 돌아왔다. 중광단을 결성할 때처럼 서일은 당벽진에서 둔병제(屯兵制, 농번기에 농사를 지어 군량과 물자를 비축한 뒤 농한기에 군사훈련을 하는 병영 제도)를 실시했다. 우리의 힘으로 문제를 해결하지 못하면 제2의 자유시참변은 언제든 일어날 수 있었다.

대종교 일로 외출을 했다 돌아오는 길이었다. 일제의 사주를 받은 마적의 습격으로 마을 전체가 아수라장으로 변해 있었다. 12명의 부하를 한꺼번에 잃은 서일은 비통한 심정을 감추지 못했다.

터져 나오는 슬픔을 애써 감추며 부하들의 장례를 마친 서일은 조용히 마을 뒷산을 올랐다.

"조국광복을 위해 생사를 함께하기로 맹세한 동지들을 모두 잃었으니 무슨 면목으로 살아서 조국과 동포를 대하리오. 차라리 이 목숨을 버려 사죄하는 것이 마땅하리라."

5년 전 스승 나철이 그랬던 것처럼 서일도 곡기를 끊은 채 영면했다. 그를 기리는 기념비가 당벽진 상성촌(床腥村) 뒷산에 건립되었다.

서일, 도호는 백포이며 1881년 2월 26일 함경북도 경원에서 출생, 1911년 3월 중국 길림성 왕청현 덕원리로 망명했다. 서일은 항일무장투쟁론을 주장한 대표적 인물이며 중광단, 대한정의단, 북로군정서, 대한독립군단의 주요 지도자였다.

1920년 10월, 서일은 연변지구에서 항일연합부대를 지휘하여 저명한 청산리전투를 펼쳐 일본 침략군 수천 명을 섬멸함으로서 일본군의 '천하무적' 신화를 깨뜨리고 동북 항일투쟁사에 빛나는 한 페이지를 남겼다. 동년 12월, 서일은 북로군정서를 거느리고 전략적 전이를 하여

당벽진마을

밀산 평양진에서 대한독립군단을 조직하고 총재를 담임하였는 바 총 병력은 3500여 명에 달했다.

1921년 6월, 자유시참변 후 서일은 당벽진에 주둔하여 둔병제를 실시하면서 항일무장투쟁을 견지하였다. 8월 17일 밤, 부대는 비적들의 불의의 습격을 받아 침중한 손실을 보았다. 극도의 심신 타격을 받은 서일은 8월 26일 당벽진 뒷산에서 순직하였다. 향년 41세였다.

당벽진 뒷산에서 생을 마감한 서일의 유해는 6년 뒤, 화룡에 있는 대종교 3종사 묘역에 안장되었다. 서일이 떠난 후 일제에 의해 포교금지령이 내려진 대종교는 총본사를 당벽진으로 옮겨 몸을 피했다.

1921년 12월 6일 『독립신문』은 그 어느 때보다 겸허한 자세로 백포 서일을 추모했다.

아, 슬프도다. 선생의 돌아가심이여!
누구를 위하여 오늘의 소동이 일어났으며

누구를 위하여 오늘의 죽음을 맞이하였는가.

선생의 죽음은 과연 이천만 동포의 자유와 존영을 위한 것이며,

선생의 죽음은 또한

십삼 의사와 수백 양민이 무고히 피해 입음을 위함이시니,

생을 마침도 나라를 위하심이요,

비장한 죽음도 동포를 위하심이라.

곧 선생의 고결한 의기는

스스로의 목숨을 자신의 목숨으로 인정치 아니하고

오직 동포의 생명으로 자신의 목숨을 삼으심이며,

동포의 생사도 자신의 생사와 같이하심이니,

그의 삶도 동포와 더불어 사셨고

그의 죽음도 또한 동포를 위하여 돌아가셨도다.

선생이시여!

선생이시여! 선생이 만일

서일장군 투쟁유적지

나라를 되찾고 나라를 살피는 자리에 계셨더라면,

나라의 희로애락을 같이하는 충성스런 신하의 자격이 선생이시며,

필부의 얻지 못함으로 세상을 채찍질함과 같이

천하위임(天下为任)의 양필(良弼) 또한 선생이실지라,

만리초보(万里初步)의 군국대사(軍國大事)를

바로 눈앞에 두시고 죽음으로써 살신성인하시며,

의를 취하심은 비록 선생의 양심에 부끄럼 없고

천손만대에 아름다운 이름을 남기실지라,

아직도 살아 있어 거적에 누워 창을 베고

백전 고투 중에 있는 우리들에게는

만리장성이 무너짐이며 큰 집의 대들보가 부러짐과 같도다.

하물며 청산리 전역에 승리의 노래를 부르시던 소리,

우리의 귀에 잊힐 수 없는 경종이 되질 않았던가.

밀산의 송백이 만고에 푸르름은

우리 선생의 절의(節義)를 딛고 선 것이요,

파저강수(婆猪江水)가 천추에 오열함은

우리 선생의 풀지 못한 한을 울음으로 안고 흐르는

아, 송백아 끝없이 푸를고,

아, 강수야 한없이 울어라!

감지 못할 선생의 두 눈이 해와 달이 되어 보시느니라.

# 도산 들,
## 여천 도랑

'십리와(十里洼)'는 어디쯤일까? 여러 방법을 동원했지만 밀산에 그런 곳은 없다는 대답이 돌아왔다. 마지막으로 찾아간 곳은 조선족 어른들이 모인 쉼터였다. 십리와는 밀산시 흥개진(兴凯镇) 흥농동(兴农洞)으로 바뀐 지 오래였다.

"기란데 십리와는 어데서 들었수꽈?"

"한국에서는 그렇게 알고 있습니다."

"아, 기래요? 아무튼 고맙수다. 우리도 십리와를 잊고 산 지 오래됐단 말이지."

조선족 쉼터에서 나와 흥농동으로 출발했다. 택시가 멈춘 곳은 도로변 야산이었다. 시멘트 길을 따라 우측으로 내려가자 '십리와항일투쟁유적기념비'가 보였다.

1910년 해외에 항일투쟁 기지를 개척하기 위하여 안창호 선생 등 조선 신민회 지도자들과 미주의 국민회는 이강, 김성무 등을 중국의 밀산 십리와 지역에 파견하였다. 이들은 극히 간고한 환경 속에서 땅을 사들이고 500여 동포 가구를 신축하였으며, 황무지를 개간하고 농사를 지으며 신식학교를 꾸리고 군사훈련을 하면서 영용 불굴의 정신으로 항일투쟁을 진행하였다.

십리와 항일투쟁유적지 기념비

항일유적기념비에서 내려다본 들판은 십리와 지명을 명확히 짚어 주었다. 전체 면적 중 십리(十里)는 밭을 의미했고, 끝자락에 달린 논은 웅덩이(洼) 모양을 하고 있었다. 목릉에서 만난 이갑도 이곳에 머물며 군사훈련을 담당했었다.

1905년 12월 조선통감부 통감으로 부임한 이토 히로부미(66세)는 조선의 유능한 인재를 물색 중이었다. 그때 나타난 사람이 안창호(29세)였다. 두 시간 넘게 진행된 대담에서 이토 히로부미는 청년 안창호에게 자신이 꿈꿔온 계획을 유감없이 털어놓았다. 첫째는 일본을 세계열강과 각축할 만한 대국으로 만드는 것이요, 둘째는 한국을 그렇게 하는 것이요, 셋째는 중국도 그렇게 하는 것이었다. 한참을 듣고 있던 안창호는 자신과 함께 대업을 이뤄보지 않겠느냐는 이토 히로부미의 구애를 정면에서 거절했다.

"만일 일본의 명치유신을 미국이 와서 시켰다면 그대는 어떻게 생각하겠는가? 일본은 일본인 스스로가, 한국은 한국인 스스로가, 중국은 중국인 스스로가 평화를 이룰 때 가장 아름다운 동양평화론이 되지 않겠는가? 나는 그대가 여러 강국의 적이 되고 아시아 여러 민족의 적이 될까봐 염려스럽다."

1878년 평안남도 강서군에서 출생한 안창호는 스물다섯 살이 되던 해 미국 유학길에 올랐다. '도산(島山)'이라는 아호가 생겨난 것도 미국으로 향하는 뱃길에서였다. 망망대해에 우뚝 솟은 하와이섬(島)이 산(山)처럼 보였던 것이다.

"내가 지금까지 아내에게 치마 하나, 저고리 한 감 사준 적이 없어 여간 죄스럽지 않다"는 도산의 고백 속에는 숨은 뜻이 담겨 있다. 상해임시정부 호주머니로 알려진 도산의 손길이 안 미친 곳 어디일까? 그는 가는 곳마다 독립운동 자금을 내놓았다. 안중근 가족을 끝까지 돌본 사람도 도산 안창호였다.

결혼 후 아내와 함께 유학을 떠난 안창호는 늘 바쁘고 분주했다. '하우스 보이'로 취직해 생활비를 벌어야 했고, 어려서부터 담대한 연설로 대중을 사로잡은 도산은 미주 한인친목회를 결성한 지 두 해 만에 600명이 넘는 회원을 끌어모았다. 농담으로라도 거짓말을 해선 안 된다는 것이 도산 강연의 핵심이자 기독교 철학이었다.

1907년 2월 대한유학생회 초청으로 귀국길에 오른 도산은 미주 교민들에게 자신이 만든 노래를 선물로 남겼다.

간다 간다 나는 간다 너를 두고 나는 간다

잠시 뜻을 얻었노라 까불대는 이 시운이

나의 등을 내밀어서 너를 떠나가게 하니

일로부터 여러 해를 너를 보지 못할지나

그동안에 나는 오직 너를 위해 일할지니

나 간다고 설워마라 나의 사랑 한반도야

이토 히로부미 암살 사건 배후로 지목되었다가 감옥에서 풀려난 도산은 신민회 특사 자격으로 밀산을 답사했다. 블라디보스토크에서 하얼빈 거사를 기획한 이강(연해주 『대동공보』 편집장)도 밀산 한인 학교 설립에 큰 도움을 주었다. 밀산무관학교 건설이 무위로 돌아가자 도산은 시베리아횡단열차에 몸을 실었다. 일제가 쳐놓은 그물망을 피해 미국에 도착하려면 유럽으로 돌아가는 길이 보다 안전했다.

도산이 떠나고 4년여쯤 지났을까. 연해주에서 밀산으로 건너간 여천(홍범도)은 십리와 청년들과 벼농사를 지었다. 미국으로 돌아간 도산이 십리와에 농토를 마련했다면, 여천은 비덕강 물을 끌어와 고랑을 만들었다. 한인촌(韓人村)을 건설해 농사짓고 학교를 세우는 모든 과정이 곧 독립운동의 일환이었다. 하루 일과를 마치면 여천은 청년들을 소집해 군사훈련을 지휘했다.

항일유적비가 세워진 곳에서 홍농동 마을은 꽤 먼 거리였다. 십리와 들판을 가로질러 20여 분 걸어 내려가자 철길 건너편에 오두막 한 채가 보였다. 홍농동 마을에 남은 유일한 초가였다.

"지금도 저 집에 삼대째 사람이 살고 있으니 얼마나 좋아요. 저기

삼대째 살고 있는 한흥동 초가

보이는 학교는 2012년에 문을 닫았다오. 아이들 뛰노는 낙으로 농사를 지었었는데 많이 아쉽지 뭐요."

고샅길에서 마주친 팔순의 촌로가 궐련을 피워 물었다. 여천 홍범도가 3년을 머물렀던 마을이라 마음이 더 쓰였다.

"여기 사는 사람들치고 홍 장군을 모르는 이가 어딨겠소. 날쌔고, 드팀없고…."

목단강

•

•

牡丹江

## 조선민족민속거리

245km면 먼 거리는 아니다. 그런데도 기차에 오르면 꼬박 한나절이 걸린다. 밀산에서 목단강을 오가는 동부철도 노선이 그만큼 가파르고 험한 편이다.

길림성과 경계를 이룬 목단강은 흑룡강성에서 세 번째로 큰 도시다. 하얼빈 인구는 1060만, 치치하얼은 550만, 목단강은 280만이다. 목단강이 가장 번창한 시기는 1934년 직후였다. 도문에서 영안을 잇는 도영선(图宁線) 철도가 개설되면서 목단강 인구도 급격히 늘어났다. 목단강 일대에 거주하는 조선족 인구는 약 20만 명이다.

조선민족민속거리 입구

만주 여행에서 목단강은 잠시 숨을 고르는 반환점이랄까. 채규엽
이 부른 〈북국 오천키로〉가 절로 흘러나온다.

눈길은 오천키로 청노새는 달린다

이국의 하늘가엔 임자도 없이 흐느껴 우는 칸데라

페치카 둘러싸고 울고 갈린 사람아

잊어야 옳으냐 잊어야 옳으냐

꿈도 슬픈 타국 길

목단강역에서 내려 서장안가(西长安街)로 향했다. 문지기처럼 버
티고 선 '조선민족민속거리' 표지석이 환한 미소로 반겼다. 한글 자
음과 모음으로 단장한 민족백화점 외벽은 보는 이로 하여금 자긍심
을 불러일으켰다.

아파트 입구에 좌판을 벌인 할머니 곁으로 다가갔다. 수세미, 행주, 때타올, 소독약, 신발깔창, 거울, 털장갑 등 생활용품들이 수북이 쌓여 있었다.

"춥지 않으세요?"

"이만하면 일없지 뭐."

"영하 15도가 넘는데요."

"흑룡강성에서 이깟 추위는 아무것도 아니라. 살갗만 춥지 뼛속은 안즉 기별이 없단 말이지. 기래 식솔은 몇이나 두었남?"

"딸 하나요."

"내 기럴 줄 알았다이. 식솔이 그 모양이니 추울 수밖에. 크는 식솔이 많아야 밥상도 넉넉하고 집구석도 따뜻해진단 말입지."

언중유골(言中有骨). 맨손으로 뜨개질을 하는 할머니의 말 속에는 핵가족을 나무라는 가시가 숨어 있다.

흑룡강성에 이만한 풍경이 또 있을까? 근대와 현대가 절묘하게 배합된 조선민족민속거리는 화톳불처럼 훈훈하고 정겹다. 조선족 인구는 많지 않아도 한곳에 똘똘 뭉쳐 살아간다.

"그동안 잘 계셨습니까?"

"이게 누구야! 눈보라가 치기에 올 줄 알았다. 한자리에서 장사를 오래 하다 보면 반년에 한 번 다녀가더라도 기다려지는 사람이 있다."

고향집 식당은 주방에서 퍼져 나오는 청국장 냄새가 미각을 자극했다. 눈 내리는 날 먹는 뚝배기 청국장은 냄새만 맡아도 배가 부를 지경이다. 꾹꾹 눌러 담은 쌀밥 한 그릇을 게 눈 감추듯 달게 비워냈다.

# 팔녀투강상

빈강공원에 세워진 팔녀투강상(八女投江像)은 표정들이 매우 입체적이다. 집총자세로 전방을 응시하거나, 부상당한 동료를 부축한 여성은 적의 추격을 살피는 눈빛에서 역동성이 느껴진다. 치마저고리 차림으로 총대를 힘껏 거머쥔 두 여성 또한 생동감이 넘쳤다.

중일전쟁이 한창이던 1938년 가을, 일본군 토벌대는 송화강 하류를 따라 이동 중이었다. 우쓰훈강(鸟斯浑河, 목단강에서 북쪽으로 약 140km) 변에서 숙영을 하는 동북항일연군 소속 여성 유격대를 발견한 토벌대는 주변을 에워쌌다.

"허둥대지 마라! 일본군의 포로가 되느니 결사항전으로 맞설 것이다."

일본군 토벌대의 총소리에 눈을 뜬 렁윈(冷云, 대대지도원)은 침착함을 잃지 않았다. 자신을 포함한 8명만 남겨둔 채 나머지 대원들을 남쪽으로 철수시켰다.

미명이 걷히는 새벽, 여성 유격대를 지휘한 렁윈은 교란작전을 펼치며 일본군을 우쓰훈강 동쪽으로 유인했다.

"이제 우리의 총알은 다 떨어졌다. 그리고 우리는 더 많은 동지들을 위해 절벽 위에 서 있다."

이 말을 끝으로 렁윈은 남은 대원들과 손을 맞잡은 채 강으로 뛰어내렸다. 1986년 저우언라이(周恩來) 부부가 건립한 팔녀투강상은 렁

빈강공원 팔녀투강상

원, 후슈즈(胡秀芝), 황구이칭(黃桂清), 양구이전(杨贵珍), 궈구이친(郭桂琴), 왕후이민(王惠民), 안순복, 이봉선 등 중일전쟁에서 전사한 8명의 여성 유격대를 기리는 항일유적비다.

높이 13m, 전체 길이가 8.8m에 달하는 석상 명단에 조선 여성의 이름도 보였다. 치마저고리 한복을 입은 안순복과 이봉선이다.

1915년 흑룡강성 목릉에서 태어난 안순복은 아버지(안덕인)와 두 오빠를 따라 항일운동에 나섰다. 1931년 소선대(小先隊, 중국 소년 선봉대)에 가입한 안순복은 이듬해 가을, 아버지와 오빠 모두를 잃고 말았다. 밀정의 밀고로 공격을 받은 중국공산당 계열의 목릉 지부가 한순간에 파괴되었다. 항일유격대원으로 활동하던 안순복도 우쓰훈강에서 최후를 마쳤다. 그녀의 나이 스물세 살 때였다.

연변인민출판사에서 펴낸 『조선족 항일련군의 녀전사들』(리광인·
림선옥 저, 2015)에 동료 대원 서운경의 회고가 담겨 있다.

순복이는 재봉일을 참 잘했어요. 부대가 이동할 때면 긴 총을 어깨
에 둘러메고 머리엔 손재봉틀을 이고 다녔어요. 낮에는 산속으로 들
어가 대원들 군복을 짓고, 밤에는 정치와 역사를 배우곤 했어요.

안순복과 함께 우쓰훈강에 투신한 이봉선은 흑룡강성 임구(林口)
출신이다. 열일곱 살이 되던 해 동북항일연군에 입소한 이봉선은 선
전 활동을 펼쳤다.

의로운 죽음을 택한 8명의 여전사는 영화로 제작될 만큼 중국 항일
운동의 전설로 남았다. 1950년에 개봉한 〈8녀 투강〉은 1987년 각색
을 거쳐 재개봉하는 영광을 누리기도 했다.

목단강에 얽힌 이야기를 처음 들려준 사람은 도문에 사는 진금예
할머니였다. 문화대혁명 때 건강이 좋지 않다는 이유로 정신병원에
감금당한 할머니는 그 누구보다 목단강을 그리워했다.

"열일곱 살 때였나, 열여덟 살 때였나. 내 평생 딱 한 번 나그네(남
편) 등에 업혀본 적 있는데, 얼마 전부터 목단강이 꿈에 보이지 뭐야.
죽을 때가 다 돼서 그런가 봐."

압록강에 서사가 흐르고 두만강에 애환이 스며 있다면, 목단강은
한 무명작가가 쓴 순정 소설이 떠오르곤 한다. 사랑을 잃고서 사랑을

철령하 액하감옥

다시 쓰는….

목단강에서 버스로 20분이면 닿는 철령하진(鐵嶺河镇)에 감옥터가 남아 있다. 1932년 일제가 건설한 액하감옥은 악명 높은 정치범 수용소로, 임오교변으로 구속된 대종교 간부 9명이 1년을 못 넘기고 옥사한 곳이다. 일제가 내세운 병보석도 감옥에서 죽지 말고 집에 가서 죽으라는 뜻으로, 백산 안희제도 병보석으로 풀려났다가 몇 시간 뒤에 사망했다.

해 림

·

·

海 林

## 시야 김종진

목단강에서 산시진(山市镇)을 가려면 해림을 지나야 하는데, 해림은 김좌진의 6촌 동생 김종진이 피살된 곳이다.

1927년 10월 김좌진의 거처로 반가운 손님이 찾아온다. 아나키스트 김종진이었다. 3·1만세운동이 잠잠해질 무렵 베이징으로 망명한 김종진은 이회영의 주선으로 운남군관학교에 입학했다.

"형님, 그간 잘 지내셨는지요?"

"이게 얼마 만이냐! 너를 보니 내가 더 기쁘구나."

운남군관학교 졸업식을 마치고 만주로 돌아온 김종진은 엘리트 냄새가 물씬 풍겼다. 유창한 중국어 실력에 활기가 넘쳤다. 과연 우당(이회영)이 총애하는 아나키스트 청년다웠다.

"이곳으로 오는 길에 북만주를 잠깐 돌아봤습니다. 그런데 뭔가 어수선한 분위기더군요."

"그 말은 동일체를 뜻하는 것이냐?"

"그렇습니다, 형님. 총을 들긴 했는데 어딘가 모르게 허술해 보였습니다."

북만주 일대를 답사한 김종진은 새로운 제안을 내놓았다. 둔전제 시행과 군사훈련 강화, 학교 설립 등이었다.

"좋은 생각이구나. 내 힘껏 도울 테니 네가 한번 주도해보거라."

목릉에 군관학교를 세우려다 실패한 김좌진은 김종진의 제안을 흔쾌히 받아들였다. 다만 마음에 걸리는 부분은 무정부주의였다. 이삼 년 전부터 북만주는 공산당 계열이 무서운 속도로 세력을 뻗쳐왔다.

"우당 선생께서 이런 말씀을 하셨습니다. 무정부주의는 공산주의 와 다르다. 그러므로 어떤 획일성을 가질 필요는 없다. 목적이 수단과 방법을 규정짓는 것이지, 수단과 방법이 목적을 규정할 수는 없다고 요. 우당 선생의 말에 전적으로 동의한 건 상호부조(서로 돕는)를 통한 대동(大同) 세계였습니다. 넓게 보면 독립운동도 해방과 자유를 의미 하지 않겠습니까? 형님께서도 누누이 무장투쟁을 주장하셨고요."

"무슨 뜻인지 알겠다."

자유시참변 이후 공산주의라면 치를 떨어온 김좌진은 한결 마음이 놓였다. 중국이든 러시아든 내전 중인 세력과는 두 번 다시 손잡고 싶 지 않았다.

김좌진으로부터 승낙을 받아낸 김종진은 아나키스트 동지들을 해 림으로 불러들였다. 해림역 광장에서 거행된 '재만조선무정부주의자 연맹' 결성식은 큰 반향을 일으켰다. '항일전선에서 민족주의자들과 도 우군(友軍)으로 협조하겠다'는 아나키즘의 기본 강령이 김좌진을 움직인 것이다. 신민부 대표를 맡고 있는 김좌진은 재만조선무정부 주의자연맹과 합의 끝에 '한족총연합회'를 발족했다.

신민부와 통합을 이뤄낸 김종진은 한인 학교 설립에 팔을 걷었다. 나라를 빼앗긴 민족일수록 교육이 뒷받침되지 않으면 허상에 불과했 다. 독립군을 양성하는 둔전제와 학교교육은 한 그루 나무에서 자라 는 열매와 같았다.

해림 옛 역

어느 날부턴가 해림에 암살 사건이 끊이지 않았다. 한족총연합회 간부로 활동 중인 김야운, 이준근에 이어 김종진마저 행방이 묘연했다. 해림역에서 납치된 김종진의 암살 소식을 전한 건 짤막한 신문 보도였다.

일찍이 중국 운남사관학교를 마치고 신민부의 간부로 오랫동안 활동하다가 최근에는 한족연합회 군사위원장으로 활동 중이던 시야 김종진(31) 씨는 지난 8월 26일 중국 중동선 해림역 부근에서 총살을 당하였다 한다. 가해자는 백래춘, 이백조, 이익화 등 3명으로 주의상(主義上) 충돌인 듯하다 한다. 김종진 씨는 김좌진 씨의 재종제로 그의 본가는 경성 필동이며 부친 김영규와 백씨 김연진(신간회 중앙집행 위원) 등 가족이 있고 그의 처자는 중동선 석두하자역(石頭河子驛) 부

해림실험소학교

근 팔리지(八里地)에 남아 있다 한다.

　　— 1931년 9월 11일 자 『동아일보』 중


　　상해에서 비보를 접한 이회영은 심한 충격에 빠졌다. 시야 김종진
은 누구보다 소중한 제자요, 훌륭한 동지였다. 북만주에 아나키즘 근
거지가 마련되면 김종진을 곧 만나러 갈 계획이었다. 1931년 7월 11
일, 김종진이 납치당한 해림역은 역전파출소로 사용 중이었다. 그 옆
에 새 역사가 들어섰다.

　　해림역에서 서하로(西河路)로 발길을 돌렸다. 잠잠하던 눈발이 바
람과 함께 몰아치면서 앞을 분간하기 어려웠다. 뼈대만 남은 전신주
들이 웅웅 스산한 분위기를 연출했다.

　　김좌진이 설립한 해림실험소학교는 예전 모습을 찾아보기 어려웠

다. 중고등학교와 통폐합하면서 새로 지은 건물이 낯설게 느껴졌다. 1926년 10월 신창학교로 문을 연 해림실험소학교는 만주사변 이후 많은 우여곡절을 겪었다. 일제의 간섭으로 동성, 해림보통, 계명우급, 신합소학교 등 교명이 여러 차례 바뀌었다.

## 백야,
## 산시에 잠들다

죽을 고비를 넘긴 러시아에서 돌아와 신민부를 결성한 뒤였다. 군정파와 민정파의 대립은 더 큰 내부 분열로 이어졌다. 이를 지켜본 김좌진은 또 한 번 눈물을 삼켰다. 청산리전투 이후 만주는 민족주의와 공산주의 계열로 나뉘어 하루도 조용한 날이 없었다. 해를 거듭할수록 파벌 간 싸움만 치열했다.

상실감에 빠져 지내던 백야의 손을 잡아준 사람은 6촌 동생 김종진이었다. 1929년 7월 21일 '한족총연합회' 집행위원장으로 선출된 김좌진은 취임식에서 분명하게 선을 그었다.

"우리 민족은 먼저 노예근성을 철거치 아니하면 안 됩니다. 만일 노예근성을 그대로 둔다면 백두산이 무장(武將)이요, 압록강이 군량(軍糧)일지라도 우리 앞에는 패배와 아사뿐입니다. 우리는 앞과 뒤에 일제(日帝)와 공산(共産), 양 적(敵)을 두고 있지 않습니까? 이 복배쌍전(腹背雙戰) 제단에 김좌진이 먼저 제물이 될 것이매, 여러분도 하나

김좌진 순국장소

된 마음으로 전자부후자계(앞사람이 희생하면 뒷사람이 그 뒤를 잇는다)
라는 민족 유일의 군호(軍戶)를 잊지 말아주시오."

1889년 충청남도 홍성 출신의 김좌진은 육군무관학교를 졸업한
장교 출신이다. 1908년 신민회에 가입한 김좌진은 독립군 사관학교
설립을 위해 모금 활동을 벌이던 중 일제에 체포되어 2년 6개월 형을
언도받았다. 서대문형무소에서 만난 김구는 무장투쟁에 대한 확신을
더욱 강하게 심어주었다. 1918년 만주로 망명한 김좌진은 대한광복
회 만주사령관, 북로군정서 사령관, 신민부 군사위원장 등 오직 한길
만 걸었다.

7척(尺) 거구에 형형한 안광, 도도한 웅변 실력까지 갖춘 백야는 한
필의 말을 목숨처럼 여겼다. 이범석의 말이 예전 같지 않다는 소식을
들었을 때도 백야는 인편에 약간의 돈을 넣어 보냈다.

산시역

　"철기(이범석의 호), 자네의 말이 시름시름 앓고 있다는 소식에 몹시 걱정이 되었네. 싸우는 사람에게 잃지 말아야 할 것이 세 개가 있는데 자네도 꼭 명심하게나. 첫째는 조국이요, 둘째는 무기요, 셋째는 말이라네. 전장에 나갈 장수에게 말이 없다면 어찌 되겠나. 그러니 자네도 생명과 같은 말을 반드시 일으켜 세우길 바라네."

　산시역은 선로 위를 연결한 목조 육교가 시선을 앗아갔다. 반세기를 훌쩍 넘긴 파란색 육교를 한동안 감상했다. 조그만 간이역을 빠져나와 뒷산부터 올랐다. 마을이 내려다보이는 뒷산 언덕은 백야가 즐겨 찾던 장소다. 머리가 복잡하고 가슴이 답답할 때 백야는 이곳에 올라 생각을 가다듬곤 했다. 그래도 길이 보이지 않을 때는 말을 타고 나가 벌판을 내달렸다.

　한족총연합회 취임사에서 일제와 공산(당)을 공동의 적으로 몰아

김좌진 흉상

붙인 게 화근이었을까? 1932년 나혜국(김좌진의 세 번째 부인)은『삼천리』와 인터뷰에서 백야를 언급했다.

"돌아가실 때 그 광경을 보셨나요?"

"아니요. 보지 못했어요. 오후 2시경 소식을 듣고 달려갔더니 벌써 세상을 떠나셨더라고요."

"현장에는 사람이 없었나요?"

"아니요. 사람은 많았습니다. 정미소에 일하는 사람도 있었고, 또 언제나 네리고 다니는 보안대(호위병)도 셋이나 있었어요. 하지만 그날은 장군께서 무기를 안 가지고 나갔기 때문에…. 총도 뒤에서 쏘았더라고요. 왼쪽 등을 맞았는데 탄환이 바른쪽 가슴을 뚫고 나왔어요."

1931년 1월 24일, 고려공산당 산하 재중공산청년동맹에서 파견한 박상실이 정미소 동쪽 창문 밖에서 겨냥한 총이었다. 쓰러지기 전 백야는 "할 일이···. 할 일이 너무도 많은 이때에 내가 죽어야 하다니. 그게 한스러워서···", 이 말을 남긴 채 숨을 거뒀다. 백야의 유해는 산시에 안장되었다가 3년 뒤, 본부인 오숙근이 수습하여 홍성에 이장했다.

백야 김좌진이 피살당한 구지(舊地)는 기와를 올린 태극문(太極門)이 압도적이다. 태극문 안으로 들어서면 정중앙에 백야의 흉상이 서 있고, 순국 장소를 알리는 정미소, 집무실, 팔로(八老) 회의실 순으로 이어진다. 여기서 '팔로'는 김좌진을 보필한 대종교 지사(김기철·정해식·이동호·이달문·김기석·이덕수·장기덕·장사학)를 일컫는다. 중요한 일을 결정할 때 백야는 팔로들과 회의를 통해 방법을 도출했다. 밀산에서 자결한 서일의 미망인이 참석할 때도 있었다.

몸 좀 녹이고 가라는 말에 왕밍치의 방으로 들어갔다. 한 사람이 눕기에도 비좁은 공간이었다.

"세월이 참 빠르죠. 유적지를 지을 때 도움을 준 인연으로 관리인 공작(일)을 하게 됐으니 말이죠."

"20년쯤 됐나요?"

"산시에 문을 연 게 1999년도였으니 얼추 그렇게 됐네요. 비록 내 신분도 한족 출신이지만, 이곳을 관리하는 사람이 없었다면 아마 쓰레기장으로 변했을 겁니다. 한족들 습성이 아무 데나 침 뱉고 아무 데다 버리는 못된 버릇이 있단 말이죠."

한 해 평균 1000여 명의 방문객이 산시를 다녀간다는 말에 마음이 흐뭇했다.

"한국인들의 역사의식이 참으로 대단한 것 같아요. 이곳을 찾아오

해림

빨니강(러시아어로 산시강)

는 일이 쉽지만 않잖아요. 산길이다 보니 위험할 수도 있고요. 그래서
인지 마을 사람들의 칭찬이 자자합니다. 불편함 없이 잘 다녀가길 진
심으로 바라고 있고요."

관리인으로 일하기 전 조선족 노인에게 백야 이야기를 전해 들었
다는 왕밍치는 꼭 한 번 다녀올 곳이 있다고 했다.

"장군의 순국지를 20년간 지켰으니 장군이 출생한 곳도 가봐야지
않겠습니까? 이 먼 곳까지 찾아와 헌화하고 묵념하는 걸 지켜보면서
울컥할 때가 많았단 말이죠."

파도가 없는 바다를 상상하기 어렵듯이, 만주 여행은 산 자가 죽은 자를 찾아가는 애도의 시간이다. 조국의 독립을 위해 산화한 그들의 삶과 헌신이 결코 비굴하지 않았기 때문이다. 칠순을 앞둔 왕밍치도 그 점을 잘 알고 있는 듯했다.

"중국 속담에 '천천히 가는 것을 두려워 말고 가다가 멈추게 될까를 두려워하라'는 말이 있지요. 바로 이곳에서 숨진 장군을 두고 한 말 같았어요. 김좌진 장군이야말로 한 번도 자신이 가야 할 길을 멈춘 적이 없잖아요. 그것도 편안한 길을 버려두고 말이죠."

목단강으로 돌아갈 기차 시간이 다가오고 있었다. 주방으로 들어간 왕밍치가 핑궈리(사과배) 두 알을 가방에 넣어주었다.

"기차에서 드시오. 사과나무를 돌배나무에 접목시켜 생산한 거라 상큼달콤할 겁니다."

200여 가구가 옹기종기 모여 사는 마을 길을 따라 역으로 가는 길이었다. 음력설을 앞두고 세상을 떠난 백야의 음성이 들려왔다.

적막한 달밤에 칼머리의 바람은 세찬데
칼끝에 찬 서리가 고국 생각을 돋구누나
삼천리금수강산에 왜놈이 웬 말인가
단장의 아픈 마음 쓸어버릴 길 없구나
— 김좌진, 「단장지통(斷腸之痛)」 전문

# 동경성 발해

·

·

东京城 渤海

## 발해를
## 꿈꾸며

목단강에서 기차로 한 시간이면 닿는 동경성은 영안시(宁安市)에 속해 있다. 발해국 시기에는 홀한성(忽汗城), 만주사변 이후엔 동경성보(東京城保)로 불렸다. 1933년 동경성 일대에서 전투가 벌어지기도 했다. 한중연합군은 동경성에 주둔한 일본군을 몰아낸 뒤 왕청과 동녕 지역으로 이동했다.

붉은색 양철 지붕을 덮어씌운 동경성역은 역사보다 광장이 더 넓었다. 앨범 속 색 바랜 사진을 다시 꺼내 보는 것 같았다. 버스를 탈까, 택시를 탈까 망설이는데 빨간색 삼륜차가 멈춰 섰다. 콩콩거리며 달린다고 해서 '콩콩차'로 불리는 삼륜차는 서민들의 교통수단이다. 요금도 일반 택시보다 저렴한 편이다.

매캐한 가솔린 냄새를 풍기는 삼륜차에 오르자 클클클, 가래 끓는 소리와 함께 출발을 알렸다.

"보하이?"

"부(不). 발해."

"발, 해?"

"두이(对)."

오십 대 초중반으로 보이는 삼륜차 기사가 보하이를 가느냐고 묻기에 발해로 정정해주었다. 중국 정부는 2002년부터 고조선, 고구려,

동경성역

발해 등 중국 국경 안에서 이뤄진 모든 역사를 중국의 역사로 편입하려는 동북공정(東北工程)을 진행 중인데, 발해진(渤海鎭)도 말갈족(중국 정부의 동북공정은 발해 문화의 연원을 당나라의 지방 정권인 말갈에서 찾고 있다) 특색 거리로 리모델링 공사를 마친 상태다. 불과 3년 만에 벌어진 일이다.

진정 나에겐 단 한 가지 내가 소망하는 게 있어
갈린 땅의 친구들을 언제쯤 볼 수가 있을까
망설일 시간에 우리를 잃어요
한민족인 형제인 우리가 서로를 겨누고 있고
우리가 만든 큰 욕심에 내가 먼저 죽는 걸

진정 너는 알고는 있나 전 인류가 살고 죽고

처절한 그날을 잊었던 건 아니었겠지

우리 몸을 반을 가른 채 현실 없이 살아갈 건가

치유할 수 없는 아픔에 절규하는 우릴 지켜줘

시원스레 맘의 문을 열고 우리와 나갈 길을 찾아요

더 행복할 미래가 있어 우리에겐

언젠가 나의 작은 땅에 경계선이 사라지는 날

많은 사람이 마음속에 희망들을 가득 담겠지

난 지금 평화와 사랑을 바라요

젊은 우리 힘들이 모이면 세상을 흔들 수 있고

우리가 서로 손을 잡은 것으로 큰 힘인데

우리 몸을 반을 가른 채 현실 없이 살아갈 건가

치유할 수 없는 아픔에 절규하는 우릴 지켜줘


서태지와 아이들 3집 앨범에 수록된 〈발해를 꿈꾸며〉는 우리 사회에 적잖은 공감을 불러왔다. 잊힌 발해를 되살려놓았을 뿐 아니라, 민족분단을 되새기는 이변을 연출한 것이다. 뮤직비디오를 강원도 철원군에 있는 북한 노동당사에서 촬영한 점도 센세이션한 일이었다.

디아스포라(Diaspora)는 여전히 슬픈, 떠돌이 행성이다. 국가로부터 버려졌기 때문이다. 도화선은 백제의 공격이었다. 서기 642년 백제는 신라의 서쪽 변방에 있는 40여 개 성을 빼앗은 뒤 대야성(지금의 합천)을 공격했다. 위기에 몰린 신라는 고구려에 손을 내밀었지만, 고

발해국 궁터

구려는 이미 백제 편에 서 있었다. 당나라를 한반도로 끌어들인 신라
는 백제와 고구려를 멸망시켰다. 신라와 동맹을 구축한 당나라가 귀
환을 앞둔 때였다. 당나라는 승전(삼국통일)의 대가로 고구려 유민 20
만 명을 중국 땅으로 끌고 가는데, 외세에 의한 첫 디아스포라의 경종
이었다.

아버지와 함께 포로로 끌려간 대조영이 도착한 곳은 당나라의 국
경 도시 영주(요녕성 조양시). '거즈우리 팡즈(高句麗帮子, 고구려 치들)'
와 '거즈우리 노(高句麗奴, 고구려 종놈)'가 그때 생겨났다. 당나라는
민족성이 강한 고구려의 유민을 머슴 부리듯 얕잡아 불렀다. 거란, 말

홍륭사 발해석탑

갈족과 연대한 대조영에게도 기회는 찾아왔다. 천문령 전투에서 당나라 군사를 물리친 대조영은 길림성 돈화시 동모산 자락에 발해를 건국(698년)했다. 고구려가 멸망한 지 30년 만이었다.

제위에 오른 대조영은 발해국을 5경(京) 15부(府) 62주(州)로 개편했다. 5경(상경·중경·남경·서경·동경) 중 상경용청부(上京龍泉府) 궁터가 발해진에 남아 있다. 발해국 두 번째 수도인 동경성 일대는 예부터 물산이 풍부한 평야지대였다.

기온이 영하 15도 이하로 떨어지면 야외 유적지는 매표소 문이 닫혀 있을 때가 많다. 자물쇠가 채워진 매표소를 지나자 신작로가 시원하게 뻗어 있다. 발해 궁성(宮城)의 남쪽 문과 외성(外城)의 남쪽 문을 직선으로 연결한 주작대로다. 228년 동안 최고의 번영기를 누린 상경 용천부의 외성 길이는 16km. 이걸 눈으로 직접 확인시켜준 곳이 오문(吾門) 성벽이었다.

궁성 남쪽에 위치한 오문을 지나 성벽 누각에 올라섰을 때다. 북쪽으로 뻗은 다섯 개의 궁전이 꼬리를 문 채 이어졌다. 눈밭으로 변한 발해 궁터는 외성보다 내성(內城)이 더 아름다웠다. 남문에서 5궁전까지의 거리는 600m에 불과하지만 직접 걸어보니 훨씬 멀게 느껴졌다.

발해 궁터를 나와 흥륭사(興隆寺)로 향했다. 대학수학능력시험에 단골 메뉴로 등장하는 발해 석등은 사진으로 보는 것과 차원이 달랐다. 흥륭사 삼성전 앞마당에 세워진 6m 높이의 석등은 크기도 상당하지만 균형미가 뛰어났다. 석주(石柱, 기둥돌) 위아래를 수놓은 연꽃 문양이 고구려의 문화를 쏙 빼닮았다. 팔작지붕 모양으로 설계된 현무암 석등은 그 기상이 매우 힘차고 강인해 보였다.

## 발해농장

"쯧쯧. 조금만 더 일찍 오지 그랬어. 3년 전만 하더라도 조선족 어른이 살았단 말이지."

발해농장 사무실 자리

조선족 노인협회를 방문했을 때 김동필 씨가 끌끌 혀를 찼다.

"그럼 발해농장 사무실 건물은 없어진 건가요?"

"그렇다니까. 조선족 어른이 살던 집을 한족이 사들여 여관을 지었지 뭔가."

"서울모텔을 말씀하시는 건가요?"

"옳게 봤구먼. 흙벽으로 지은 거라 이만큼(90년) 버틴 것도 기적이지 뭐."

흥륭사에서 읍내로 나가는 길이었다. 발해진 상경로 17호에 모텔 간판이 걸려 있었다.

1885년 경상남도 의령에서 출생한 안희제는 백산무역을 운영한 사업가였다. 일제가 한반도의 국권을 강탈하자 만주와 시베리아를 유랑하고 돌아온 안희제의 마음도 바뀌었다. 윤세복, 김동삼 등과 '대동청년단'(1909년 17세부터 30세 미만의 청년들로 조직된 신민회 계열의 비밀결사단체)을 결성한 안희제는 상해임시정부에 독립운동 자금을 조달했다.

1929년 재정난에 빠진『중외일보』를 인수한 안희제는 민족언론을 내세워 일제에 항거했으나, 돌아오는 건 발행 정지와 휴간뿐이었다. 백산무역 등 모든 사업을 정리한 안희제는 망명길에 올랐다. 윤세복의 주선으로 발해진에 발해보통학교를 설립한 안희제는 농장 건설에 착수했다. 연해주에서 활동하는 독립운동가들과 교분을 쌓을 때 깨우친 바가 있었다. 신채호, 안창호, 이갑, 이동휘 등 만나는 사람마다 한목소리로 풀뿌리공동체를 강조했다.

사업 수완이 뛰어난 안희제는 발해농장 건설을 2년 만에 마무리 지었다.

"나는 강원도 화천에서 살다 스물일곱 살 때 발해농장 소문을 듣고 달려갔어. 그런데 도착해 보니 벌써 봇둑을 다 쌓고 신답(新畓)을 풀어 자리를 잡았지 뭐야. (발해) 궁전에서 저수지까지 거리가 3리도 채 안 되었는데 그 덕을 본 거라. 저수지 가까운 곳에 농장을 꾸렸으니 진행 속도가 좀 빨랐겠어. 백산(안희제의 아호) 선생의 안목이 보통 아니었어. 그렇게 예의 바른 사람도 처음이었고."

양재욱 노인이 말한 아보저수지는 발해 궁전에서 남쪽으로 1km 남짓한 거리에 있었다. 안희제가 건설한 발해농장은 논농사를 위주로 한 농토였다.

1930년대 초반 만주는 언론사 기자들이 더러 보였다. 만주 지역에 거주하는 동포들의 생활상을 알리기 위해 발해를 찾은 방건두(『조선

발해소학교 옛 건물

일보』 기자)도 그중 하나였다.

동경성(발해진)에 있는 안희제 씨가 경영하는 발해농장은 일정 기간 소작농으로 일하면 자작농으로 바뀐다고 한다. 1경(垧, 1000평)에 10원 내지 20원이면 사는 토지이니, 10년간 소작을 시키고 자작농으로 돌려도 오히려 막대한 이익을 올릴 수 있다. 그러나 안희제 씨는 그렇게 하지 않았다. 그는 매우 따뜻한 인격의 소유자였던 것이다.

300가구가 넘는 한인들을 자작농으로 정착시킨 안희제는『삼일신고』,『한얼노래』등 대종교 책자 발간에도 심혈을 기울였다. 당시 직함은 대종교 총본사 교적 간행 회장이었다. 윤세복과 논의 끝에 당벽

동경성 발해

진에 있는 대종교 총본사를 동경성으로 이전한 안희제는 임오교변 사건으로 사망했다.

"벌써 가시게?"

"아닙니다. 학교에 잠깐 다녀오려고요."

"저녁은 여기서 꼭 먹고 가야 하네."

"그러겠습니다."

발해보통학교 후신인 발해 조선족소학교는 노인협회 사무실과 마주 보고 있었다. 교문에 걸린 '민족의 진흥을 위하여'라는 아치형 표어에 미소가 머금어졌다. 동북공정 이후 동경성과 발해에서 한글 간판을 보는 건 극히 어려운 일이었다. 왁자지껄한 소리에 교정으로 들어서 보니 방학을 맞은 학생들이 운동장에서 눈썰매를 타고 있었다.

하얼빈

·

·

哈尔滨

# 북국의 도시
## 하얼빈

객실 분위기가 갑자기 소란스러웠다. 하얼빈으로 겨울 여행을 떠나는 난징대 학생 20여 명이 몰려왔다.

"난징에서 하얼빈으로 바로 가지 않고…?"

"하얼빈은 항공료가 너무 비싸 목단강으로 왔어요. 이렇게 가면 하얼빈에서 2박을 편하게 지낼 수 있거든요."

3년 전 안후이성 쑤저우(宿州)에서 온 꿍리도 비슷한 말을 했었다.

"남방(南方) 사람들에게 하얼빈은 꿈의 도시나 다름없어요. 겨울에

오면 실컷 눈을 볼 수 있잖아요. 저도 대학 입학 때부터 계획을 세웠
는데, 이번에도 기회를 놓치면 영영 못 갈 것 같지 뭐예요. 내년에 졸
업하거든요.”

쑤저우에서 기차로 2200km를 달려온 꿍리는 무척 들떠 보였다. 잠
시 후면 만나게 될 하얼빈이 꿈만 같다고 했다.

여행 경비를 아끼려고 목단강에서 기차로 갈아탄 난징대 학생들은
시종 화기애애한 분위기였다. 화장실이 급한 두 여학생이 남학생에
게 적선하듯 손을 내밀었다. 그러자 남학생이 패딩 주머니에서 두루
마리 화장지를 꺼내 세 마디씩 끊어주었다. 군말 없이 화장지를 받아
드는 두 여학생의 모습이 신선해 보였다.

“재미난 풍경이네. 학교에서도 저렇게 지내?”

“우린 친구이면서 동지거든요.”

아, 그렇지! 중국에서 동지는 각별한 의미를 지닌다. 우정을 뛰어넘
어 협동과 단결을 나타내기 때문이다. 술자리가 건조하다고 느껴질
때 ‘퉁즈(同志)’가 튀어나오면 분위기는 금세 뜨거워진다. ‘뜻을 함께
한다’는 뜻의 퉁즈는 중국의 공산혁명과 맥이 닿아 있다.

“첸즈쉬앤은 안중근이라는 이름 들어봤어?”

“네, 알아요. 친구들과 여행 준비할 때 학습을 했거든요. 그때 한국
인 두 명을 알았어요.”

“두 명이라면 안중근과 정율성?”

“맞아요. 그런데 어떻게 아셨어요?”

단체 여행의 리더를 맡은 첸즈쉬앤은 정율성에 대해 많은 걸 알고

있었다. 전라남도 광주에서 출생한
정율성은 중국인들에게 그만큼 친
근한 인물이다. 중국 군가(軍歌)를
작곡한 정율성의 일대기가 중국 전
역에 영화로 알려진 것이다.

정율성

2014년 7월 시진핑(중국 국가주석)
이 한국을 방문했을 때도 정율성의
이름이 거론되었다.

"인민해방군가의 작곡자인 정율
성 선생 등 중국과 한국 국민 간 우
호 왕래, 상부상조의 전통은 그 유래가 매우 깊다고 하겠다."

그렇지만 정율성은 한국 사회에서 쉬쉬하는 인물이다. 중국 군가
에 이어 북한 군가까지 작곡한 것이다.

"안중근은 어떻게 생각해?"

"안중근은 이번에 처음 알았어요. 동아리 친구가 천두슈(陈独秀)
이야기를 들려줬어요. 중국 청년들에게 의미심장한 말을 남겼다면서.
러시아 문학가 톨스토이도 좋지만 한국의 안중근을 더 닮으라고 했
다더군요."

중국공산당 창시자인 천듀수는 중국 청년들에게 널리 알려진 인
물이다. 베이징대학에서 교수로 재직 중일 때 5·4운동을 이끈 주역
이자, 중국의 대표적인 지식인이었다. 그런 그의 입에서 안중근 이야
기가 나왔다는 건 매우 고무적인 일이 아닐 수 없다. 일제가 한반도를

하얼빈

하얼빈역

침략할 때만 해도 한국을 바라보는 중국인들의 시선이 곱지 않았던 것이다. 혹시나 모를 불똥이 자신들에게 튈까 봐. 바로 이걸 깨우쳐준 사람이 안중근이었다.

"진티엔 헌카이신(오늘 즐거웠습니다)."

"요호 짜이찌엔 바(나중에 또 만나요)."

서로의 여행을 격려하며 첸즈쉬앤과 작별 인사를 나눈 뒤였다. 만주에서 심양 다음으로 큰 하얼빈은 영하 22도를 가리켰다. 하지만 웬걸! 개찰구를 빠져나온 여행자들 입에서 환호성이 터졌다. 1년 중 겨울이 가장 아름다운 북국의 도시 하얼빈은 춥다는 제스처가 오히려 시원하게 들렸다.

할빈, 합이빈, 하얼빈, 하얼삔, 하르빈 중에서 어느 것이 맞는 걸까? 조그만 어촌 마을을 러시아가 개척하면서 인구 1000만의 도시로 성장한 하얼빈(哈尔滨)은 정통 중국어 지명이 아니다. '그물을 말리는 곳'이라는 만주어를 차용하고 있다. 하얼빈 원주민은 여진족(만주족)으로 훗날 청나라를 건국했다.

## 1909년 10월 26일

1909년 10월 26일 오전 9시 30분.

하얼빈역 1번 플랫폼에서 여섯 발의 총성이 울려 퍼졌다. 처음 세 발은 이토 히로부미의 가슴과 배를 관통했고, 나머지 세 발에 이토를 수행한 비서진들이 바닥에 쓰러졌다. 어려서부터 사격술이 뛰어난 안중근의 총구는 한 치의 빈틈도 없었다. 우리가 주목해야 할 점은 "꼬레아 우라(Корея Ура)"다. 저격 후 이 외침이 없었다면 어떻게 되었을까? 아마도 세계 언론은 안중근을 단순한 살인범으로 몰아갔을 것이다. 그리고 또 하나는, 이토 히로부미의 환영곡을 장송곡으로 바꿔놓은 자리에 기념관이 들어섰다는 점이다.

함박눈이 내리는 하얼빈역 남문 출구에 '安重根 义士 纪念馆(안중근 의사 기념관)' 안내판이 보였다. 1879년 황해도 해주에서 출생한 안중근은 순수 한국 토종이다. 독립운동 과정에서 그 어떤 외부 세력(중국·러시아)과도 연대한 사실이 없다. 그런데도 중국 정부는 하얼빈역에 안중근 기념관을 개관했다. 중국공산당 창건 이래 한국의 뮤지컬을 만주 땅에서 공연하도록 허가한 것도 안중근의 〈영웅〉이 유일하다.

안중근기념관(옛 기념관과 새 기념관)

2015년 2월 8일 한중 언론은 뮤지컬 〈영웅〉을 대대적으로 보도했다.

"뮤지컬 〈영웅〉 하얼빈 현장에 서다."

"안중근 의사 뮤지컬 〈영웅〉 106년 전 그 현장에서 막이 오르다."

하얼빈 환치우극장은 안중근의 열기로 후끈 달아올랐다. 1600석을 가득 메운 공연장은 세 발의 총성과 함께 그 막이 올랐다.

울창한 자작나무 숲 망국의 땅 우리는 모였다

간절히 기도하는 마음으로 뜨거운 심장으로

귀 기울여 들어봐요 이 소리를

나를 일으키는 이 바람 얼어붙은 심장을 녹이는

이 뜨거운 바람

장부가 세상에 태어나 큰 뜻을 품었으니

죽어도 그 뜻 잊지 말자 하늘에 대고 맹세해본다

누가 죄인인가 누가 죄인인가

그대는 대련을 떠나 하얼빈으로 향하고

나는 블라디보스토크를 떠나 하얼빈으로 향한다

너와 나 우리의 목적지는 같았지만 목표는 달랐다

— 뮤지컬 〈영웅〉 중

　2019년 12월 새롭게 문을 연 안중근 기념관은 은빛 면류관 동상이 눈부셨다. 가톨릭 신자로 생을 마친 안중근의 상징물로 여겨졌다. 전시장에 설치된 하얼빈공원(조린공원) 아치도 의미를 더해 주었다. 여순감옥에서 사형을 언도받은 안중근은 '내가 죽거든 하얼빈공원에 묻어달라'는 유언을 남겼다.

　하얼빈역 신축과 함께 장소를 옮긴 안중근 기념관은 출생과 성장, 구국계몽운동, 의병 투쟁, 하얼빈 의거, 법정 투쟁, 불후의 유언, 저술과 유묵 순으로 배열되었다. 회전식으로 배열된 전시관은 안중근의 일대기를 정리한 자료들이 일목요연했다.

　하얼빈 의거까지 관람을 마치고 계단

하얼빈

하얼빈 거사 장면

을 오르자, 통유리 너머로 거사 현장이 나타났다. 1909년 10월 26일 아침을 다시 보는 것 같았다. 1번 승강장에서 총성과 함께 '꼬레아 우라'가 울려 퍼진 것이다. 거사 현장에는 '安重根擊殺伊藤博文事件發生地(안중근격살이등박문사건발생지)' 현판이 큼직하게 걸려 있다. 사살이나 암살보다 격살(擊殺)이 훨씬 더 무게감 있게 다가왔다. 안중근도 2000만 동포를 향해 선언하지 않았던가. 이 손으로 반드시 이토 히로부미를 처단하겠노라고! 하늘이 정한 숙명처럼 도마 안중근은 대한의군 참모중장의 임무를 하얼빈에서 수행한 것이다.

"시한궈런마(한국인가요)?"

"시다(그렇습니다)."

"안중근을 도마라고 하는데 무슨 뜻이 있나요? 아니면 별호(別號)인가요?"

60대 초반의 중국인 남성이었다. 종교 활동이 자유롭지 못한 그에

하얼빈 의거 현장과 안중근기념관 내부

게 천주교 세례명이라고 알려주자 쎄쎄, 밝게 웃어 보였다.

"이곳을 알고 오신 겁니까?"

"그런 셈이죠. 안중근의 인상착의를 사진으로 보는 순간 매료되고 말았으니까요. 안중근은 특히 눈매가 인상적이었습니다. 권총을 직접 쏴본 사람은 알 수 있거든요. 눈빛이 흐트러지면 방아쇠를 당기는 손도 흔들리게 마련입니다."

1907년 10월 블라디보스토크로 망명한 안중근의 독립운동 기간은 길지 않다. '굵고 짧게'. 이 표현이 딱 들어맞는다. 스스로의 약속을 지키기 위해 그는 1909년 10월 하얼빈에서 이토 히로부미를 저격한 것이다.

안중근의 기개는 한문 서체에도 잘 나타난다. 안진경체를 구사하는 글씨는 보기에 따라 편안함을 주지만, 안중근의 서체는 한 획 한 획에서 담대함이 느껴진다. 한번 결정을 내리면 모든 걸 운명에 맡기는.

"이번 여행은 아주 귀한 분을 뵌 것 같네요. 가까운 벗들에게 들려줄 이야기도 많아졌고요. 중국도 일본과 긴 전쟁을 치렀지만 한국처럼 용맹하진 못했죠. 안중근처럼 뛰어난 인물도 없었고요."

하얼빈 사건이 있은 뒤였다. 가장 호의적인 반응을 보인 건 중국 언론이었다. 섬나라 일본과 이권이 얽힌 서방 언론들이 안중근을 사사로이 깎아내릴 때, 중국『민우일보』는 그 반대편에 섰다.

한국인이 발사한 총탄이 일본의 정책을 바꿀 수는 없으나, 그의 용기 있는 행동은 만민이 통곡하여 항의하고 1천 편의 청원서를 써서 올리는 것보다 더 유력한 것이다.

1911년 신해혁명을 통해 지금의 중국 정부를 수립한 쑨원(孫文)도 자신의 입장을 밝혔다.

"공(안중근)은 삼한(三韓)을 덮고 이름은 만국에 떨치나니, 살아 백살은 없는 건데 죽어서 천년을 가오리다. 약한 나라 죄인이요 강한 나라 세상이라, 처지를 바꿔놓으면 이등(이토 히로부미)도 죄인되리.”

유리관에 진열된 안중근의 『동양평화론』 서체를 유심히 살폈다. 남다른 오라가 느껴졌다.

본인의 임무를 실수 없이 수행한 안중근은 하얼빈역 철도경찰서로 연행되었다. 문제가 발생한 건 1차 신문을 마친 뒤였다. 러시아 측은 안중근이 한국 국적을 가졌다는 이유로 조사를 중단했다. 일본 정부의 압박에 못 이겨 하얼빈 사건에서 손을 떼버린 것이다. 철도경찰서에서 조사를 받던 안중근은 마차에 실려 하얼빈 주재 일본총영사관 지하 감방에 수감되었다.

## 지하 감방

하얼빈에 도착한 이튿날 아침, 안중근은 거리로 나섰다. 소피아성당을 지나 십여 분 남짓 걸었을 때 목조 다리가 보였다. 안중근은 회심의 미소를 지었다. 목조 다리 밑으로 선로가 놓인 제홍교(霽虹桥)에 서니 하얼빈역 내부가 한눈에 드러났다. 송화강역에서 하얼빈역으로 바뀐 역사 규모가 그렇게 커 보이진 않았다. 러시아 군인과 중국 군인이 주변을 에워싼 채 경비를 서고 있었다. 숨을 한 번 크게 내쉰 안중근은 플랫폼을 눈여겨봐두었다. 승강장에서 대합실까지의 거리가 10m도 채 못 되었다.

제홍교에서 화원가(花园街) 18번지를 향해 걸음을 옮겼다. 한산하던 거리는 과과리대가(果戈里大街)로 접어들면서 북적였다. 1903년 7월 동청철도(하얼빈을 중심으로 만주리(내몽골)와 수분하(흑룡강성), 대련(요녕성)을 연결한 철도노선)를 완공한 러시아는 하얼빈을 만주의 중심도시로 탈바꿈시켰다. 중앙대가(中央大街)와 쌍벽을 이루는 과과리대가도 같은 해 조성되었다. 송화강 변에 자리한 중앙대가에는 상권 중심의 번화가가, 과과리대가에는 미국·영국·인도·프랑스 등 각국의 영사관이 들어섰다. 안중근 일행이 수감된 일본영사관은 과과리대가와 화원가가 교차하는 지점에 있다.

화원소학교로 명판이 바뀐 대리석 벽에 안중근의 이름도 보였다.

"1907년 3월 4일 일본이 여기에 영사관을 설치했다. 1909년 10월 26일부터 11월 1일까지 안중근이 이등박문을 총살하고 잡혀와 이곳에 갇혔다."

제홍교에서 바라 본 하얼빈 역사

일본영사관

안중근이 수감된 지하 감방은 일본영사관 건물 뒤편에 있었다. 초
등학교 보일러실로 사용하는 지하 계단을 내려가자 안중근의 음성이
들려왔다. 하얼빈역에서 들었던 '꼬레아 우라'보다 한결 차분한 어조
였다.


검찰 : 그대는 이번 사건으로 한 사람을 죽이고, 세 명에게 부상을

입히고, 두 명에게 위험을 미치게 했다.

안중근 : 이토 히로부미 이외의 사람에 대해서는 미안하게 생각한

다.

검찰 : 이토를 죽인 건 정당한 행위란 말인가?

안중근 : 그렇다. 나는 처음부터 이토 히로부미를 처단할 계획이었

으므로 내 행위가 정당하다고 믿는다.

일본영사관 지하 감방으로 끌려온 지 5일째 되는 날이었다. 일본 검
찰의 취조에 안중근도 물러서지 않았다. 자신이 왜 이토 히로부미를
총살해야 했는지, 그가 저지른 15개 항의 죄목을 조목조목 토해냈다.


1. 한국의 왕비를 살해한 죄

2. 1905년 11월 한국을 일본의 보호국으로 만든 죄

3. 1907년 정미7조약을 강제로 맺게 한 죄

4. 한국의 황제를 폐위시킨 죄

5. 한국 군대를 해산시킨 죄

6. 무고한 사람들을 학살한 죄

7. 한국인의 권리를 박탈한 죄

8. 한국의 교과서를 불태운 죄

9. 한국인에게 신문 구독을 금지한 죄

10. 제일은행권을 강제로 발행한 죄

11. 국채 2300만 원의 빚을 지게 한 죄

12. 동양 평화를 깨뜨린 죄

13. 한국에 대한 일본의 보호정책을 호도한 죄

14. 일본 일왕의 아버지인 고메이를 죽인 죄

15. 일본(인)과 세계를 속인 죄


하얼빈역 현장을 둘러본 미조부치 다카오(溝淵孝雄) 검사는 이미

알고 있었다. 안중근은 전형적인 확신범일 가능성이 높았다. 이토 히로부미를 저격한 안중근은 도주하지 않았고, 권총을 바닥에 던진 후 러시아어로 '꼬레아 우라'를 외쳤던 것이다.

지하 감방을 보여준 40대 후반의 여성 교장과 차를 마시는 자리였다. 서로군정서(1919년 만주에서 조직된 독립운동 단체)에서 활동한 두 얼굴이 떠올랐다. 서로군정서 참모장을 지낸 김동삼과 몸에 비수를 지니고 다닌 남자현이다.

손정도 목사와 길림에서 농촌계몽운동을 펼칠 때였다. 김동삼의 구속 소식을 전해 들은 남자현은 하얼빈행 기차에 올랐다. 일본영사관 감방에 수감된 김동삼은 일제의 잔혹한 고문에도 불구하고 단식투쟁 중이었다. 옥바라지를 위해 달려온 남자현은 혼자 웃고 말았다. 무기가 없을 때는 맨몸으로 항거하는 게 김동삼의 투쟁 방식이었다.

1932년 3월 '리튼 조사단'(국제연맹에서 파견한 중·일 분쟁 조사 위원회)이 하얼빈에 모습을 드러냈다. 남자현은 왼손 무명지를 절단했다. 이번이 벌써 세 번째였다. 첫 번째 마디는 '식민지를 잊지 말자'는 뜻에서 잘려 나갔고, 두 번째 마디는 '조선인들끼리 싸우지 말자'는 다짐에서, 그리고 오늘은 흰 손수건에 '조선독립원(朝鮮獨立願)'을 혈서로 담았다.

2015년 개봉한 영화 〈암살〉이 세간의 관심을 모으던 때다. 안옥윤의 실제 인물로 남자현이 지목되었다. 영화를 보던 중 두 사람의 공통점을 발견한 건 간도 양민학살. 청산리전투에 참전한 남자현이 현장에서 목격한 간도참변을 안옥윤도 잊지 않고 있었다.

일본영사관 지하 감방

"저희 어머니도 그때 총을 맞고 돌아가셨습니다. 운이 좋으셨죠. 다음 사람들은 칼에 찔려 죽고, 몽둥이에 맞아 죽고, 목이 졸려 죽고, 불에 타서 죽고, 생매장당해 죽고, 쇠솥에 삶기도 하고, 그렇게 3496명을 죽였습니다. 27일 동안….."

리튼 조사단 일행이 머무는 모테른 호텔은 무장한 군인이 여럿 보였다. 변장에 능한 남자현은 삼엄한 경비를 뚫고 들어가 피로 쓴 '조선독립원'을 전달했다. 일제가 장춘에 수립한 괴뢰 만주국을 국제연맹에서 꼭 막아달라는 간절한 호소문이었다.

리튼 조사단이 본국으로 돌아간 뒤였다. 뜻을 이루지 못한 남자현은 동지들과 모여 마지막 암살 계획을 세웠다. 장소는 장춘에서 열리는 만주국 1주년 기념식장. 1933년 2월 행려자로 변장한 남자현은 여관방을 나섰다. 그녀의 몸에는 거사에 사용할 탄환과 폭탄이 숨겨져 있었다. 관동군 사령관 암살 시도는 그러나 수포로 돌아갔다. 장춘으로 향하던 중 일본 경찰에 발각된 남자현은 하얼빈 일본영사관으로 연행되었다.

일본영사관 지하 감방에 갇힌 남자현은 10년 형을 받아 서대문형무소로 이송된 김동삼처럼 단식투쟁에 돌입했다. 왜놈들이 주는 밥은 먹지 않겠다는 일종의 선전포고였다.

"우리 만주에선 지붕에서 물이 새거나 벽이 부서져도 고치지 않았소. 곧 독립이 되면 돌아갈 텐데 뭐하러 고치겠소. 둘을 죽인다고 독립이 되냐고? 모르지. 그렇지만 알려줘야지. 우린 계속 싸우고 있다고⋯."

독백처럼 들려오던 영화 속의 장면들, 만주라는 공간에서 벌어지는 눈물겨운 사연들, 한쪽은 총을 들고 다른 한쪽은 밥숟가락을 움켜쥔 채 두 개의 바퀴로 굴러가는 힘겨운 약속들⋯.

일본영사관에서 병보석으로 풀려난 남자현은 아들의 부축을 받으며 여관방으로 향했다. 만주 땅에서 10년 넘게 살고도 집이 없었다. 총을 든 죄였다. 총을 든 사람은 모든 순간이 유언이었다.

"늦기 전에 이 돈부터 세보거라."

아들과 마주 앉은 남자현은 숨겨둔 행낭을 꺼내주었다. 만주로 망명할 때 재산을 정리한 돈이었다. 의병운동에 남편을 잃은 남자현은 돈을 쓸 때도 모두의 독립 자금이라 여겼다.

"249원 50전입니다."

"200원은 잘 간직했다가 조선이 독립하는 날 축하금으로 바치고, 나머지 돈은 시련(손자)이 공부시키는 데 쓰도록 해라. 그리고 명심할 것은 깨어 있는 정신이다. 사람의 목숨이 먹고사는 데 있다면 독립은 정신으로 이루어지느니라."

유복자 아들과 만주로 망명한 지 14년째가 되는 1933년 8월 22일.

남자현은 아들과 손자가 지켜보는 가운데 여관방에서 숨을 거뒀다.


## 중앙대가
## 키타이스카야

만주에는 대련, 수분하, 횡도하자, 하얼빈 등지에 러시아가 조성한 거리가 몇 곳 있다. 그중에서 여행객이 가장 붐비는 곳은 하얼빈의 중앙대가다. 한 해 2억 명에 가까운 여행객이 몰려든다.

러시아제국의 영토 확장은 두 번에 걸쳐 진행되었다. 1858년 아이훈조약에서 흑룡강 이북을 확보한 러시아는, 1860년 북경조약을 통해 연해주와 만주 북동 지역을 손에 넣는다. 중국으로부터 방대한 땅을 조차한 러시아제국은 동청철도(2430km) 공사를 단숨에 밀어붙였다.

20만 명이 넘는 인력을 투입한 동청철도 건설은 1903년 첫 결실을 맺었다. 시베리아 횡단 구간인 치타(Чита)에서 만주 북부(만주리·하얼빈·수분하)를 연결하는 본선이 개통된 것이다. 곧이어 러시아는 하얼빈에서 대련을 잇는 남부선 철도를 마무리 지었다. 1909년 10월 대련에 상륙한 이토 히로부미는 남부선 개통 2년 만에 하얼빈에서 최후를 맞았다.

상해와 대련 정도라면 또 모를까, 하얼빈을 '동방의 파리'로 부르는 건 난센스다. 와인으로 달랠 추위가 아니기 때문이다. 고로 하얼빈은 '동방의 모스크바'라는 애칭이 딱 들어맞는다.

중앙대가 입구

1900년에 조성을 마친 중앙대가는 중국에서 가장 이국적인 명소로 꼽힌다. 르네상스 양식을 본 뜬 70여 개의 건축물이 신양광장에서 송화강 변에 이르기까지 일직선으로 펼쳐져 있다. 차량 통행이 금지된 거리만 약 1.5km. 카페든 상점이든 서점이든 손만 대면 100년 이상이다. 중국의 학자들이 '늙을 노(老)'를 '옛 고(古)'로 달리 해석하는 이유이기도 하다. 늙었다는 것은 외롭고 쓸쓸한 것이 아니라, 그만한 연륜과 전통을 지녔다는 뜻이다. 만주를 여행하다 '노(老)' 자가 쓰인 간판을 보았다면 걸음을 멈추어도 좋다. 만두 한 개를 집어 먹더라도 깊은 맛이 배어 있기 때문이다.

발바닥에서 전해지는 이 뭉툭함의 정체는 무엇일까? 중앙대가에는 일일이 수작업으로 깐 90만 개의 화강암 보도블록이 놓여 있다. 누구라도 두툴두툴한 돌길을 걷노라면 천진한 아이가 되고 만다. 해방 전 이곳을 다녀간 한국 작가들도 '키타이스카야'(러시아어로 '중국인 거리'를 뜻하는 지금의 중앙대가) 거리를 별천지로 여겼다. 중앙대가를 수놓은 춤과 노래와 러시아 무희들에게 그만 넋을 잃고 만 것이다. 『메밀꽃 필 무렵』의 이효석도 하얼빈을 두 차례 다녀갔는데, 리튼 조사단이 머문 모데른호텔에서 단편소설 「하얼빈」을 집필했다.

　　호텔이 키타이스카야의 중심지에 있자 방이 행길 편인 까닭에 창 기슭에 의자를 가져가면 바로 눈 아래에 거리가 내려다보인다. 삼층 위의 창으로는 사람도 자그만하게 보이고 수레도 단정하게 보이며 모든 풍물이 가뜬가뜬 그 자신 잘 정돈되어 보인다. 그러면서도 쉴 새 없는 요란한 음향은 어디선지도 없이 한결같이 솟으면서 영원의 연속같이 하루하루를 지배하고 있다. 이른 새벽 침대 속으로 들려오는 우유를 나르는 바퀴소리에서 시작되는 음향이 점점 우렁차게 커지면서 밤중 삼경을 넘어 다시 이른 새벽으로 이어질 때까지 파도 소리같이 연속되는 것이다. (…) 아침 비스듬히 해가 드는 거리에 사람들의 왕래가 차츰차츰 늘어가려 할 때와 저녁 후 등불 켜진 거리에 막 밤이 시작되려 할 때가 가장 아름다운 때이다. 조각돌을 깔아놓은 두툴두툴한 길바닥을 지나는 마차와 자동차와 발소리의 뚜벅뚜벅 거칠은 속에 신선한 기운이 넘쳐 들리고 여자들의 화장한 용모가 선명하게 눈을 끄는 것도 이런 때이다. (…) 행길에는 사람들이 훨씬 늘었다. 그 한 사람 한 사람의 가는 길과 목적을 뉘 알 수 있으랴. 나는 키타이스카야 거리를 사랑한다. 사랑하므로 마음에 근심이 솟는 것일까.

인파로 넘쳐나는 중앙대가를 걷다 상지대가(尙志大街) 방면으로 우회하면, 소피아성당이 탑처럼 우뚝 솟아 있다. 하얼빈이 자랑하는 동아시아 최대 규모의 꽃이다. 1907년 공사를 시작해 1932년 완공된 소피아성당은 전형적인 비잔틴 양식을 갖추고 있다.

소피아성당이 가장 찬란한 색채를 발산하는 시간은 동이 막 틀 무렵. 성당 외벽은 돔과 어우러져 민감한 반응을 나타낸다. 붉은 벽돌이 철갑을 두른 병사처럼 보였다가, 저물녘 다시 찾아가면 묵상 중인 수도사를 떠올리게 한다. 성당 내부를 장식한 모자이크 예술도 천상(天上)을 보는 듯하다. 중점문물보호단위(중국 국가급 문화재)로 지정된 소피아성당은 하얼빈 100년의 역사가 흑백사진으로 전시되어 있다.

소피아성당에서 조린공원으로 가는 길은 하나의 질문이 꼬리표처럼 따라붙는다. 사형을 앞둔 안중근은 무슨 이유로 자신의 유해를 하얼빈공원 옆에 묻어달라고 한 걸까?

하얼빈 거사를 앞두고 김성백(하얼빈 한인회장)의 집에 머물 때였다. 김성백의 초청으로 한인 공동묘지 개장식에 참석한 안중근은 그만 눈시울이 붉어졌다.

"오래전부터 마음이 편치 않았는데 오늘 비로소 그 일을 해결한 것 같소. 어떻게든 살아보겠다고 떠나온 동포들이 사망하면 임시 무덤을 만들어 매장하곤 했으니 꿈속이라고 편했겠습니까. 비라도 오는 날이면 무덤이 침수되기 일쑤고, 개들이 무덤을 파헤쳐 인골이 나뒹구는 일까지 발생했단 말이죠."

소피아성당

안중근은 조용히 김성백의 이야기를 경청했다. 사재를 털어 한인 공동묘지 조성에 힘쓰는 사람이 과연 몇이나 될까. 하얼빈공원 옆에 자리 잡은 한인 공동묘지가 더없이 포근해 보였다. 동포들이 모여 사는 고려가(高麗街)도 하얼빈공원에서 10분 거리에 있었다.

"내가 죽은 뒤에 나의 뼈를 하얼빈공원 옆에 묻어두었다가 나라를

안중근 유묵비의 친필

되찾거든 고국으로 옮겨다오. 나는 천국에 가서도 마땅히 우리나라
의 독립을 위해 힘쓸 것이다."

이처럼 하얼빈공원은 안중근에게 매우 중요한 장소였다. 일행들과
모여 거사를 숙의한 곳도, 우덕순, 유동하와 마지막 사진을 찍은 곳도
하얼빈공원 옆이었다.

1906년 하얼빈에 최초로 조성된 하얼빈공원은 음악당, 극장, 카페
를 고루 갖춘 복합문화공간이었다. 지명이 바뀐 건 해방 이후였다. 중
국의 항일운동가 리자오린(李兆麟)이 사망하자 중국공산당은 그의
유해를 하얼빈공원에 안장했다. 공원 이름도 리자오린의 이름을 따
자오린(조린)공원으로 개명하였다.

조린공원에는 안중근 유해 대신 유묵비가 세워졌다. 유묵비에 새
긴 '청초당(青草塘)' 세 글자가 발길을 무겁게 했다. 정녕 안중근의 유
해는 풀이 푸르게 돋아나는 언덕에서 잠들 수 없는 것일까? 한인 공동

하얼빈

묘지에 묻힌 남자현의 유해도 해방 후 도시개발로 유실되고 말았다.


## 국적이 다른
## 두 사람


중국공산당 깃발이 걸린 하얼빈 군사령부는 건물 자체가 상대를 압도했다. 청색 기와 건물을 끼고 우회하자 정율성 기념관이 모습을 드러냈다. 〈중국인민해방군가〉를 작곡한 정율성은 네얼(聶耳, 중국 국가인 〈의용군행진곡〉 작곡), 셴싱하이(冼星海, 항전 가곡 〈황하대합창〉 작곡)와 함께 중국의 3대 음악가로 칭송받는 한국인이다.

집안의 내력이랄까, 전라남도 광주에서 출생한 정율성에게 혁명은 일상처럼 다가왔다. 아버지를 비롯해 가족 모두가 사회주의의 길을 걸었다. 형과 누나를 따라 난징으로 망명한 정율성도 조선혁명군사정치간부학교에 입학했다. 이육사가 졸업한 조선혁명군사정치간부학교는 의열단 김원봉이 교장을 맡고 있었다.

1934년 학교를 졸업한 정율성은 음악 공부에 전념했다. 어렸을 때부터 음악에 남다른 재능을 보인, 그야말로 타고난 천재였다. 레닌그라드음악원에서 학생들을 가르치는 크리노와(Krenowa)와의 상해에서 만남도 커다란 행운이었다. 러시아 출신 여교수를 통해 성악, 작곡, 피아노, 바이올린 등을 마음껏 배울 수 있었다.

난징에서 옌안으로 거처를 옮긴 정율성은 가슴이 한껏 부풀어 올랐다. 중국공산당 본부가 있는 옌안이야말로 자신이 찾던 혁명의 성지였다. 의열단에 이어 중국공산당에 가입한 정율성은 물고기가 물을 만난 듯 〈연안송가〉, 〈팔로군 행진곡〉 등 항전곡(曲)을 봇물처럼 쏟아냈다.

마오쩌둥을 위시해 중국공산당 수뇌부들이 한자리에 모인 날이었다. 무대에 오른 정율성은 〈연안송가〉를 발표했다.

석양은 산마루 보탑을 비추고

달빛은 강가의 반딧불을 비춰주네

봄바람은 광야에 불어오고

뭇 산들은 견고한 장벽을 이루었네

아, 연안! 너 이 장엄하고 웅위한 고성(固城)

항전의 노랫소리 울려 퍼지네

아, 연안! 너 이 장엄하고 웅위한 고성

뜨거운 피가 가슴속에 끓어오르네

혁명의 도시 옌안에 기립 박수가 터졌다. 발표를 마친 식민지 청년은 두 주먹을 불끈 움켜쥐었다. 일제의 억압에서 벗어날 수만 있다면 그 길이 곧 항일의 길이라 믿었다.

항일군정대학에서 합창단 지휘자로 일할 때, 미모의 여대생이 다가왔다. 학우들이 모인 자리에서 딩쉐쑹은 아예 공개 선언을 해버렸다.

"오늘부터 정율성은 내 남자다. 그러니 너희들은 함부로 넘보지 마

정율성과 딩쉐쑹

라!"

　며칠 전 딩쉐쑹으로부터 들꽃 한 다발과 함께 『안나 카레니나』를 선물로 받은 정율성의 입가에 미소가 번졌다. 〈연안송가〉로 일약 스타가 된 정율성 못지않게 딩쉐쑹도 만만한 상대가 아니었다. 해방 후 중국의 첫 여성 대사로 활약한 딩쉐쑹은 중국공산당 지도부로부터 총애를 받는 칭니엔퉁즈(靑年同志)였다.

　기념관 안으로 들어서자 낯익은 노래가 흘러나왔다. "옛날에 금잔디 동산에 메기 같이 앉아서 놀던…." 고향이 그리울 때면 정율성은 〈메기의 추억〉을 모국어로 부르곤 했었다.

　의열단 단장 김원봉의 얼굴도 보였다. 옌안 시절 정율성은 김원봉·윤세주·무정 등 조선의용군과 가깝게 지냈는데, 음악적으로 도움을 준 사람은 김산(본명 장지락)이었다. 〈연안송가〉를 발표하기 전 정율성은 항일군정대학 교수로 재직 중인 김산을 찾아갔다. 톨스토이의 『인생은 무엇인가』를 호주머니에 닳도록 넣고 다니는 김산은 여러 분야에서 박학다식했다. 경제, 물리, 화학, 수학, 영어, 일어는 물론이고 서양음악에도 조예가 깊었다.

　인생의 중대한 문제에 있어서 우리는 언제나 고독하다. 따라서 우

정율성 기념관

리의 진정한 역사는 결코 남이 이해할 수 있는 것이 아니다. 우리의 마음속에서 연출되는 드라마의 가장 훌륭한 부분은 독백 또는 오히려 우리와 신의, 즉 우리의 양심과의 진지한 대화이다.

— 톨스토이,『인생은 무엇인가』중


1층 전시실은 딩쉐쑹과 찍은 흑백사진들이 돋보였다. 1941년 팔로군이 주둔한 동굴에서 결혼식을 올린 두 청년은 타이항산(太行山) 등지에서 항일운동을 전개했다.

일제의 항복 선언으로 해방을 맞은 옌안은 매우 어수선한 분위기였다. 중국공산당 휘하의 팔로군이 등을 돌리면서 정율성 부부도 진퇴양난에 빠져들었다. 팔로군 소속의 조선의용군은 단 한 명도 빠짐없이 본국으로 돌아가라는 지시가 떨어진 것이다. 옌안에 남고 싶었던 딩쉐쑹은 남편의 의견을 따랐다. 그리고 도착한 곳은 평양이었다.

정율성의 음악적 재능은 북한에서도 찬사를 받았다. 〈조선인민군행진곡〉, 〈조선해방행진곡〉 등 굵직굵직한 곡을 선보였다. 반면 딩쒜쏭은 매 순간이 가시밭길을 걷는 심정이었다. 음악을 하는 남편에게 북한은 정치적으로 융합되기 어려운 나라였다. 설상가상으로 북한은 극심한 식량난에 허덕이고 있었다. 먼저 도움을 청한 사람은 김일성이었다. 중국공산당 간부들과 친분이 두터운 딩쒜쏭은 김일성과 면담을 마친 후 하얼빈으로 떠났다.

딩쒜쏭의 예감은 적중했다. 식량난 해결을 위해 만주를 분주히 뛰어다닌 딩쒜쏭이 북한으로 돌아오자, 연안파(연안에서 귀국한 조선의용군) 숙청 소식이 들려왔다. 시간이 많지 않다는 걸 느낀 딩쒜쏭은 평양 주재 중국영사관을 찾아갔다. 그리고 얼마 후, 저우언라이의 친필 서신이 평양에 도착하자 김일성도 정율성 부부의 중국행을 더는 가로막지 못했다. 저우언라이에게 딩쒜쏭은 중국의 보물 같은 존재였다. 총리 시절 저우언라이는 추진력이 강한 딩쒜쏭을 자신의 비서로 채용했다.

북한을 떠나온 정율성 부부는 한동안 하얼빈에 머물렀다. 중국 국적을 취득한 정율성은 비로소 마음이 놓였다. 북한에서 연안파를 숙청했다는 소식이 전해진 것이다. 중국 언론과 가진 아내의 인터뷰도 큰 위안이 되었다.

"정율성과 나는 자기 조국에 대한 피 끓는 사랑을 보듬어 안은 전선의 동지였다."

두 사람의 일대기를 담은 영화 〈태양을 향하여(走向太陽)〉(첫 장면

에서 광주광역시 남구 양림동 79번지가 등장한다)가 중국 전역에 상영된
후였다. 1976년 베이징에서 고혈압으로 사망한 정율성은 바바오산
(八宝山) 혁명 공동묘지(중국공산당 건국에 공이 있는 사람들의 묘역)에
안장되었다. 중국 쓰촨성 출신의 딩쉐쑹(1919~2011)은 네덜란드, 폴
란드 주재 중국 대사를 역임했다.


## 송화강 편지

새벽 하늘에 구름짱 날린다
에잇. 에잇, 어서 노 저어라 이 배야 가자
구름만 날리나
내 맘도 날린다

돌아다보면 고국이 천리런가
에잇, 에잇, 어서 노 저어라 이 배야 가자
온 길이 천리나
갈 길은 만리다

산을 버렸지 정이야 버렸나
에잇, 에잇, 어서 노 저어라 이 배야 가자
몸은 흘러도

넋이야 가겠지

여기는 송화강 강물이 운다야
에잇, 에잇, 어서 노 저어라 이 배야 가자
강물만 울더냐
장부도 따라 운다.
— 김동환, 「송화강 뱃노래」 부분


　두만강과 압록강은 알고 있을까? 삼 형제 중에서 저만 홀로 예까지
흘러온 사연을. 백두산 천지에서 1300km를 달려온 송화강은 아직도
갈 길이 멀다. 흥안령(興安嶺)을 넘어 아무르강에 닿으려면 600km를
더 가야 한다.
　하얼빈의 겨울은 송화강에서 시작해 빙등(氷燈)에서 완성된다. 2m

빙등제

두께로 강이 얼면, 2주 동안 7000여 명이 쌓아 올린 얼음집은 오색 축제의 밤을 수놓는다. 겨울 한 해 빙등축제를 다녀가는 여행객만 1억여 명. 하얼빈에서만 감상할 수 있는 오색 찬연의 겨울밤이다.

송화강 얼음 위에서 썰매를 타는 아이들, 경주마를 끌고 나와 자동차와 경주하는 사람들, 꽃마차 안에서 함박웃음을 지으며 섬으로 향하는 연인들…. 하얼빈에는 오래전부터 섬이 하나 있었다. 섬 모양이 둥글다고 해서 태양도(太阳岛)로 불렸다. 그런데 왜 하얼빈에 사는 친구는 태양도 이야기만 나오면 버럭 화부터 내는 걸까.

"하얼빈 여자들의 콧대가 좀 세야 말이지. 이게 다 러시아 것들이 망쳐놓은 거다. 바지밖에 모르는 여자들 꼬드겨 비키니를 입혀놨으니 눈에 뵈는 게 있겠냐. 술 잘 마시지, 옷 잘 입지, 자기주장 강하지, 목청은 또 좀 커야 말이지…."

해방 전 외국인 휴양지로 각광을 받은 태양도가 대중에 알려진 건

1960년대 중반이었다. 싱라이가 부른 〈태양도에서〉가 전파를 타면서 중국에 첫 비키니 차림이 등장했다.

"낚싯대 둘러메고 숙영장막 짊어지고/ 우리 왔노라 우리 왔노라 태양도에/ 총각은 어깨에 기타를 메고 처녀들 수영복 차렸네."

꺼져가는 등불에 기름을 부은 건 마오쩌둥이었다. 건장한 청년들과 양쯔강에서 수영하는 마오쩌둥 사진이 언론에 공개되자 태양도는 비키니를 입은 여성들로 넘쳐났다. 그러나 겨울에 태양도를 가려면 옷깃부터 단단히 여며야 한다. 강폭이 넓은 송화강의 체감온도는 영하 40도. 이쯤 되면 송화강은 과시하듯 묻곤 한다. 두만강을 걸어서 건너본 적 있는가? 압록강을 걸어서 건너본 적 있는가? 그렇다, 추위는 결코 장애가 될 수 없다. 겨울에만 이 강을 걸어서 건널 수 있기 때문이다.

울릉도 면적의 절반쯤 되는 태양도는 생각보다 아늑했다. 섬을 둘러싼 교목들이 강에서 불어오는 바람을 감싸주었다. 호젓한 산책길도 선물처럼 느껴졌다. 눈 덮인 자작나무 숲속으로 들어가면 바람 소리가 몽골의 흐미(Khoomei)를 듣는 것 같았다. 한 사람이 두 가지 소리를 내는.

태양도에 조성한 동북항일연합군공원은 중국중앙텔레비전(CCTV)에서 방영한 드라마를 떠올리게 했다. 〈홍군동정(红军童贞)〉에서 한 여인이 남편을 찾아가는 장면은 매우 감동적이었다. 그녀의 이름은 한국 여성 최초로 중국공산당에 가입한 이추악(본명 김금주). 드라마 〈홍군동정〉 속 여인의 실제 인물이 이추악이었다. 평양 숭실여학교

태양도 동북항일공원

재학 시절 3·1운동에 가담한 이추악은 신흥무관학교 출신 양림(본명 김훈)을 만나 평생 동지로 활약했다.

부부가 함께 모스크바에서 유학을 마치고 돌아온 후였다. 둘을 갈라놓은 건 일제의 만주사변이었다. 양림이 먼저 장시성(江西省) 중앙 소비에트로 떠나자 이추악은 하얼빈에 남아 항일운동을 펼쳤다. 〈홍군동정〉에서 최고의 명장면은 '같은 해 태어나 같은 해 중국공산당에 가입하고 같은 해 사망'한 항일혁명 부부의 마지막 여정. 양림은 1936년 2월 황하를 건너는 작전을 수행하다, 이추악은 동북항일연합군 근거지 작업을 추진하다 일본군에 총살당한다.

서른다섯 살에 세상을 떠난 부부에게 들려주고 싶은 노래가 있었다. 페퇴피 샨도르(Petőfi Sándor, 헝가리 시인)의 〈민족의 노래〉다.

도외구 원주민 거리

사랑이여

그대를 위해서라면

내 목숨마저 바치리

그러나 사랑이여

조국의 자유를 위해서라면

내 그대마저 바치리


태양도를 빠져나와 도외구(道外区)로 향했다.

송화강 남단에 인접한 도외구는 청나라 관청, 극락사, 공자 문묘 등 고건축물들이 그대로 보존되어 있다. 러시아가 중앙대가와 과과리대가를 건설할 당시, 송화강 변에 살던 원주민들은 도외구 북삼도가로 쫓겨 가야 했다. 안타까운 점은 100년 전에 지어진 건축물들이 폐허로 변해간다는 것이다.

아니나 다를까, 도로를 사이에 두고 노도외(老道外)는 축제 분위기였다. 원주민 마을 절반을 청국풍으로 새롭게 복원한 중화 바로크거리(中華 色洛克街)가 들어선 것이다. 찻집과 식당, 기념품을 파는 상점들이 늘어선 중화 바로크거리는 '匸(방)' 자형 문들이 이색적이었다.


## 마루타 731부대

731부대는 하얼빈에서 가장 우울한 공간이다. 생체 실험, 세균 실험, 해부 실험, 가스 실험, 페스트균 실험, 사육장, 화장터…. 어느 한 곳 밝은 구석을 찾아보기 힘들다. 비라도 내리는 날엔 전시관 전체가 음습한 공동묘지를 연상케 했다.

하얼빈 남강구(南江区)에 창설한 세균부대를 평방구(平房区)로 이전한 건 1933년도였다. 명칭도 천황 직속 부대인 '731'로 바뀌었다. 사령관으로 임명된 이시이 시로(石井四郎)는 일본의 학자들을 하얼빈으로 불러들여 동물, 식물, 인체, 동상, 독가스, 화력 등 다양한 실험을 진행케 했다. 태평양전쟁을 대비한 일제의 마지막 승부수였다.

1940년 11월 우리는 연구실의 작은 창문을 통해 실험을 받고 있는 사람들을 볼 수 있었다. 731부대 동상 연구반 반장인 요시무라 하사도는 6명의 중국인에게 일정한 무게의 짐을 지고 일정한 시간 동안 거리

731부대 화장터

를 왕복하게 하였다. 아무리 추워도 여름옷만 입힌 채였다. 6명의 중
국인들은 몸이 점점 약해지고 동상이 심해져 조금씩 줄어들었다. 12
월이 되자 하나도 보이지 않았다. 모두 죽은 것 같았다.


731부대에서 연구원으로 복무한 일본군의 증언처럼 이시이 시로
는 마루타(まるた, 통나무) 사냥에 열을 올렸다. 전쟁 포로와 난민 수용
소에 감금된 중국인, 러시아인, 벨라루스인, 몽고인, 한국인 등 3000
여 명이 그 대상이었다.

731부대 부대원 다나카 신이치(田中信一)는 당시의 상황을 다음과
같이 증언했다.

731부대 죄증진열관 입구

전쟁 포로들을 731부대 감옥으로 이송할 때는 반드시 족쇄를 채웠다. 그들은 늘 위험한 존재였다. 감옥에 갇힌 그들은 사람 취급을 받지 못했으며, 1년에 600명씩 마루타로 사용되었다.

실험에 동원된 마루타는 이름이 없었다. 번호가 부여되면 순서에 따라 생체 실험 재료로 사용되었다. 살아 있는 사람을 총칼로 찌르고, 임신부에게 매독 주사를 투여하고, 산채로 냉동실에 넣어 냉동이 되어가는 과정을 지켜보고, 피부의 표본을 얻기 위해 건장한 청년의 피부를 벗겨내고, 남성과 여성의 생식기를 잘라내 상대방 국부에 이식 수술하고, 밀폐된 공간에 독가스를 주입해 아이와 엄마 중 누가 더 오래 버티는지를 실험하고…. 731부대에서 진행된 마루타 실험(생체 ·

세균)은 밝혀진 것만 수백 종에 이른다.

731부대 죄증진열관(侵华日军第七三一部队罪证陈列馆) 입구에는 죽은 나무 한 그루가 설치되어 있다. 마루타를 상징하는 나무이자 3000여 명의 실험 희생자를 기리는 묘비다.

"너희들의 죄는 부정할 수 없다."

731부대 진열관에 새긴 문구를 한참 동안 쳐다보았다. 일제가 저지른 모든 악행과 증거들이 이곳에 남아 있기 때문이다.

731부대 안에는 전쟁 포로만 수용하는 특설 감방이 따로 있었다. 일제는 한국 국적의 포로들을 '지또시' 또는 '지또가'라고 불렀다. 소련군 첩자라는 뜻이다. 한국인 희생자는 고창률(소련공산당 첩보원), 심득룡(소련공산당 첩보원), 이청천(독립운동가), 한성진(독립운동가), 이기수(동북항일연합군 소속), 김성서, 김안동 등 모두 7명이다. 소련 코민테른(공산주의 국제연합)이 파견한 심득룡은 중국인 아내와 찍은 결혼식 사진이 마음을 더욱 아프게 했다.

731부대에서 생산한 첫 생물학무기 실험은 할하강 유역(몽골과 만주 국경 지대)에서 단행되었다. 1939년 5월에 벌어진 러시아군과의 전투(중국 표기는 할힌골전투, 일본 표기는 노몬한전투)에서 일본군은 살모넬라균과 티푸스균을 할하강에 투여했다. 이후 일제는 히로시마에 원자폭탄이 투여되자 731부대를 폭파해버렸다. 인간 마루타 400여 명도 그때 목숨을 잃었다. 패전을 앞둔 일제는 731부대의 증거를 없애기 위해 마지막 남은 400여 명을 독가스실에 가둔 뒤 하얼빈을 빠져나갔다.

후쿠오카를 여행할 때의 일이다. 조선
인 강제 연행 문제를 취재해 기록하는 하
야시 에이다이(본명 하야시 시게노리) 선
생이 시사잡지를 내밀었다. 이시이 시로
의 딸 하루미의 인터뷰가 실린 잡지였다.

일본 시민단체가 세운 평화기원비

내가 알기로 아버지(이시이 시로)는 미
국과 거래를 한 것이 확실하다. 미국 측에
서 먼저 아버지를 찾았기 때문이다. 그러
니까 내가 강조하고 싶은 것은 아버지의
부하들 중 그 누구도 전범재판을 받지 않
았다는 것이다.

1946년 5월 3일 일본 도쿄에서 극동국제군사재판이 열렸다. 수상
한 점은 731부대와 관련한 실험 연구 자료를 사전에 넘겨받은 미국의
태도다. 전범재판에서 일본군의 생체·세균 실험 문제가 제기되었는
데도, 정작 미국 측에 자료를 넘겨준 이시이 시로는 기소조차 되지 않
았다. 일제의 침략 전쟁은 이처럼 미국의 어정쩡한 태도로 말미암아
역사적 사실까지 부정하는 좋지 못한 사례를 남겨놓은 셈이다.

새로운 반전도 있었다. 일본이 발뺌하던 731부대 문건을 한 조선족
교사가 찾아냈다는 점이다. 그것도 다름 아닌, 중국의 수많은 역사학
자들이 애타게 찾던 특별 이송 일본어 원본을 말이다. 해방 후 반세기

만에 마루타의 실체가 밝혀지자 731부대 세균전 실태도 낱낱이 드러났다.

조선족 학교에서 731부대 죄증진열관으로 자리를 옮긴 김성민 관장은 인류의 평화를 강조했다.

"잘못된 역사는 바로잡는 게 순서고, 그 실체가 이미 밝혀진 사건은 두 번 다시 되풀이되지 않도록 평화를 구축하는 일이 아닐까요? 십여 년을 헤맨 끝에 731부대 이송 문건을 손에 쥐었을 때도 그 생각이 먼저 들더군요. 어떠한 경우에도 포기해선 안 되는 것이 평화라면, 인류가 마지막으로 닿을 종착역 또한 평화였으니까요. 물론 진실을 가리려는 평화는 사양합니다. 평화는 양의 탈을 쓴 늑대를 매우 싫어하기 때문이죠."

전시관 정문으로 들어갔다 화장터 쪽으로 나오는 길이었다. 수백, 수천의 인영(人影)들이 눈발처럼 되살아났다.


어느 마루타는 질식할 때까지 걸리는 시간을 알아보기 위해 목을 매달았다. 또 어떤 마루타는 사망할 때까지 걸리는 시간을 측정하기 위해 물과 음식을 전혀 주지 않았다. 그 후 그들은 거적에 덮여 화장터로 실려 갔다.

흑하 · 치치하얼

·

·

黑河·齐齐哈尔

## 아무르주

## 아무르강

저녁 9시. 소등 시간이다. 객실도 이내 곧 잠잠해졌다.

눈을 감는다. 처음으로 세계의 정다운 무관심에 마음을 열었다는 뫼르소의 독백이 스쳐간다. 카뮈의 『이방인』은 스무 살 무렵에 읽었다. 우리 모두는 이방인이라는 사실에 안도하면서. 부산항에서 배를 타고 처음으로 국경을 넘은 것도 카뮈의 영향이 컸다. 살던 곳을 떠나면 온전한 이방인(異邦人)이 될 것 같았다. 설익은 언어와 낯선 얼굴들, 약간의 두려움이 몰려오던 비좁은 골목길들…. 미지의 세계도 여행지가 바뀌면서 점점 익숙해져갔다.

"나는 나무둥치 속에 들어 있는 것은 아니었다. 나보다 더 불행한 사람들도 있는 것이었다."

새벽 5시 25분. 영하 32도. 흑룡강의 한 구간을 흐르는 검은 도시.

흑룡강성 북단에 위치한 흑하(黑河)는 중국과 러시아 국경 중에서 규모가 가장 큰 도시다. 아무르주(州)에 속한 블라고베셴스크(Благовещенск) 마을이 아무르강 건너편에 있다.

아시아에서 최대 제국을 자랑하던 청나라의 쇠락은 아편전쟁에서 비롯되었다. 당시 영국은 식민지였던 인도에서 아편을 재배해 중국에 밀매하면서 엄청난 돈을 벌어들였다. 샤를 보들레르에 의하면 아편은 인공 낙원이었다. 그곳에는 슬픔이라고는 찾아볼 수 없는, 겨울

중러 국경 표지석

이 없는 봄만 지속되었다.

흑하에서 30km 떨어진 아이훈(璦琿)은 안톤 체호프가 '세상에서 제일 살기 좋은 곳'이라며 감탄해마지 않았던 도시다. 그 때문인지 러시아는 아편으로 몰락한 청나라를 상대로 '아이훈조약(1858)'을 체결했다. 그러나 한국 면적의 4분의 3에 해당하는 아이훈 일대는 오랫동안 방치되어 있었다. 러시아의 관심은 오직 하얼빈에 쏠렸다. 흑룡강성 관문인 하얼빈만 개발하면 러일전쟁에서 잃은 대련도 머잖아 되찾을 거라고 믿었다. 러시아제국의 어설픈 야망은 일제의 만주국 수립과 동시에 와르르 무너졌다. 일제가 세운 만주국은 중국 영토에서 만주가 따로 분리되는, 누구도 예상치 못한 일이 벌어진 것이다. 일제

아무르강 너머로 보이는 블라고베셴스크

에 만주를 내준 러시아제국은 지금의 연해주를 얻어냈을 뿐이다.

1980년대 흑하는 참으로 초라한 도시였다. 춥다는 것 말고는 딱히 내세울 것이 없었다. 비라도 내리는 날은 도심 전체가 검은 죽탕으로 변했다. 한국의 자동차 기업들이 흑하로 향한 건 한중수교(1992년) 이후였다. 국내에서 신형 자동차를 생산하면 흑하로 운송해 시운전에 들어갔다. 한겨울 최저기온이 영하 45도까지 떨어지는 흑하는 자동차 주행 테스트 장소로 그만이었다. 20만 인구를 자랑하는 흑하는 현재 만주에서 아무르강을 볼 수 있는 유일한 도시로 변모했다.

"니하오?"

아무르강 변에 자리한 숙소에 도착한 시간은 아침 6시경이었다. 프런트를 지키고 있던 여직원이 졸음 섞인 목소리로 인사를 건넸다.

"싱샤오덩(잠깐만요)! 시한궈렌아(한국인이네요)?"

흑하 · 치치하얼

"시다(그렇습니다)."

여권을 받아든 직원이 한국인은 처음이라며 씩 웃어 보였다. 잠에서 깨어난 표정도 그새 밝아졌다.

"아침 식사를 할 수 있나요?"

"물론입니다. 바로 준비할게요."

하얼빈에서 장시간 밤 기차를 타고 온 데다, 흑하역에 내렸을 때부터 한기가 몰려왔다. 영하 32도 여행은 몽골 이후 처음이었다.

"30분 후에 따뜻한 죽과 만터우를 준비할 테니 식당으로 내려오시면 됩니다."

"고맙습니다."


## 자유시참변
### (흑하사변)

아무르강 변에 설치한 모녀상은 이국적 색채가 묻어났다. 모녀의 의상이 벨벳 차림이었다. 19세기 중엽 러시아 동부로 이주한 프랑스인들을 염두에 둔 것으로 보였다. 프랑스어로 '사랑'을 뜻하는 아무르 주(州)의 지명도 그 무렵 생겨났다.

강 건너 블라고베셴스크를 바라보는 일은 마음이 무척 무거웠다. 블라고베셴스크에서 멀지 않은 스보보드니에서 최대 비극이 벌어진 것이다. 그로 인해 만주는 1938년 9월을 기점으로 더 이상 '대한(大

韓)'의 이름을 단 독립군을 찾아볼 수 없었다. 1917년 10월에 발생한 러시아 내전은 그처럼 항일 독립군에게 씻을 수 없는 오명을 남겼다. 러시아공산당 측이 요구한 무장해제는 독립군 사이에 분열을 낳았으며, 예기치 못한 무력 충돌까지 벌어졌다. 밀산에서 러시아로 건너간 3000여 명의 병력 중 자유시(스보보드니)를 탈출한 독립군은 150명에 불과했다.

자유시참변(흑하사변) 이후 만주의 상황도 녹록지 않게 흘러갔다. 독립군 재건을 방해하려는 모략설이 끊임없이 제기되었다. 일제는 러시아에서 돌아온 김좌진이 하얼빈 주재 일본영사관에 귀순했다며 악성 루머를 퍼뜨리고 다녔다. 이를 지켜본 『독립신문』(1923년 5월 2일 자)은 『장춘실업신문』이 보도한 내용을 반박하고 나섰다.


장춘실업신문에 대한독립군단 총사령관 김좌진이 하얼빈 일본영사관에 귀순하였다는 설(說)을 기재하였으나 이는 전연 사실이 아니다. 적(敵, 일제)은 우리의 사업을 방해키 위하여 반간책(두 사람이나 두 나라 사이의 관계를 멀어지게 하거나 나쁘게 하려는 술책)을 농(弄)함인 것인즉, 이에 속을 이가 없으려니와 김좌진은 오직 실력을 양성키 위하여 금년도부터 길림성 모 지방에 둔전제를 대규모로 실행하기로 하고, 다른 한편으로는 사관양성소를 설립하여 백여 명의 사관생을 훈련하는 중이다.


인적을 찾아볼 수 없는 아무르강을 따라 거슬러 오를 때였다. 10년

흑룡강과 아무르강 국경

째 들고 다니는 카메라가 작동을 멈춰버렸다. 급히 공원 화장실로 뛰어갔다. 기온이 떨어질수록 공중화장실 난방은 구세주나 다름없다. 추위에 얼어붙은 카메라 배터리도 찰칵, 되살아나는 중이었다.

강변에 조성한 공원을 벗어날 즈음 조그만 섬이 보였다. 목조 다리를 건너 섬 안으로 들어가니 무장한 중국 군인이 강 위에서 보초를 서고 있었다. 잠시 걸음을 멈춘 채 오른손을 치켜들었다. 그쪽으로 가도 되느냐는 신호였다. 집총자세를 취한 보초병이 고개를 끄덕였다.

"뒤에 보이는 것이 국경입니까?"

"11월부터 3월까지는 이곳에서 수비를 서고, 얼음이 녹을 때쯤이면 섬으로 이동합니다."

아무르강 국경은 너무나 생소했다. 하천에서 물고기를 잡을 때 사용하는 무릎높이의 그물 사슬이 강 위에 병풍처럼 둘러쳐 있다. 엉성하기 이를 데 없는 국경이 오히려 평온함을 안겨주었다.

"하이란파오(중국인들은 블라고베셴스크를 '하이란파오' 또는 '부스'로 부른다)를 가본 적 있나요?"

"복무 중에는 가고 싶어도 갈 수 없습니다. 하이란파오에서 군인은 입국을 금지하고 있습니다."

"흑하는 어느 계절이 가장 아름다운가요?"

"8월 중순경에 오면 백야를 볼 수 있습니다."

백야를 처음 경험한 곳은 내몽골 만주리였다. 러시아 소설에 자주 등장하는 '하얀 밤'이 비로소 실감이 났다. 저녁 9시의 도심에서, 미명

이 걷히는 새벽을 보는 것 같았다.

숙소로 돌아가는 길이었다. 송화강과 합수하는 아무르강은 아무런 말이 없었다. 액자 속 풍경처럼 강 위의 모든 것들이 정지된 채 봄이 오기만을 기다렸다.


## 한국 최초 양의사
### 김필순

흑하를 떠난 기차는 치치하얼에 정차했다. 장춘을 가려면 치치하얼에서 기차를 환승해야 한다.

550만 인구를 가진 치치하얼 원주민은 다우르족(알타이어계 몽골족)으로, 치치하얼(齐齐哈尔) 지명도 '목초 지대'라는 뜻의 다우르족 언어에서 따왔다. 만주횡단 시발점인 만주리에서 다우르족을 처음 보았는데, 주로 내몽골자치구에 살고 있었다.

흑룡강성 동북부에 위치한 치치하얼은 우리나라 최초로 서양의학을 전공한 김필순이 사망한 곳이다. 세브란스병원에 근무한 김필순은 통화(通化)를 거쳐 치치하얼로, 이태준은 몽골로 망명했다.

황해도 장연이 고향인 김필순은 세브란스의학전문학교(연세대학교 의학과) 졸업 후 교수로 임명되었다. 그의 영어 실력은 학창 시절부터 이미 정평이 나 있었다. 간호학과생들의 필수 과목인 『해부생리학』도 김필순이 번역한 교재였다.

김필순

1907년 서울의 분위기는 긴박하게 돌아갔다. 그때의 상황을 김필례(김필순의 여동생)의 글에서 확인할 수 있었다.

1907년 8월, 대한제국 군대 해산은 민족의 분노를 극에 달하게 했다. 군대 해산에 항의하며 보병대대 장병들이 시가전을 벌이던 날 길 위는 온통 핏물이었다. 오빠(김필순)가 일하는 세브란스병원도 이미 아수라장으로 변한 뒤였다. 병원 안이 부상자와 시체들로 가득했다. 의사와 간호사들이 소달구지에 적십자기(旗)를 달고 연신 환자들을 실어오고 있었다. 오빠는 그날 밀려드는 환자를 보느라 정신이 없었다. 특히 밤에는 부상병들의 신음소리로 아비규환이었다.

— 박규원, 『상하이 올드 데이스』 (민음사, 2003) 중

신민회에 몸담았던 김필순은 동갑내기 안창호와 형제처럼 지냈다. 두 사람 모두 기독교 신자로, 안창호에게 미국 유학을 추천한 사람도 김필순이었다.

1911년 9월, 신민회 회원들이 일제에 대거 체포당하는 일이 벌어졌다. 700여 명을 구속시킨 '105인 사건'이다. 데라우치 마사타케(1910년 5월 조선 총독에 임명되어 한일병합조약을 받아들이도록 우리 정부를 압박

흑하 · 치치하얼

한 인물) 암살 미수 사건을 날조한 일제는 700여 명 중 105명을 기소했다. 1907년 서울에서 결성된 신민회도 105인 사건으로 해체되었다.

일본 경찰의 수사망이 좁혀오자 김필순은 세브란스병원 신의주 분원을 떠올렸다. 국내에서의 활동이 더 이상 어려워보였다. 김필순은 1년 늦게 졸업한 이태준과 마주 앉았다.

"아무래도 난 이곳을 떠나야 할 것 같네."

"저도 상황을 좀 더 지켜본 뒤 결정하겠습니다."

"그럼 후일 만주에서 다시 만나세."

왕진 가방을 챙긴 김필순은 신의주 분원에 출장 다녀올 일이 있다며 서울을 빠져나갔다.

서간도로 망명한 김필순은 미국에 유학 중인 안창호에게 도움을 청했다. 병원을 개업하려면 몇 가지 의약품이 필요했다.

1월 초(1912년)에 도착한 이곳은 많은 동지들이 있다네. 그리고 여기 사는 중국인들은 우리에게 매우 친절하고 또 우리 동포를 불쌍히 여긴다네. 800호 정도의 가옥에 1만6000명이 사는 작은 마을이라네. 나는 이곳에 병원을 세우려고 하네. 많은 사람들이 살고 있음에도 불구하고 병원이나 의사 한 명 없더군. 안 형에게 할 말은 많지만 다음 사항을 좀 구비해주었으면 하네. M제약회사가 시판하는 약의 종류와 가격표, 카탈로그 등이네. 뉴욕이나 샌프란시스코에서 못 구하면 그들에게 이곳의 주소를 가르쳐주고 나에게 직접 보낼 수 있도록 해주면 좋겠네. 안 형의 명함을 받는 즉시 그들이 해줄 것이라 믿네. 형제여, 아주 급한 일이니 한 번에 처리하도록 도와주게.

　— 만주 통화에서 당신의 사랑하는 형제 필립


　서간도에는 김필순보다 먼저 떠나온 동지들이 있었다. 신민회 소속의 이동녕, 이회영, 김동삼과 안명근(안중근의 동생)의 얼굴도 보였다. 길림성 통화에서 80km 지점에 위치한 유하에 한인촌을 건설한 이회영은 신흥강습소(신흥무관학교) 설립을 추진 중이었다. 통화에 병원을 개업한 김필순은 수익금의 대부분을 신흥강습소 운영 자금으로 내놓았다. 군사훈련 도중에 발생하는 부상병 치료도 군의관을 자처한 김필순의 몫이었다.

　만주 일대가 일제의 영향권에 들어가면서 통화도 어수선한 분위기였다. 망명 직후 중국 국적을 취득한 김필순은 치치하얼로 자리를 옮겼다. 서간도에 비하면 치치하얼은 황무지나 다름없었다. 내몽골과 시베리아에서 불어오는 찬 바람이 더욱 시리게 느껴졌다.

　가족들과 함께 떠나온 김필순은 치치하얼에 다시 병원 문을 열었다. 북만주와 제중원(1885년 개원한 우리나라 최초의 서양병원)의 첫 글자를 따서 '북제진료소'라는 간판을 내걸었다.

　개원한 병원이 자리를 잡아갈 즈음 김필순은 통화에서 이루지 못한 모범촌 건설에 뛰어들었다. 가난이 없는 마을, 질병이 없는 마을, 누구나 배워서 평등하게 살아가는 모범촌 건설이 그의 마지막 꿈이었다.

　"모두들 들으시오. 이제 우리에겐 땅이 있소. 우리가 함께 농사지

치치하얼역

어 함께 추수할 우리의 땅이오. 더구나 우리는 조국에 살면서도 내 땅을 한 번도 가져보지 못해 이곳으로 온 사람들이오. 이제 이 땅을 어떻게 가꾸어나가느냐 하는 것도 우리 모두의 손에 달려 있소."

구입한 땅을 다 돌아보려면 꼬박 하루가 걸리는 거대한 면적이었다. 러시아에서 직접 농기구를 사들인 김필순은 모범촌 건설을 형(윤오)에게 일임했다. 북만주 지역에서 활동하는 독립투사들의 근거지로 활용되고 있는 북제진료소는 진료 외에도 할 일이 많았다. 얼마 전에도 신흥무관학교 설립 문제로 이동녕과 이시영이 다녀갔었다.

큰 수술이 두 건이나 잡혀 있는 날이었다. 점심도 거른 채 수술을 마친 김필순은 소파에 몸을 기댔다. 치치하얼에 서양의술이 보급되지 않아 북제진료소는 크고 작은 수술이 꽤 많았다.

"선생님 이것 드세요."

간호사가 유리컵에 담아온 우유를 건넸다.

"웬 우유를…?"

"간다 씨가 선생님께 드리라고 했어요. 수술하시느라 식사도 못 했다면서요."

간다는 얼마 전에 채용한 일본인 조수였다. 경험이 많은 그는 재바른 솜씨로 병원 일을 도맡았다. 소파에서 몸을 일으킨 김필순은 우유를 단숨에 들이켰다. 그런데 시간이 지나면서 몸이 영 좋지 않았다. 이튿날에는 말하는 것조차 힘들었다. 불과 하루 사이에 벌어진 일이었다. 어제까지 보였던 일본인 조수도 자취를 감춘 뒤였다. 3·1만세운동이 일어난 그해 가을, 치치하얼 병원에는 가족들의 통곡 소리만 들려왔다.

중국인들에게 김필순은 김염의 아버지로 더 많이 알려져 있다. 독립운동가의 아들로 태어난 김염(본명 김덕린)은 중국 영화계에서 황제로 불릴 만큼 상해를 주름잡았던 인물이다. 김필순 사망 후 〈풍류검객〉으로 배우가 된 김염은 〈야초한화〉를 비롯해 수십 편의 영화를 남겼다.

장춘

·

·

长春

## 괴뢰 만주국

침략전쟁은 하루아침에 이뤄지지 않는다. 그리고 그 배후에는 침략을 부추기는 또 다른 세력이 존재한다. 미국이 바로 그런 경우이다. 러시아군의 남진을 막기 위해 시어도어 루스벨트 대통령은 "일본은 지금까지의 행위로 봐서 한국을 차지할 자격이 있다"며 한반도를 제물로 삼았다. 을사늑약의 모태인 가쓰라·태프트 밀약(1905년)이 이뤄진 배경이기도 하다. 시어도어 루스벨트는 러일전쟁을 종식시킨 공로로 노벨평화상을 수상했다.

아이러니하게도 섬나라 일본은 두 번의 전쟁을 모두 승리로 이끌었다. 청일전쟁에서 중국의 남만주철도를 확보한 일제는 러일전쟁 직후 한반도의 지배권을 강화한다. 한반도에서 만주로 진출할 교두보를 마련한 셈이다.

1932년 3월 일제가 장춘에 '만수코쿠(만주국)' 수립을 공식화한 뒤였다. 중국 정부는 국제연맹에 이를 취소해달라는 제소를 신청했다. 조사를 마친 국제연맹은 만주국 승인 거부를 다음과 같이 보고했다.

"중국 만주에 대한 일본의 점령은 정당한 자기 방어로 보기 어렵다. 또한 새로 세워진 국가(만주국)는 만주인들의 자발적 의지가 아닌 일본의 보호령으로 세워졌음을 조사단을 통해 밝혀졌다."

일본도 반론을 제시했다.

"일본의 정책은 근본적으로 진정한 열망에 근거를 두었다. 동아시

관동군 사령부

아의 평화를 보장하고 전 세계의 평화를 유지하기 위한 열망이었다.”

하지만 일제는 자신들의 반론이 받아들여지지 않자 국제연맹을 탈퇴했다. 고종을 강제 폐위시키고 순종을 옹립할 때처럼 청나라 황제 푸이(溥仪)를 제위에 올렸다.

만주에서 장춘은 정중앙에 위치한 노른자위 땅이다. 바로 이곳에 만주국을 세운 일제는 지명을 장춘에서 신경(新京)으로 변경했다. 심양에 설립한 봉천군관학교를 신경으로 이전한 것도 그 무렵이었다. 일제는 만주에 분산된 병력을 장춘에 본부를 둔 관동군 사령부로 집중시켰다. 우리가 알고 있는 신경군관학교의 공식 명칭은 ‘만주국 육군군관학교’. 정일권, 백선엽, 신현준, 김백일 등이 만주국 육군군관학교 출신이다. 이들은 졸업과 동시에 관동군 부대에 배치되어 장교로 활동했다. 중국 정부가 확인한 바에 따르면 관동군 소속 간도특설

대에 의해 숨진 항일투사만 3125명, 그중 85퍼센트가 한국 독립군이
었다.

> 시대의 자랑 만주의 번영 위한
>
> 징병제의 선구자 조선의 건아들아
>
> 선구자의 사명을 안고
>
> 우리는 나섰네 나도 나섰다네
>
> 건군은 짧아도 전투에서 용맹 떨쳐
>
> 대화혼(大和魂)은 우리를 고무하네
>
> 천황의 뜻을 받든 특설부대
>
> 천황은 특설부대를 사랑하네
>
> ―〈간도특설대 군가〉

만주국 육군군관학교 입학 과정에서 박정희는 매우 독특한 면모를
보여준다. 1차 시험에서 탈락한 박정희는 2차 지원 서류에 '한 번 죽
음으로써 충성을 다하겠다'는 혈서와 함께 맹세의 글을 동봉한다.

"일본인으로서 수치스럽지 않을 만큼의 정신과 기백으로써 일사
봉공(一死奉公)의 굳건한 결심입니다. 확실히 하겠습니다. 목숨을 다
해 충성을 다할 각오입니다. 한 명의 만주국군으로서 만주국을 위해,
나아가 조국(일본)을 위해 어떠한 일신의 영달을 바라지 않겠습니다.
멸사봉공, 견마의 충성을 다할 결심입니다."

일사봉공, 기백, 굳건함, 결심, 목숨, 충성, 멸사봉공, 견마, 각오….

고작 다섯 문장에 이토록 강한 어조의 단어들을 나열한 이유는 무엇이었을까?

만주국 육군군관학교 2기생 동기였던 중국인 왕지엔중과 우쉬에원은 수석합격자 박정희를 특이한 인물로 기억했다.

"다카기 마사오(高木正雄)는 생활 습관이 완벽한 일본인이었다. 그래서 나는 처음에 그가 조선인이라는 생각을 못 했고, 일본인으로 알고 있었다. 다카기 마사오는 일체 농담을 하지 않았다."

"졸업 후 박정희는 관동군 부대 견습 군관이 되었다. 나와 다른 세 명은 그길로 대일항전(對日抗戰)에 참전했다. 박정희는 자신을 일본인이라고 했으며, 천황에 대한 충성을 버리는 것은 죽음으로도 씻을 수 없는 범죄라고 말했다. 나와 박정희는 결국 다른 길을 걷게 되었다."

박정희는 단순한 친일 인물이 아니다. 그의 동료와 자신이 쓴 맹세서에서 알 수 있듯이 일본인이 되길 갈망했었다.

길림성 장춘에는 만주국 국무원, 관동군 사령부, 헌병대 등 일제의 건축물이 여러 채 남아 있다. 그 첫 번째 건물이 기차역에서 가까운 만철(만주철도)도서관이다. 1934년에 지어진 만철도서관은 중국공산당 홍기(紅旗)가 나부꼈다. 만주국을 세우는 데 주동적인 역할을 한 관동군 사령부는 만철도서관에서 인민대가(人民大街) 남쪽 방면으로 더 걸어가야 한다.

병력 증강에 나선 일제는 만주국을 발판으로 관동군을 100만 명에 가까운 주력부대로 성장시켰다. 이후 일제는 중일전쟁(1937), 장고봉

만주국 철도도서관

전투(1938년) 등 뱃머리를 태평양으로 돌렸다. 태평양전쟁의 중심에 섰던 관동군 사령부는 현재 중국공산당 길림성위원회가 들어섰다. 안중근 일행이 하룻밤을 보낸 일본군 헌병대는 백여 미터 떨어진 곳에 있었다. 다음 날 아침 안중근 일행은 장춘역에서 여순행 기차로 갈아탔다.

조선총독부에 이어 만주국 국무원을 수립한 일제는 푸이를 자리에 앉혔다. 체제상으로는 푸이가 행정수반이지만, 주요 요직은 관동군으로부터 임명된 일본인이 차지했다. 한 가지 눈여겨볼 점은 중국이 일본을 바라보는 관점이다. 중국은 일본에 침략당한 식민지 유산을 그대로 남겨두었다. 사실에 충실하려는 교훈으로 보였다. 항일정신을 되새기되, 치욕의 역사도 함께 간직하려는.

길림대학교 의과대학으로 바뀐 만주국 국무원은 건물 입구에 설치한 표지석이 걸음을 멈추게 했다.

'장춘위만주국국무원구지(长春偽滿洲国国務院旧地).'

여기서 '僞(위)'는 리튼 조사단이 보고서에 남긴 거짓이나 가짜를 뜻한다. 중국 정부도 만주 앞에 '위'를 붙여 표기하는데, 일본을 향한 응징이 담겨 있다. 국무원 자리에 캐나다 국적의 노먼 베쑨(Norman Bethune) 동상이 세워진 것도 같은 의도로 비쳐졌다.


## 백구은

파란 눈을 가진 백인(白) 의사가 사람을 구(求)하고 중국인들에게 은혜(恩)를 베풀었다는 뜻의 백구은(白求恩)은 마오쩌둥이 전쟁터에서 지어준 이름이다. 중국어로는 바이추언, 우리는 캐나다 온타리오 주(州) 출신의 그를 노먼 베쑨이라 부른다.

노먼 베쑨을 한국에 처음 소개한 책『중국 혁명과 모택동 사상』(평민사)에 베쑨을 기리는 마오쩌둥의 추도사가 담겨 있다.

일반 민중들에 대한 바이추언의 헌신은 우리 모두에게 교훈입니다. 우리가 그의 죽음을 애도하는 방식 자체가 그의 인격이 우리들에게 얼마나 깊은 흔적을 남겨놓았는지를 잘 보여주고 있습니다. 우리 모두는 그의 무사(無私) 정신을 다투어 배우지 않으면 안 됩니다. 한 개인은 커다란 능력을 가질 수도 있고 또 아주 작은 능력을 가질 수도 있습니다. 그러나 무사 정신의 소유자라면 누구나 모두 민중의 이익을

위해 자신의 이익을 내던지는 중요한 인간, 완전한 인간, 덕 있는 인간
으로 발전할 수 있습니다.

19세기는 대약탈의 시대였다. 영국은 홍콩을, 프랑스는 인도차이
나를, 미국은 필리핀을, 러시아는 중국의 북만주를, 일본은 한국과 대
만을 병탄했다. 1915년 토론토대학교 의학부를 졸업한 노먼 베쑨은
주변의 따가운 눈총을 외면할 수 없었다. 모두가 색안경을 낀 채 자신
을 바라보았다.

"나는 모르겠네, 공산주의자가 어떤 사람들인지. 그러나 한 가지만
은 분명하다고 생각하네. 사람들은 공산주의라는 딱지를 너무 쉽게
붙인다는 것일세. 자기들 일에 찬성하지 않으면 공산주의자로 몰아
붙이기 일쑤니, 나 같은 사람이야 빨갱이 중에 빨갱이 취급을 받을 수
도 있겠지."

졸업 후 의사가 되면서 그의 고민도 깊어졌다. 베쑨의 눈에는 공산
주의보다 인류의 빈곤 문제가 훨씬 더 심각해보였다. 인간 세계를 경
제적으로 분류한다면 세 부류가 존재했다. 안락 그룹과 중간 그룹, 그
리고 나머지는 빈곤 그룹이었다. 상위 두 계층은 언제든 병원을 갈 수
있지만, 빈곤 그룹은 생존 면에서 하루하루를 줄타기하듯 버티고 있
었다. 병에 걸려도 병원을 찾는 경우는 극히 극소수였다.

1924년 겨울, 미국 디트로이트에 문을 연 병원은 대성공이었다. 자
유분방한 성격의 베쑨은 호화 저택을 구입해 안락 그룹의 삶을 마음
껏 누렸다. 하지만 그의 뇌리에는 의료 현실을 둘러싼 문제가 하루도

노먼 베쑨 동상

떠나질 않았다. 러시아를 방
문해 사회주의 의료 체계를
살피고 돌아온 베쑨은 캐나
다공산당에 입당했다. 지금
이야말로 각 나라들이 연대
해 세계 보건의료운동에 힘
쓸 때였다.

"나는 살인과 부패가 판을
치는 세상에서 그 모순을 묵
과하기를 거부하오. 나는 우
리가 소극적인 탓에, 또는 태만한 탓에 탐욕스러운 인간들이 전쟁을
일으켜 다른 사람들을 살육하는 것을 도저히 지켜볼 수가 없소."

스페인 내전을 체험한 노먼 베쑨은 먼 길을 떠났다. 그가 향한 곳은
스페인보다 더 열악한 조건에서 싸우는 중국 땅. 1938년 1월 중국 의
료봉사대에 자원한 베쑨은 옌안에 도착했다.

중일전쟁이 한창인 팔로군 기지는 일촉즉발의 전운이 감돌았다.
전쟁터는 피를 뿌리는 곳이자 피를 채워주는 곳! 팔로군 의료 책임자
로 임명된 베쑨은 일본군이 에워싼 산악 지대를 거침없이 뛰어다녔
다. 부상당한 병사들을 찾아 전선을 누빌 때면 힘찬 노랫소리가 들려
왔다.

백구은 선생, 우리의 교사

백구은 선생, 우리의 동료투사

백구은 선생, 우리의 의료고문

백구은 선생, 우리의 친구

백구은 선생, 우리의 모범

백구은 선생, 우리의 동지


노먼 베쑨이 중국 팔로군과 함께한 시간은 20개월. 짧은 기간 동안 베쑨은 20여 곳에 기지병원을 설치했다. 수술 도중 실수로 손가락을 벤 베쑨은 1939년 패혈증으로 눈을 감았다.

베쑨의 사망 소식이 캐나다에 알려지자 그의 동료 리처드 브라운은 의미심장한 말을 남겼다.

"노먼 베쑨은 자신이 공산주의자임을 자랑스레 말하였다. 그러나 나는 감히 이렇게 말하겠다. 그는 신의 성도였다고. 베쑨은 자신이 교수로 재직 중일 때 제자들에게 한 말을 실천에 옮긴 것이다. '아픈 사람들이 찾아오길 기다리지 말라. 그대들이 먼저 아픈 사람을 찾아가라. 그것만이 의사의 소명이다'."

베쑨의 장례식은 마오쩌둥, 주더 등 팔로군 군부들이 참석한 가운데 거행되었다. 마오쩌둥은 팔로군의 의료 계통 수준을 높여준 베쑨을 전문성과 열정을 갖춘 최고의 의사라며 애도를 표했다. 그런가 하면 중국 신해혁명의 지주였던 쑨원의 아내 쑹칭링(宋庆龄)은 49세에 사망한 베쑨을 중국 근대사의 위대한 인물로 평가했다.

"중국 근대사에 4명의 위대한 인물이 있다. 에드가 스노우(『중국의 붉은 별』을 펴낸 미국의 저널리스트), 마오쩌둥, 저우언라이, 그리고 2차 세계대전 당시 중국인 병사들의 목숨을 구하기 위해 자신을 희생한 캐나다 출신의 의사 노먼 베쑨 박사다."

## 푸이와 백석

기차에서 내린 한 남자가 화장실로 들어간다. 자신의 동맥을 끊고 자살을 기도한다. 초췌한 기색의 남자는 그러나 미수에 그치고 만다. 시베리아에 억류된 푸이가 중국인 전쟁범 800여 명과 함께 조국으로 돌아가는, 〈마지막 황제〉의 첫 장면이다.

세 살의 나이로 청나라 황제에 오르고, 신해혁명을 맞아 궁(베이징)에서 쫓겨나고, 일본인 조계지(톈진)에 몸을 숨기고, 만주국(장춘) 집정관이 되어 다시 황제에 등극하고, 해방 후 소련으로 끌려갔다 전범 재판을 받기 위해 본국으로 송환되는…. 만주국 국무원에서 위황궁(僞皇宮)으로 향하는 길은 마음이 착잡했다. 푸이의 삶에 연민이 느껴졌다. 궁 안에서만 황제일 뿐 밖에선 버려진 존재였던 것이다.

만주국 황제 즉위식이 열린 위황궁은 건물이 색달랐다. 중국 고유의 건축양식과 서양 건축양식의 조합이 조금도 어색하지 않았다. 전체적인 색상은 오히려 더 화려해 보였다. 푸이의 공무실로 꾸며진 바깥 정원을 지나 집회루로 들어섰다. 다섯 명의 황후를 거느리고도 왜 아이가 없었는지 그 이유를 알 것 같았다. 아편에 빠진 완룽(연길감옥

위황궁

에서 사망)은 일본인 군관과 눈이 맞아 사생아를 낳았고, 원슈는 황제와 살기 싫다며 이혼하고, 미모의 탄위링은 갑자기 의문사를 당하고, 네 번째 황후 리위친은 감옥에 갇힌 남편을 버려둔 채 저만 떠나버리고…. 1959년 특별사면으로 감옥에서 풀려난 푸이는 리수셴이 지켜보는 가운데 비운의 생을 마감했다.

일제의 만주국 수립은 장춘을 찾는 한국 문인들의 행렬로 이어졌다. 최남선은 일제의 지원을 받아 창간된 『만몽일보』 고문을, 염상섭은 『만선일보』 편집국장을, 안수길은 기자로, 유치환과 김달진 등은 기고자로 활동했다. 이중에서도 최남선은 독립선언문 사건으로 법정에 섰을 때 우리 모두를 부끄럽게 만들었다. 자신이 쓴 독립선언서마저 책임지지 않으려는 지식인의 나약함을 여지없이 보여준 것이다.

"민족자결은 이상에 불과하다. 독립선언서 33인 대표들과는 동지가 아니다. 나는 학자로 남을 결심으로 해외 망명 지사들과 연락도 아니했다."

과연 그랬을까? 『만몽일보』 고문까지 지냈다면 일제의 창간 목표를 누구보다 먼저 알고 있지 않았을까?

"『만선일보』(장춘의 『만몽일보』와 용정의 『간도일보』를 통합한 친일 신문)는 민족협화(民族協和) 정신을 고무하고, 재만 조선계의 국민적 자각을 강화하며, 조선계의 황민화 촉진에 적극적인 참획을 목표로 한다."

1940년 5월 9일 자 『만선일보』에 백석의 「슬픔과 진실 — 여수 박팔양 씨 시초 독후감」이 실렸다. 『만선일보』 사회부장을 맡고 있는 박팔양의 소개로 백석이 만주국 국무원 경제부에서 일할 때 발표한 글이다. 박팔양은 백석이 쓴 글 끝머리에 "필자 백석 군은 전 『조선일보』 기자로서 조선 시단의 최첨단에 서 있는 시인, 현재는 신경에 거주하며 경제부(국무원)에 근무 중"이라며 소개했다. 하지만 백석은 창씨개명 문제가 불거지면서 만주국 국무원을 떠나버렸다.


오늘은 정월 보름이다
대보름 명절인데
나는 멀리 고향을 나서 남의 나라 쓸쓸한 객고에 있는 신세로다
옛날 두보나 이백 같은 이 나라의 시인도
먼 타관에 나서 이날을 맞은 일이 있었을 것이다
오늘 고향의 내 집에 있는다면

새 옷을 입고 새 신도 신고 떡과 고기도 억병 먹고

일가친척들과 서로 모여 즐거이 웃음으로 지날 것이언만

나는 오늘 때 묻은 입든 옷에 마른 물고기 한 토막으로

혼자 외로이 앉어 이것저것 쓸쓸한 생각을 하는 것이다

— 백석, 「두보(杜甫)나 이백(李白)같이」 부분

장춘

길림

•

•

吉林

## 의열단 결성지

장춘에서 길림은 눈 깜짝할 사이다. 기차에 오르면 내리기 바쁘다.

송화강 언덕에 자리한 길림은 「대한독립선언서(무오독립선언서)」와 의열단이 결성된 곳이다.

슬프도다, 일본의 무뢰배여. 임진왜란 이래로 반도에 쌓은 악(惡)은 만세에 가리어 숨기지 못할지며, 갑오(1894년) 이후 대륙에서 지은 죄는 만국이 용납하지 못할지라. 전쟁을 좋아하는 저들의 악습은 자보(自保)니 자위(自衛)니 하는 구실을 만들더니 마침내 하늘에 반하고 인도(人道)에 거스르는 보호합병을 멋대로 하고 (…).
— 「대한독립선언서」 중

1919년 2월 조소앙(대한독립의군부 부주석, 임시정부 국무위원 역임)이 길림에서 작성한 「대한독립선언서」는 화룡 대종교 총본사에서 선포되었다. 3·1독립선언문이 민족자결주의와 비폭력 평화주의를 추구했다면, 이상룡·윤세복·김약연·안창호·이동휘·김좌진 등 39인이 서명한 「대한독립선언서」는 무력투쟁을 기조로 삼았다.

이른 아침인데도 광화로(光華路)는 많은 차량들로 붐볐다. 화성여관이 있던 광화로 57번지는 동방증권 건물이 들어섰다. 길 건너편 훈춘가(琿春街)에 안창호 등이 구속된 사법부 건물(길림감옥)도 보였다.

의열단 결성지

1919년 11월 9일. 중국인이 운영하는 화성여관에 신흥무관학교 출신 김원봉, 한봉인, 이종암, 강세우, 신철휴, 서상락, 이성우, 한봉근과 3·1운동에 참가한 윤세주, 권준, 곽경, 배동선, 김상윤 등 13명이 자리에 모였다. 예정된 순서에 따라 13명은 '천하의 정의의 사(事)를 맹렬히 실행한다'는 뜻에서 단체명을 '의열단(義烈團)'으로 정했다.

김원봉을 단장으로 선출한 의열단은 '공약 10조'와 '5파괴', '7가살(可殺)'을 독립투쟁의 강령으로 채택했다. 공약 10조는 의열단과 단원들의 서약을, 5파괴는 조선총독부·동양척식회사·매일신보사·각 경찰서·일제의 주요 기관을, 7가살은 조선총독 이하 고관·군부수뇌·대만총독·매국노와 친일파 거두·친일 밀정과 반민족적 지방 유지를 암살의 타깃으로 삼았다.

2016년 가을에 개봉한 영화 〈밀정〉에서 김우진(공유 분)이 조회령(신성록 분)을 향해 총을 겨누는 장면이 있었다.

"의열단의 이름으로 적의 밀정을 척살한다."

김우진은 '단의를 배반한 자는 처살(處殺)한다'는 의열단 공약 10조 10항을 이행 중이었다. 길림에서 의열단을 결성할 때 김원봉은 13명의 선혈이 담긴 술잔을 높이 치켜들었다.

"이 피를 나눠 마심으로써 우리는 생사를 같이하는 것이며, 나부터 의열단 규약을 목숨 바쳐 지키겠다."

단원 중 누구라도 등을 돌리는 자는 밀정으로 간주되는 맹서의 술잔이었다.

사람을 믿지 않되, 다만 사람이 마땅히 해야 할 일을 믿는 김원봉은 인간의 동물적 본능을 따르는 인물이었다. 반면 그는 이념 문제에 대해서는 관대한 편이었다. 민족주의든 공산주의든 테러리스트든 아나키스트든 크게 개의치 않았다. 저들(일제)이 지금 무엇을 들고 있느냐가 주된 관심사였다. 일제가 만약 총을 들고 있다면 우리도 반드시 총을 들어야 했다.

이처럼 의열단 결성은 부산경찰서(1920년), 밀양경찰서(1920년), 조선총독부(1921년), 상해 황포탄(1922년), 종로경찰서(1923년), 일본 왕궁이 있는 니주바시(二重橋)(1924년), 동양척식회사와 식산은행(1926년) 등 일제의 간담을 서늘케 한 폭탄 테러로 이어졌다. 연이은 테러에 일제는 김원봉을 잡으려고 거액의 현상금(8만 엔)을 내걸었다. 조선총독부와 종로경찰서 등 일제의 심장부를 겨냥한 김원봉은

의열단

그만큼 두려운 존재였다.

의열단에 대한 비판의 목소리도 들려왔다. 전반적으로 볼 때 의열단은 체계적이지 못하다는 게 그 이유였다. 변화의 필요성을 느낀 김원봉은 베이징에 머물고 있는 신채호를 찾아갔다. 그로부터 한 달 뒤, 의열단의 독립운동 이념과 활동 지침을 담은 「조선혁명선언」이 완성되었다. 김원봉을 비롯한 의열단 지도부는 중산대학교와 황포군관학교에 입학했다. 의열단이 나아갈 방향성을 바로 세우려면 지금이 곧 기회였다.

1932년 봄, 황포군관학교를 졸업한 김원봉은 의열단 본부를 난징으로 옮겼다. 같은 해 10월 조선혁명군사정치간부학교를 설립한 김원봉은 감옥에서 출소한 윤세주를 다시 만났다.

"열정과 용기만으로 분투한 우리의 지난 시간들은 과거가 되어야 하네. 혁명을 하려면 우리의 인생관이, 세계관이 바뀌어야 하네. 안 그랬다간 쟁의(爭議)에 빠질 수도 있네."

김원봉은 고향 후배 윤세주의 충언을 귀담아들었다. 국내에서 폭탄 테러를 준비하던 중 일제에 발각되어 7년간 옥살이를 하고 나온 윤세주는 매우 각별한 동지였다. 중학교 시절부터 둘은 일본어 수업이 있는 날은 학교에 가지 않았고, 천장절(일왕 생일)에 일장기를 나눠주면 화장실에 처박아버렸다. 나이는 김원봉이 두 살 위지만 서로 허물없이 지냈다.

조선혁명군사정치간부학교 입학생 중에 반가운 얼굴도 보였다. 의열단 결성을 위해 신흥무관학교를 떠나올 때 배웅해준 김산이었다.

"그때 형한테 말했었지요. 나중에 형을 찾아갈지도 모른다고…."

김산의 두 손을 부여잡은 김원봉은 뜨겁게 포옹해주었다. 잊지 않고 먼 길을 와준 고마움의 표시였다.

"여기 한 사람 더 있네."

옆에 있던 윤세주가 이원록을 소개했다.

"이원록은 기자 출신에 시인이네. 대구은행 사건, 광주학생운동 등 감옥을 여러 차례 다녀왔지. 대구형무소에 갇혔을 때 수번(囚番)이 264였는데 그걸 이름처럼 쓰고 있다네."

하지만 김원봉은 썩 내켜 하지 않았다. 입학생치고는 나이가 너무 많아 보였다. 교장은 서른둘인데 학생은 스물여덟 살이었다.

조선혁명군사정치간부학교는 오전 6시부터 오후 9시까지 수업이 진행되었다. 정치학, 사회학, 경제학, 철학, 조선역사, 비밀공작법, 폭탄제조법, 폭탄투척법, 기관총조법, 암살법, 변장법, 무기운반법, 삐라 살포법 등 전 과정을 6개월 안에 이수해야 했다.

늦은 나이에 수료식을 마친 이육사는 국내로 잠입해 노동자, 농민을 대상으로 혁명 의식을 고취시키라는 임무를 부여받았다. 난징을 떠나기 전날 이육사는 자신이 쓴 시를 선물로 남겼다. 알고 보니 김원봉도 발자크, 톨스토이, 투르게네프 등 문학에 조예가 깊었다.

내 골방의 커튼을 걷고
정성된 마음으로 황혼을 맞아들이노니
바다의 흰 갈매기들같이도
인간은 얼마나 외로운 것이냐.

황혼아 네 부드러운 손을 힘껏 내밀어라
내 뜨거운 입술을 맘대로 맞추어보련다.
그리고 네 품 안에 안긴 모든 것에
나의 입술을 보내게 해다오.

저 십이성좌의 반짝이는 별에게도
종소리 저문 삼림 속 그윽한 수녀들에게도
시멘트 장판 위 그 많은 수인(囚人)들에게도
의지가지없는 그들의 심장이 얼마나 떨고 있을까.

고비사막을 걸어가는 낙타 탄 행상대에게나
아프리카 녹음 속 활 쏘는 토인들에게라도
황혼아 네 부드러운 품 안에 안기는 동안이라도

지구의 반쪽만을 나의 타는 입술에 맡겨다오.

　　─ 이육사, 「황혼」 부분


1933년 5월 이육사는 상해로 향했다. 어느 장례식장에서 우연히 루쉰을 만난 이육사는 그때의 일을 무척 감격스럽게 회고했다.

"루쉰은 R씨로부터 내가 조선청년이라는 것과 늘 한번 대면의 기회를 가지려고 했다는 말을 듣고, 외국의 선배 앞이며 처소가 처소인 만치 다만 겸손과 공손할 뿐인 나의 손을 다시 한번 잡아줄 때는, 그는 매우 익숙하고 친절한 친구였다."

상해에서 단동으로 이동한 이육사는 압록강을 건너 서울로 잠입했다. 이듬해 봄, 조선혁명군사정치간부학교 출신임이 드러난 이육사는 또다시 구속되었다. 신문사를 퇴직한 뒤 만주로 종적을 감춘 이육사는 일제의 요시찰인물이었다. 난징에서 쓴 「황혼」은 2년 뒤 『신조선』에 발표되었다.

"그해(1943년) 늦가을 서울에 올라와 보니 뜻밖에도 육사가 귀국해 있었다. 곧 친구들을 모아 시회를 열기로 했다. 그런데 육사가 나타나질 않았다."

신석초(시인)가 남긴 글에서처럼 이육사는 어머니 제사에 참석하러 가는 길이었다. 일본 헌병대에 체포된 이육사는 1944년 베이징 주재 일본영사관 감옥에서 사망했다.

의열단 단장, 조선혁명군사정치간부학교 교장, 민족혁명당 총서기, 조선의용군 대장, 상해임시정부 군무부장…. 호탈한 성격의 김원봉은 항일 무장투쟁의 최전선에 있었다. 목표가 정해지면 그는 동물적으로 행동했다. 의열단 출신의 정율성은 조선혁명군사정치간부학교 교가를 작곡했고, 한국을 처음 방문했을 때 김학철은 경상남도 밀양에 묻힌 박차정(김원봉의 아내)의 묘지를 참배했다. 조선의용대에서 함께 활동한 김학철은 박차정을 누님처럼 따랐다. 박차정은 곤륜산 전투에서, 김원봉의 영원한 동지 윤세주는 태항산 근거지를 공격하다 일본군의 습격으로 전사했다.

비운의 혁명가 김산은 의외의 글을 남겼다.

의열단원들은 마치 특별한 신도처럼 생활하였고, 수영과 테니스 그 밖의 다른 운동을 함으로써 항상 최상의 컨디션을 유지하도록 하였다. 매일같이 저격 연습도 하였다. 단원들의 생활은 명랑함과 심각함이 기묘하게 혼합된 것이었다. 언제나 죽음을 눈앞에 두고 있었으므로 생명이 지속되는 한 마음껏 생활하였던 것이다. 그들은 놀라울 정도로 멋진 친구들이었다. 언제나 멋진 스포츠형의 양복을 입었고, 머리를 잘 손질하였으며, 어떤 경우에도 결벽할 정도로 아주 깨끗이 차려입었다. 그들은 또 이번이 죽기 전 마지막이라는 마음으로 사진 찍기를 즐겼으며 연애사건도 터졌다. 한국의 소녀들은 의열단원들을 동경했으며, 블라디보스토크에서 찾아오는 아가씨들도 있었다. 이 아가씨들과의 연애는 짧으면서도 격렬한 것이었다.

중국으로 망명한 지 27년 만이었다. 김원봉의 귀향은 환영 인파로 북적였다. 밀양 제일국민학교에서 열린 환영식에 3만 명이 운집했다. 기록 영화 〈조선의용대〉가 밀양과 부산에서 상영되었다.

해방을 맞아 귀국한 한반도의 정세는 바람 앞의 등불처럼 위태로워 보였다. 좌익과 우익의 이념 갈등이 갈수록 심화되었다. 일본 고등계 형사에서 수도경찰국 수사국장으로 옷을 갈아입은 노덕술에게 체포된 김원봉은 적개심이 끓어올랐다. 해방을 맞아 돌아온 서울은 친일파들이 날뛰었다. 신변의 위협을 느낀 김원봉은 "여기서는 왜놈들 등쌀에 언제 죽을지 모른다"며 월북을 결행했다.

"자유는 우리의 힘과 피로 쟁취하는 것이지, 결코 남의 힘으로 얻어지는 것이 아니다."


## 걸레목자
## 손정도

1927년 4월, 안창호의 시국강연이 열리는 대동공장은 인산인해를 이루었다. 길림에서 활동하는 손정도와 남자현, 육문중학교에 재학 중인 김일성도 참석했다. 김일성은 훗날 자신의 회고록(『세기와 더불어』)에 손정도 목사와의 인연을 자세히 기록해두었다.

손정도 목사는 내가 길림에서 혁명 활동을 한 전 기간 동안 나를 친혈육 못지않게 적극적으로 후원해준 사람이었다. 그는 국내에 있을

　　　　　　　　　　　　　　　　　　　　　　　　길림

때 우리 아버지(김형직, 1926년 사망)와 두터운 친분 관계를 맺고 있었다. 아버지는 생전에 손 목사에 대한 이야기를 많이 해주었다. 내가 길림의 육문중학교에서 공부할 수 있었던 것은 손정도와 같은 아버지 친구들의 도움을 많이 받았기 때문이다. 손 목사가 마련한 대동문 밖의 예배당은 우리의 전용 집회 장소나 다름없었다. 나는 손 목사를 친 아버지처럼 따르고 존경하였다. 내가 감옥에서 고초를 겪고 있을 때, 나를 석방시키기 위한 청원운동을 이끌고 나간 주동 인물도 바로 손 목사였다

평안남도 강서군에서 출생한 손정도는 크리스천 김형직과 숭실중학교 동기였다. 그때의 인연으로 손정도는 김일성을 친자식처럼 보살폈다. 중학생 신분이었던 김일성은 타도제국주의동맹과 조선공산당 산하 만주총국에서 활동하다 투옥된 적 있는데, 감옥에 갇힌 김일성을 빼내준 사람이 손정도였다.

안창호의 시국강연이 끝나고 며칠 지나서였다. 일제의 사주를 받은 중국 경찰은 '조선 독립운동의 과거와 현재, 미래'라는 강연 주제를 문제삼아 안창호, 김동삼 등 40여

안창호와 손정도

명을 체포했다. 신민회 시절부터 안창호와 호형호제하며 지낸 손정도는 베이징행 기차에 올랐다. 자신이 초빙한 강연에 이 같은 일이 벌어져 큰 죄를 짓는 기분이었다. 베이징에서 만난 장쉐량 측과의 교섭은 순조롭게 진행되었다.

손정도가 자리를 비운 사이 옥바라지를 도맡아 한 사람은 남자현이었다. 손정도와 함께 길림에서 농촌계몽운동을 펼쳐온 남자현은 석방 탄원서를 받느라 분주히 뛰어다녔다. 길림감옥에 수감된 안창호 등은 20여 일 만에 곧 풀려났다.

1912년 하얼빈에서 개척교회 목사로 시무할 때였다. 일본 총리 가쓰라 다로(桂太郎) 암살 모의 사건의 주모자로 체포된 손정도는 일본 영사관 지하 감방에 수감되었다. 모진 고문 끝에 풀려난 손정도는 고종의 아들 이강(의친왕)을 파리강화회의에 참석시키려 했으나 뜻을 이루지 못했다. 단동역에서 붙잡힌 이강은 서울로 다시 송환되고 말았다. 3·1운동을 계획하던 중 손정도도 상해로 자리를 옮겼다.

대한민국임시정부 수립을 앞두고 의정원 의장에 선출된 손정도는 한동안 상해에 머물렀다. 의용단 발기를 비롯해 흥사단, 대한교육회 조직 등 해야 할 일들이 산더미였다. 손정도가 가장 염려했던 점은 독립운동 조직의 분열이었다. 단단한 벽에 균열이 생기면 무너지는 건 한순간이었다.


이 세상아, 네가 얼마나 어두운가? 무슨 까닭에 무엇을 얻고자 서로 다투느냐. 집이 집을 다투며, 지방이 지방을 다투며, 나라가 나라를 다

송화강 설류화

투며 민족의 분간(分揀), 황색 흑색 백색의 분간과 동편 서편의 분간
으로 야단스럽게 서로 눈을 부릅뜨고 서로 칼을 겨루며 대포를 겨루
는가. 우리는 이와 같이 악하고 어두운 세계를 부스러트리고 평화의
세계, 사랑의 세계를 짓고자 한다.

    — 1916년 손정도, 『신학세계』 창간호 「조선의 변천을 논함」 중


    1924년 상해에서 길림으로 돌아온 손정도는 다시 교회를 세웠다.
애국계몽운동의 일환으로 교회 안에 유치원과 공민학교를 설립한 손
정도는 후학 양성에 힘을 쏟았다.

    "비단은 없어도 살 수 있지만 걸레는 하루도 없으면 살 수가 없습

대동공장이 있던 자리

니다. 나는 기꺼이 우리 민족을 위한 걸레의 삶을 살 터이니, 여러분들은 힘 있는 조국을 만드는 데 온 힘을 기울여주시오."

걸레목자 손정도는 가쓰라 암살 모의 사건으로 체포되었을 때 받은 고문 후유증에 시달리다 1932년 길림에서 사망했다.

안창호의 시국강연이 열렸던 대동공장은 맥도날드 건물이 들어섰고, 손정도 목사의 길림교회 자리는 십자가를 떼어낸 자국이 희미하게 남아 있었다.

숙소에 맡겨둔 가방을 찾을 겸 송화강으로 향했다. 겨울에만 피는 설류화(雪流花)가 보고 싶었다. 길림의 겨울 평균기온은 영하 20도, 송화강 물의 온도는 영상 5도. 설류화는 20도를 오르내리는 기온차에서 발생한다. 강변의 가로수와 어우러져 피어나는 설류화는 안개 숲에 갇힌 듯 착시현상을 일으켰다.

유하

·

·

柳河

## 신흥강습소

저녁 8시에 길림을 떠난 기차는 이튿날 새벽 유하역에 정차했다. 편의상 만주를 동서남북으로 세분화하면 그 중심은 백두산이다. 동만주는 두만강 유역(연변자치주)을, 남만주는 압록강 유역 인근 지역을, 서만주는 백두산과 심양 사이의 산간 지역을, 그리고 북만주는 송화강 일대를 일컫는다. 유하는 서만주(서간도)에 위치해 있다.

숙소 인근 죽집에서 간단하게 아침 식사를 마친 후 산책에 나섰다. 불과 몇 년 사이에 유하는 몰라보게 변해 있었다. 도심 방면으로 6차선 도로가 놓여 기분까지 상쾌했다. 삼원포행 버스는 기차역 건너편 정류장에서 30분 간격으로 운행 중이었다.

1909년 봄 서울에서 신민회 전국 간부회의가 열렸다. 그날 모임에서 신민회는 해외 독립기지 건설과 군관학교 설립을 주요 안건으로 채택했다.

이동녕, 장유순 등과 함께 서간도 답사를 마치고 돌아온 이회영은 형제들을 불러 모았다. 길림성 유하에 독립기지와 군관학교를 세우려면 당장 자금이 필요했다. 이회영의 설명에 둘째 형 이석영이 입을 열었다.

"나라마저 빼앗긴 지경에 우리 6형제가 왜적 치하에서 노예가 되어 목숨을 구걸한다면 어찌 금수와 다르지 않겠는가. 우당(이회영의 아호) 아우님은 속히 일을 진행하시오."

막내 이호영도 거들고 나섰다.

"우리 형제 모두가 일치단결했으니 조상님들께서도 오늘의 우리를 흐뭇하게 여기실 것입니다."

이회영 일가가 전 재산을 처분해 마련한 돈은 40여만 원. 일제가 1만8000원을 들여 건축한 옛 서울역 역사를 감안하면 적잖은 돈이다. 이회영의 아내 이은숙은 『서간도 시종기(西間島 始終記)』(일조각)에서 대가족이 국경을 넘는 과정을 생생하게 묘사했다.

우리는 서울서 오전 8시에 떠나서 오후 9시 신의주에 도착, 주막처럼 생긴 집에 몇 시간 머물다가 압록강을 건넜다. 국경이라 경찰의 경비가 철통같이 엄숙하지만 새벽 3시쯤은 안심할 때다. 중국 노동자가 얼어붙은 강에서 사람을 태워 가는 썰매를 탔다. 단동에는 약 두 시간 만에 도착했다. (…) 조국을 일별한 지 보름쯤 되는데, 무정한 광음은 묵은해를 보내고 새해(1911년)가 되었다. 6형제 식구와 출가한 여식의 가족들까지 모두 마차 10여 대를 얻어 일시에 떠났다.

압록강 접경 지역인 요녕성 단동에서 길림성 유하현 삼원포진 추가가마을까지는 450km. 이회영 일가의 망명은 고난의 행군이었다. 세간을 실은 삼두마차 열두 대에 뒤따르는 인원만 60명이 넘었다. 해가 저물면 매서운 추위가 엄습했고, 한낮에는 광풍을 동반한 눈보라가 휘몰아쳤다. 서울을 떠난 이회영 일가가 추가가마을에 도착했을 때는 벌써 40여 일이 지난 뒤였다.

대고산

삼원포역 버스 정류장에서 내려 자가용 택시를 대절했다. 위험 지역을 여행할 때는 사람들 눈에 잘 띄는 택시보다 자가용 택시가 안전하기 때문이다. 유하 일대에 공군기지가 들어서면서 외국인 출입이 그만큼 어려워지고 있었다. 이방인의 동선을 알아챈 듯 중국인 기사도 유연하게 차를 몰았다.

대고산 자락에 자리 잡은 추가가마을은 천혜의 요새였다. 봉긋하게 솟아오른 산정(山頂)에 오르자 사방 전경이 한눈에 들어왔다. 압록강을 건넌 이회영 일가가 고구려의 도읍지 집안을 지나 추가가마을로 들어서는 40일간의 여정이 어렴풋이 그려졌다.

추가가마을에 한바탕 소동이 벌어진 건 한인들의 이주가 정점에 이를 때였다. 한인 가구수가 200호로 불어나자 원주민들 사이에서 볼멘소리가 터져 나왔다.

추가가마을 전경

"꺼우리(고려인)는 당장 마을을 떠나라."

"왕꼬누(亡國奴)는 상갓집 개만도 못하다."

더욱이 추가가마을은 대대로 추(鄒) 씨들이 모여 사는 집성촌이었다.

입장이 난처해진 이회영은 신해혁명 이후 총통에 오른 위안스카이(袁世凱)를 찾아갔다. 임오군란(1882년)이 일어났을 때 위안스카이는 조선에 꽤 오래 머물렀는데, 이회영 부친과도 교분이 두터웠다.

"유하현과 통화현 등을 조선 망명자들의 거주지로 허락할 것이며, 일정한 자주권을 주어 조선인의 독립투쟁을 지지할 것이다. 만약 조선인의 독립투쟁과 교육활동을 가로막는 자가 있다면 여하를 막론하고 엄벌에 처할 것이다."

위안스카이의 도움으로 이주 문제를 해결한 이회영은 경학사와 신

경학사 터

흥강습소를 출범시켰다. 경학사는 한인공동체와 교육에 중점을 두었으며, 신흥강습소는 독립군 양성을 목표로 삼았다.

"아아! 슬프다, 한민족이여. 땅이 없으면 무엇을 먹고살 것이며, 나라가 없으면 어디에 살겠는가? 내 몸이 죽으면 어느 산에 묻힐 것이며, 우리 아이가 자라면 어느 집에서 살게 하겠는가? 우리 집단을 지키는 것은 곧 우리 민족을 지키는 것이오, 우리 경학사를 사랑하는 것은 곧 우리 국가를 사랑하는 것이라. 오라! 오라! 기러기 떼 지어 날고 서풍은 날을 재촉하는 듯하지만, 그러나 금계(金鷄)가 한번 울어대면 곧 동천이 밝아올 것이다."

300여 명이 모인 가운데 경학사 출범식을 마친 신민회는 석주 이상룡을 대표로 추대했다. 내무부장에 선출된 이회영은 신민회가 정한 5개 항을 곰곰이 되새겼다. 자치기관의 성격을 띤 경학사(耕學社)

유하

를 조직할 것, 우리만의 전통적인 질서와 풍기를 확립할 것, 집단농장을 건설해 생계 방법을 세울 것, 학교를 설립해 신념이 강한 인재양성에 힘쓸 것, 기성 군인과 군관을 재훈련해 기간 장교로 삼고 애국 청년을 수용해 국가의 인재를 양성할 것 등이었다.

옥수수를 보관하는 창고에서 첫발을 뗀 경학사와 신흥강습소 자리는 벽돌공장으로 사용 중이었다.


## 신흥무관학교

1912년 5월 신흥강습소는 합니하(哈尼河)로 옮겨갔다. 교실과 훈련장을 갖춘 낙성식이 거행되자 신흥강습소 운동장은 만세 함성으로 물결쳤다. 모두의 염원인 독립운동 기지가 서간도에 세워진 것이다. 님 웨일즈가 쓴 『아리랑』(동녘)에서 김산은 당시 상황을 자세히 들려주었다.

마침내 목적지에 도착하였다. ─ 합니하에 있는 대한독립군 군관학교. 우리는 이 학교를 '신흥학교'라 불렀다. 학교는 산속에 18개의 교실로 나뉘어 있었다. 입학 자격은 18세부터 30세까지였다. 학과는 새벽 4시에 시작하며 취침은 저녁 9시에 했다. 우리는 군대 전술을 공부했고 직접 총기를 가지고 훈련받았다. 그렇지만 가장 엄격하게 요구됐던 것은 산을 빨리 올라갈 수 있는 능력이었다 ─ 게릴라전술. 다른 학생들은 강철 같은 근육을 가지고 있었고, 등산에는 오래전부터 단련돼 있었다. 우리는 등에 돌을 지고 걷는 훈련을 했다. 그래서 아무것도 지지 않았을 때에는 아주 경쾌하게 달릴 수 있었다.

신흥강습소 소식이 알려지면서 합니하는 청년들로 넘쳐났다. 지청천, 김창환, 신팔균, 이관직 등 대한제국 무관학교 장교들이 교관으로 부임한 터라 애국 청년들에게는 동경의 대상이었다. 교육과정을 재정비한 신흥강습소는 중등 본과를 3년제로 개편하고 군사과를 부설했다. 학생들의 학비와 기숙사는 무료로 제공되었다.

그런데 하루는 예기치 못한 손님이 찾아왔다. 삼십 대 중반의 스님이었다. 신흥강습소를 방문할 때는 본인의 신분을 확인시킬 소개장이 있어야 함에도 스님은 빈손이었다. 잠시 망설이던 이회영은 속으로 웃어 넘겼다. 소개장 없이 찾아온 스님을 무작정 내치는 것도 인색해 보였다.

한 달 가까이 머문 스님이 서울로 돌아가는 날이었다.

"우당 선생님, 부탁이 있습니다. 돌아갈 여비 좀 마련해주실 수 있겠습니까?"

"그리하시죠, 스님."

아침 식사를 마친 스님이 합니하를 떠난 뒤였다. 이회영은 급히 통화로 달려갔다. 굴라제 고개에서 저격을 당한 스님이 병원에 입원 중이었다.

"송구스럽습니다, 스님. 우리 학교 학생들이 스님을 첩자로 오인했나 봅니다."

"아닙니다, 우당 선생님. 저는 이번 여행에서 몸과 마음이 아주 든든해졌답니다. 만주 땅에 군관학교를 세운 것도 놀라운 일이지만, 학생들의 빈틈없는 무장정신을 보았잖습니까. 저는 이것만으로도 충분합니다."

이회영은 소식을 듣고 달려온 김필순에게 진찰을 부탁했다. 신흥강습소를 합니하로 이전한 뒤부터 서간도 일대를 염탐 중인 밀정들이 갈수록 많아졌다.

"어떠신가?"

"총상이 깊지 않아 다행입니다. 수일 내로 거동이 가능할 것 같습니다."

이회영

조선총독부가 독립운동을 탄압할 목적으로 기획한 105인 사건이 터진 뒤였다. 서간도에 좋지 않은 소식이 들려왔다. 일제가 이회영·이시영·이동녕·장유순 등을 암살할 목적으로 형사대를 파견했다는 제보였다. 블라디보스토크로 잠시 몸을 피하자는 의견에 이회영은 고개를 내저었다. 섣불리 행동했다간 일제가 파놓은 함정에 빠져들 수 있었다. 그리고 무엇보다 신흥강습소를 지키는 일이 중요했다.

6형제의 재산을 정리한 자금도 서서히

바닥을 드러내고 있었다. 신흥강습소 운영을 이시영에게 맡긴 이회영은 압록강을 건넜다. 그로부터 며칠 뒤 이회영은 서울에서 지내는 아내에게 뜻밖의 이야기를 들려주었다.

"합니하에 오셨던 스님을 기억하시오? 오늘 그분을 서울에서 다시 만났지 뭐요. 참으로 놀라운 사실은 그분이 그냥 스님이 아니었다는 것이오. 그때 만약 총상이 깊어 생명에 지장이 생겼다면 33인 중에서 한 분이 부족하지 않았겠소? 우리에게 여비를 부탁한 그분이 바로 만해 스님이시오."

이회영이 서울에 들어왔다는 소식을 듣고 한달음에 달려온 한용운은 반가운 마음을 숨기지 못했다. 신흥강습소를 방문했을 때 이회영을 어느 정도 알고는 있었다. 이상설과 절친한 이회영은 과거급제자였다.

"석파난(石派蘭)을 그린다고 들었습니다. 얼마 되지 않지만 제 성의로 받아주셨으면 합니다. 우당 선생님께 갚아야 할 빚도 있고요."

서울에 머물고 있는 이회영은 본인이 직접 그린 석파난을 팔아 독립운동 자금을 모으는 중이었다.

"저도 스님께 청이 하나 있습니다."

"정말이십니까? 우당 선생님의 청이라면 지옥불이라도 다녀오겠습니다."

"우리 독립투사들의 마지막 길을 스님께서 좀 맡아주셨으면 합니다."

일찍이 연해주와 만주를 둘러본 한용운은 우당 이회영의 부탁을 기쁘게 받아들였다. 독립운동가들이 사망하면 후환이 두려운 나머지 시신을 버려두는 일이 종종 발생하는데, 서대문형무소에서 옥사한 김동삼을 안장한 사람도 한용운이었다.

심우장(尋牛莊)에서 거행된 장례식에 아버지를 따라온 조지훈도 자리를 함께했다. 열여덟 살의 청년은 훗날 김동삼 영전에 추모시를 남겼다.

아, 철창의 피눈물 몇 세월이던가

그 단심 영원히 강산에 피네

심상한 들사람들도 옷깃 여미고 우러르리라

온 겨레 스승이셨다. 일송 선생 그 이름아

3·1운동 여파로 학생 수가 급증하자 이회영은 신흥강습소를 고산 자마을로 이전했다. 1919년 5월 교명도 신흥무관학교로 바꾸었다. 2년제 고등군사반을 신설해 고급장교 양성에 심혈을 기울였다. 다만 아쉬운 점은 고산자마을 어디에도 양조장 건물에서 개교식을 가졌다는, 신흥무관학교의 지난 흔적을 찾을 길이 없다는 것이다. 들녘 마루에 심어진 한 그루 나무가 아쉬운 듯 손을 흔들어주었다.

신흥무관학교 1주년을 즈음해 짱쭤린과 손을 잡은 일제는 독립군 토벌에 총력을 기울였다. 유하에 근거지를 둔 서로군정서를 타격한 일제는 나머지 독립군 부대를 연변 지역으로 몰아갔다. 그렇지만 일제의 '토끼몰이식' 토벌 작전은 도리어 역공을 초래하는 결과를 낳았

고산자, 신흥무관학교 터

다. 신흥무관학교에서 배출한 2000여 명의 독립군에게 봉오동과 청산리에서 참패를 당한 것이다. 1911년 4월 신흥강습소로 문을 연 신흥무관학교도 청산리전투를 앞두고 폐교되었다.

독립운동의 발상지인 삼원포(三源浦)에서 늦은 점심을 먹은 후 역전 주변을 잠시 거닐었다. 김산의 삼원포 이야기가 궁금했다.

졸업 후 나는 목사를 — 또한 그의 예쁜 딸을 — 만나보러 삼원포로 돌아갔다. 나는 그곳에서 정구도 치고 수영도 하고, 그물로 고기도 잡으면서 한 달 가까이 보냈다. 그러는 사이에 그 딸이 점점 더 좋아졌다. 목사의 가족들과 작별할 때 내 눈에는 눈물이 고였다. 이 일가 전부를 너무 사랑하였기 때문이다. 목사님은 대단히 친절하고 너그러운 분이셨다. 인간 본성에 대한 내 믿음을 유지하기 위해 진정한 선량함

유하

을 생각할 필요가 있을 때면 이 목사님을 생각하곤 한다. 그러나 나는
두 번 다시 안동희 목사나 그의 딸을 보지 못했다.

베이징 유학 생활을 중단하고 신흥강습소를 찾아가는 길이었다.
날이 저물자 김산은 삼원포에 잠시 머물렀다. 중국인이 3000여 명, 조
선인이 약 1000명쯤 살고 있는 삼원포는 매우 평화로운 고장이었다.
길에서 우연히 마주친 안동희 목사를 통해 느낄 수 있었다. 김산을 집
으로 데려간 안동희는 열여섯 살 소년이 신흥강습소에 들어가려고
700리를 걸어온 용기에 감복해 딸이 쓰던 방을 내주었다. 한 번도 이
성에 대해 생각해본 적이 없는 김산은 안동희의 딸만 보면 가슴이 두
근거렸다. 이제까지 보아온 여성 중에서 가장 아름다웠다.

신흥강습소를 최연소자로 졸업한 김산은 삼원포에서 반년을 머문
뒤 상해로 떠났다. 안동희 일가의 학살 소식을 전해 들은 건 『독립신
문』 식자공으로 일할 때였다. 가방을 꾸린 김산은 의열단이 있는 난
징으로 향했다. 안동희의 가족과 예쁜 딸
안미삼을 위해서라도 독립운동을 멈출 수
가 없었다.

안동희의 뒤를 이어 삼원포에 교회를 개
척한 사람은 한경희였다. 동명학교와 삼성
여자학교를 설립하는 등 한순간도 궂은일
을 마다하지 않았다. 한경희의 집은 삼원
포를 오가는 망명객들에게 간판 없는 여인

비운의 혁명가 김산

안구령

숙이 되었고, 하룻저녁에 밥을 몇 번씩 짓는 일이 예사였다. '종교는 자기 생명으로 자각한 바를 버릴 수 없다'는 그의 신앙적 신념이 고난 받는 동족들을 기쁘게 만들었다. 국내에서 3·1운동이 일어났을 때도 한경희는 삼원포 동포들과 거리로 뛰쳐나가 만세운동을 펼쳤다. 신의주형무소에서 옥고를 치른 한경희 목사는 "만주에서 순교는 나의 원(願)이다"라는 유언을 남긴 채 순교했다.

해가 지려면 시간이 조금 남아 있었다. 삼원포에서 유하로 나갈 때는 안구령을 넘었다. 삼원포 삼광학교에서 교장을 지낸 김동만은 김동삼의 친동생으로, 안구령은 그에게 한이 서린 고개다. 형을 대신해 가족을 돌보던 김동만도 1920년 11월 일본군 군마(軍馬)에 묶여 끌려다니다 안구령에서 참살당했다.

하얀 눈꽃으로 덮인 안구령 고갯길은 오늘따라 처연해 보였다. 밖으로만 도는 형의 깊은 뜻을 헤아려 가족들을 지켜온 동생의 헌신이 눈물겨웠다. 김동삼의 얼굴조차 모르고 자란 딸은 서대문형무소에서 아버지를 처음이자 마지막으로 보았던 것이다.

# 집안

·

·

集安

## 송화강에서
## 압록강으로

통화에서 갈아탄 버스는 환인(桓仁)을 지나고 있었다. 해발 800m에 자리한 오녀산성(伍女山城)이 한 폭 그림처럼 다가왔다. 『삼국유사』에서 주몽은 송화강 유역에 부여를 세운 해모수의 아들로 등장한다.

"주몽은 하백의 딸 유화와 천제의 아들 해모수의 아들로서, 동부여 금와왕의 궁궐에서 나고 자랐다. 그러나 주몽은 금와왕의 아들들과 서로 관계가 좋지 못해 졸본에 고구려를 세웠다."

유네스코 세계문화유산으로 등재된 오녀산성(졸본)은 주몽이 건국한 고구려 첫 번째 도읍지다. 환인 시내에서 동북쪽으로 약 8km 지점에 압록강 지류인 혼강(渾江, 옛 비류수)이 흐른다.

오녀산성 표지석

고구려의 도읍을 집안으로 옮겨 400년 역사의 화려한 꽃을 피워낸 인물은 유리왕. 박지원은 『열하일기』에 집안의 국내성(國內城)을 생생한 필체로 담아냈다.

홀로 높은 언덕에 올라 사면을 바라보니 산은 곱고 물은 맑으며,

국내성 성곽

정경이 툭 트이고 나무는 하늘에 닿을 듯한데, 그 속에 은은히 큰 마을
이 자리 잡고 있어 개와 닭소리가 들리는 듯하며, 토지가 비옥하여 개
간하기에 알맞을 것 같다. 예성강 서쪽과 압록강 동쪽은 이와 비교할
만한 곳도 없으니, 이곳이 큰 진(鎭)이나 부(府)를 설치하기에 꼭 알
맞겠건만, 너나없이 모두 이를 버려두어 아직까지 빈 땅으로 있다. 어
떤 이는 이르기를 "고구려 시대에 이곳에 도읍(都邑)한 일이 있었다"
하는데, 이것이 이른바 국내성(國內城)이다.

만주 여행은 백두산에서 발원하는 세 강(두만강·송화강·압록강)을
따라 이동하는 6000km의 긴 여정이랄까? 북한의 만포시와 국경을
접한 집안은 압록강이 먼저 반겼다. '압록강을 오가는 배들이 모여드
는 포구'라는 뜻의 만포(滿浦)는 한국전쟁이 한창인 1950년 10월, 중
국군 선발대가 북한으로 들어갔던 곳이다. 한국전쟁 당시 중국인민

압록강

지원군은 단동, 하구(河口), 집안 등 세 곳을 통해 북한으로 이동했다.

압록강(790km)이 처음 등장한 곳은 당나라 정사를 기록한 『신당서(新唐書)』다. 압록강 물빛이 오리 머리색과 같다고 해서 압록수(鴨綠水)로 불렸다. 『고구려전(高句麗傳)』에도 "물빛이 오리의 머리색과 같아 압록수라 불린다"고 기록되어 있다. 중국에서는 鸭绿(얄루), 영어로는 'Yalu'로 표기한다.

"두만강과 압록강 한가운데 떠 있는 섬(두만강 246개, 압록강 205개)을 모두 줄 터이니 옛 고구려 땅인 집안만 우리에게 넘겨주시오."

1962년 중국과 백두산을 분할할 때, 김일성이 저우언라이에게 농담처럼 던진 말이다. 하지만 중국 정부는 백두산 절반을 건네받는 조건으로 집안의 벌목도(伐木島)를 내주었을 뿐이다.


## 장군총에서
## 환도산성까지


압록강 중류에 자리한 집안은 무너진 성터와 무덤들에 둘러싸여 있다. 강을 거슬러 오르면 고구려의 옛 터전이 굽어보인다.

5세기 말에 축조된 장군총은 고구려를 대표하는 고분이다. 특히 장군총은 외부 구조가 장대하다. 돌을 하나하나 아귀를 맞추어 층을 이룬 정교함에 감탄이 절로 나온다. 중국인들이 왜 7층으로 쌓아 올린 장군총을 '동방의 피라미드'라고 격찬하는지 그 이유를 알 수 있기 때문이다. 12.4m 높이의 무덤에 올라서면 통구평야가 시원하게 펼쳐지고, 그 너머로 압록강이 흐른다. 광개토왕 묘지는 장군총에서 1km 거리에 있다.

"고구려 제19대 왕호태비의 왕릉이다. 호태왕(374~412) 이름은 담덕이고, 능묘의 계단은 돌무지로 쌓인 묘실이며, 고분의 높이는 14m다."

광개토왕릉은 봉분을 덮은 자갈돌들이 허물어져 어지럽게 나뒹굴었다. 재위 기간 중 64개의 성과 1400여 개의 촌락을 정복한 광개토왕의 업적이 초라해 보였다.

"고구려는 중국의 지방정권이었으며 독립된 국가가 아니었다. 고

장군총

구려가 수·당과 전쟁을 벌인 것은 국제전이 아니라 중앙정부와 지방 정권 사이의 내전이었다. 고구려가 멸망한 후에 고구려 유민들은 중국 국민으로 편입되었다."

예상한 바대로 중국의 동북공정이 밑밥으로 깔아놓은 묘수였다. 과수원 자리를 유적지공원으로 조성한 중국 정부는 오녀산성에 이어 장군총마저 유네스코 세계문화유산에 등재해버린 것이다.

장수왕이 아버지의 업적을 기리기 위해 건립한 광개토왕비 앞에 섰을 때다. 높이가 무려 6.39m에 이르는 광개토왕비는 고구려의 건국과 역사, 정복 전쟁이 오롯이 새겨져 있었다.

"(주몽의) 기업을 이어받으신 뒤, ▢ 17세손에 이르러 광개토대왕이 열여덟 살(391년)에 왕위에 올라 칭호를 영락대왕(永樂大王)이라 하셨다. 태왕의 은택은 하늘에 두루 미쳤으며, 위무(威武)는 온 세상에 떨쳤다. (태왕이) ▢▢를 쓸어 없애니 백성이 그 생업을 평안히 하

광개토왕 묘

였다. 나라가 부강하고 백성이 윤택하며 오곡이 풍성하게 익었다. (그러나) 하늘이 어여삐 여기지 않아 서른아홉 살(412년)에 세상을 버리고 떠나셨다. 갑인년(414년) 9월 29일 을유(乙酉)에 산릉(山陵)으로 옮기셨다. 이에 비를 세우고 훈적을 새겨 후세에 알리고자 한다.”

1775자로 구성된 비문 곳곳이 마모되어 있었다. 그럼에도 불구하고 집안에 건립된 광개토왕비는 고구려 유적의 상징이자, 보물 중에 보물이었다.

광개토왕비에서 내려와 국내성으로 향했다. 압록강 본류로 이어지는 국내성은 성곽 대부분이 심하게 훼손된 상태였다. 농경지로 변한 ‘옛 성터’에는 바람만 나부꼈다.


잡초에 쌓인 성터 새들만 우는데/ 그 옛님은 어데 가고 자취만 남았나/ 초야에 묻힌 전설 풀 길이 없고/ 지는 해 돋는 달에 세월만 갔네

환도산성

무너진 옛 성터에 바람만 부는데/ 지난 세월 그 사연을 말 좀 해다
오/ 풀벌레 우는 소리 목이 메어도/ 산마루 해 지듯이 세월만 갔네
　— 나현옥이 노래한 〈옛 성터〉 가사


　항아리 모양의 환도산성에는 음마지(飮馬池, 고구려 병사들이 말에게
물을 먹였던 곳)와 점장대(點將臺, 군사지휘소)가 남아 있었다. 그곳을
지나 전망대에 올랐다. 세계 최대의 고분군(현재 남아 있는 무덤은 1582
기)이 압록강 지류인 통구하(通溝河)를 따라 기다랗게 펼쳐졌다.

　고구려의 400년 도읍이 막을 내린 건 서기 342년. 환도산성을 함락
한 연나라 모용황은 미천왕의 시신을 탈취한 후, 왕모와 함께 5만여
명의 고구려 양민을 포로로 잡아갔다. 이에 고국원왕은 환도산성을
버리고 평양 동황성으로 도읍을 옮겼다.

　길림성에서 지대가 가장 높은 집안은 만주와 별개의 도시처럼 느

집안

껴진다. 평지를 지나면 가파른 고갯길로 이어진다. 강원도 지형을 쏙 빼닮은 집안에서 대도시로 나가려면 큰맘 먹어야 한다.

터미널에 들러 단동으로 떠나는 버스표를 예매한 뒤 학교를 방문했다. 빨간 마후라를 목에 두른 채 수업받는 학생들이 보고 싶었다.

"언제 왔슴까?"

"유하에서 첫차를 타느라 연락을 못 했네요."

"차 한잔 드릴까?"

"차는 나중에 마시고, 어느 교실로 들어가면 좋을까요?"

"교과 들으시게? 기라믄 4학년 교실로 들어가 보시라요."

커피포트에 물을 끓이던 정 선생이 시간 없다며 등을 떠밀었다.

"1년 지계(地界)는 봄에 있습니다. 속씨식물의 일생을 보면 첫 번째로 종자 싹트기가 있는데, 감자의 눈이 있는 부위를 토막 내어 심으면 감자가 눈을 뜨면서…."

영상으로 진행되는 실과 수업은 두 귀가 쫑긋거렸다. '감자에 싹이 나서 잎이 나서 싹싹싹…', 흥겹게 노래를 부르다 긴장감을 연출하는 묵찌빠 게임이 그리웠다.

일제강점기 만주 지역은 한인 학교 설립이 들불처럼 번졌다. 서전서숙을 비롯해 2400여 개의 학교가 세워졌다. 만주를 여행 중에 항일독립투사들이 설립한 학교를 방문하는 일도 여간 즐겁지 않다. 예나 지금이나 우리말로 수업을 하고 있기 때문이다.

단동

•

•

丹东

# 이륭양행과
## 조지 쇼

집안에서 단동으로 가는 길은 높고 험준했다. 큰 산을 넘었나 싶으면 더 높은 산이 앞을 가로막았다. 해발이 높아질수록 눈길은 빙판으로 변했다. 안도의 한숨을 내쉰 건 길림성 남쪽 경계를 벗어난 뒤였다. 여섯 시간 만에 도착한 단동은 하늘이 무척 평안해 보였다.

1922년 반일 무력시위의 가장 중요한 주모자 가운데 한 명은 오성륜(의열단 소속)이었다. 그는 독일인 마르틴(조정래의 소설『아리랑』에서는 독일인 마르틴으로, 영화 〈밀정〉에서는 헝가리인 마르자로 알려진 인물 — 인용자)과 둘이서 압록강 철교를 폭파시키는 중요한 임무의 세부 계획을 짰다. 상해에서 만든 폭탄은 의류품 화물상자에 넣어 안동(단동)에 있는 영국 회사 앞으로 보냈다. 안동 회사의 지배인은 아일랜드 국적의 테러리스트였는데, 우리 한국인들은 그를 '샤오(sao)'라고 불렀다. 그는 일본인을 거의 영국인만큼이나 싫어했다. 그래서 그는 커다란 위험을 무릅쓰고 한국 독립운동을 열렬히 지원해주었다. 한국인 테러리스트들은 몇 년 동안 그의 배를 타고 돌아다녔으며, 위험할 때에는 안동에 있는 그의 집에 숨었다.

김산이 이야기하는 '안동 회사'는 이륭양행(怡隆洋行)이라는 선박

이륭양행

회사다. 단동시에서 건강교육소로 사용 중인 건물은 밖에서 보는 것과 사뭇 다른 모습이었다. 'ㄷ'자형 청나라풍 구조로 설계한 2층 건물은 실내 공간이 꽤 넓었다. 건물 1층에 탁구대도 보였다.

1880년 중국 푸젠성 푸저우에서 출생한 조지 쇼(George Shaw)는 무역업을 하는 아버지를 보면서 선박 사업에 뛰어들었다. 아일랜드를 떠나 푸저우에 정착한 아버지야말로 중국에서 잔뼈가 굵은 베테랑이었다. 스물일곱 살의 나이로 단동에 이륭양행을 설립한 조지 쇼는 2층 사무실을 한국 독립투사들에게 제공했다. 특히 그는 의열단의 활동을 적극적으로 도왔다. 조선총독부, 동양척식회사, 경성일보 등 의열단이 일으킨 폭탄 테러 대부분이 조지 쇼의 손을 거쳐 갔다. 상해에서 제조된 폭탄과 탄약 등이 이륭양행을 통해 국내로 반입되었다.

3·1운동 직후 신의주에서 압록강을 건넌 김구도 조지 쇼의 선박을

이용해 상해로 망명했다.

"단동에 도착한 나는 이륭양행(상해임시정부는 이륭양행 2층 사무실을 교통국 ― 비밀통신기관 ― 으로 사용했다)의 배를 타고 상해로 출발했다. 황해를 지나갈 때 일본 경비선이 나팔을 불고 따라오며 배를 세울 것을 요구하나, 영국인 선장은 들은 체도 아니하고 전속력으로 경비구역을 지나서 4일 후 무사히 상해 포동 선창에 내렸다. 그날 같이 탄동지는 모두 15명이었다."

동병상련이랄까, 한국과 아일랜드는 서로 닮은 점이 많다. 1923년 노벨문학상을 수상한 윌리엄 버틀러 예이츠(William Butler Yeats)의 말을 들어보자.

"그 어떤 민족도 이보다 더 큰 박해를 받지 않았으며, 그 박해는 오늘날까지도 완전히 멈추지 않았다. 증오가 나의 삶을 더럽힌 순간들이 있었으며, 나는 그것을 적절하게 표현하지 못한 나약함을 스스로 비난하곤 한다. 그리고 내가 사랑하는 모든 것이 (모국어가 아닌) 영어를 통해 왔다는 사실을 기억한다. 이처럼 나의 증오는 사랑으로, 나의 사랑은 증오로 나를 고문한다."

조지 쇼가 한국의 독립운동을 지지한 데는 예이츠와 같은 심정이었다. 한반도에 3·1운동이 일어난 1919년은 아일랜드에게도 매우 중요한 시기였다. 1144년부터 영국의 지배를 받아온 아일랜드 민족주의자들이 독립전쟁을 선포한 것이다.

"자유는 가격이 없다. 노예로 사느니 자유인으로 죽음을 택하겠다."

그렇지만 아일랜드도 우리처럼 완전한 독립을 이뤄내지 못했다.

진위를 둘러싼 내부의 갈등이 심화되면서 북아일랜드는 여전히 영국의 일부로 남아 있다.

1920년 7월 일본에서 돌아오는 아내(조지 쇼의 가계는 삼대가 모두 일본인 여성과 결혼했다)를 마중하러 신의주로 가는 길이었다. 일본 경찰은 여권을 소지하지 않았다는 이유로 조지 쇼를 체포했다. 일제가 작성한 구속 사유는 내란방조죄였다.

"한국의 독립운동을 전개하려는 임시정부의 방침을 잘 알면서도 이룡양행 내에 임시 교통사무국을 설치하도록 허락하고, 기선을 제공해 직간접적으로 한국의 독립운동을 지원함으로써 내란 행위를 방조하였다."

조지 쇼의 구속은 큰 파장을 불러왔다. 『런던타임스』 등 서방 언론들이 조지 쇼의 사건을 보도하자 일제도 슬그머니 꼬리를 내렸다. 조지 쇼의 구속으로 국제사회에 반일 감정이 촉발한 것이다. 신의주형무소에서 출소한 조지 쇼는 상해를 방문했다. 대한민국 임시정부가 마련한 환영식 집회에서 쇼는 비장한 심경을 내비쳤다.

"나는 일본제국의 체포와 구속에 결코 위축되지 않을 것이다. 앞으로도 정의를 위해 여러분들의 독립운동을 적극 지원할 것이며, 한국의 독립을 위해 희생하는 이 시간들이 자랑스럽고 기쁠 따름이다."

한편, 조지 쇼를 제거하려는 일제의 모의는 물밑에서 진행되었다. 정부로부터 자금을 지원받은 일본 경찰은 조지 쇼의 처남을 단동으로 끌어들였다. 한국의 독립투사들과 연결된 고리를 끊으려면 이룡양행보다 규모가 큰 선박 회사가 필요했다. 조지 쇼의 처남을 이용해 대안기선공사를 설립한 일제는 선박 요금을 인하하는 방법으로 압박해 들어갔다. 이륭양행을 매각한 조지 쇼는 푸저우로 돌아가 1943년 세상을 떠났다.

1963년 한국 정부는 광복운동사에 공훈을 세운 조지 쇼에게 건국훈장 독립장을 추서했다.


## 그리고
## 압록강은 흐른다

압록강 하구에 자리한 단동은 중국에서 제일 큰 국경도시다. 일제 강점기에는 항일투사들의 망명 루트로 활용되었다. 압록강을 건넌 이회영 일가는 서간도로 망명했고, 임시정부 요원들은 단동에서 배를 타고 상해로 들어갔다.

서울에서 시작된 3·1만세운동이 한반도 전역으로 번져가자 전협과 최익환(일진회 출신인 두 사람은 3·1운동을 계기로 독립운동가로 변신했다) 등은 대동단(大同團)을 결성했다. 이들의 임무는 고종의 아들 중에서 배일사상이 강한 이강을 상해로 망명시켜 임시정부 지도자로 추대하는 것이었다. 같은 시각, 일행을 기다리고 있던 조지 쇼는 아쉬움을 감추지 못했다. 단동역에서 내린 이강이 일본 경찰에 그만 발각되고 만 것이다. 이강을 배에 태워 상해로 가려던 계획이 실패로 돌아가자 조지 쇼는 먼 하늘만 쳐다보았다.

항미원조기념관

    단동역 광장에는 마오쩌둥 동상이 베이징을 향하고 있다. 중화인민공화국 건국자, 중국공산당 창립자, 중국 정부의 초석이 된 1만 2500km의 대장정…. 마오쩌둥을 추앙하는 수식어는 끝이 없다. 14억 중국인들은 하루에도 수십 수백 번씩 마오쩌둥의 얼굴을 보며 울고 웃는다. 중국 화폐 속 인물이 마오쩌둥인 것이다.

    국경도시 단동에 세워진 마오쩌둥 동상은 북한과의 우호를 상징한다. 단동은 '홍색동방지성(紅色東方之城)'을 줄임말로, 혈맹으로 붉게 물든 동쪽의 도시라는 뜻이 담겨 있다. 중국 정부가 단동에 건립한 '항미원조기념관(抗美援朝纪念馆)'이 이를 뒷받침한다. 6·25전쟁을 중국의 시각에서 해석한 전시관에는 북한에서 기증한 휘장들이 눈에 띄었다. 미군이 만주 지역을 위협할 것을 우려한 중국 정부는 인민지원군 180만 명을 북한에 파견했다.

압록강 단교

1950년 11월, 미국 극동군 'B-29' 폭격기에 의해 끊긴 압록강 단교는 한국전쟁의 참상을 알몸으로 드러냈다. 폭격에 녹아내린 철강재들이 기형적으로 굳어져 소름이 돋았다.

"내 나이 열두 살 때였소. 압록강을 건너 단동으로 쫓겨 온 거지들의 하루가 참으로 분주했었소. 시체 더미를 파헤쳐 먹을 것과 입을 것을 해결했단 말이지. 그것도 1년 넘게 말이오. 제정신으로 살아남은 게 꿈만 같았소."

단동에 사는 박봉규(조선족) 씨는 요즘도 압록강 단교만 보면 속이 뒤틀린다고 했다. 단동으로 모여든 전쟁고아만 6만여 명. 북한 신의주와 국경을 맞댄 단동은 한국전쟁이 다 끝나도록 시체 썩는 냄새가 진동했다.

압록강의 두 번째 비극은 자연재해에서 비롯되었다. 1959년부터

1961년 사이에 발생한 중국의 대기근 때문에 북한으로 재이주하려는 조선족의 행렬이 끊이지 않았다. 대기근으로 굶어 죽은 사람만 3000만 명이 넘었다.

"결혼한 지 얼마 안 된 내 누이도 그때 국경수비대 총에 맞아 압록강에서 죽었는데, 차마 눈 뜨고는 볼 수가 없었소. 자고 나면 압록강이 빨갛게 피로 물들었지 뭐요."

압록강 단교는 서늘한 기운이 감돌았다. 신의주 쪽으로 덩그마니 4개의 교각만 남아 있었다. 한쪽 다리가 잘려 나간 철교 난간에 기대어 신의주 땅을 멍하니 바라보았다. 경성발 만주행 기차에서 미상의 노래가 들려왔다.

1925년 3월 1일은 이내 몸이 압록강을 건넌 날이라

해마다 이 날은 돌아오려니 내 목적을 이루기 전 못 잊으리라

삼천리강산은 우리 임 부모형제 친구들 다 이별하고

한 줄기 피눈물로 압록강 건너 한숨으로 부모국(父母國)을 하직하였네

1911년 일본이 건설한 철교를 벗어나 위화도 쪽으로 걸어가는데, 압록강에서 투망을 하는 사내가 보였다. 추위도 잊은 채 고기를 잡는 사내가 부러웠다. 우리의 강은 어디에 있단 말인가? 『역사를 위한 변명』(한길사)을 쓴 마르크 블로크(Marc Bloch)의 말마따나 분단은 현실이고 역사는 냉혹했다.

위화도

"역사란 시간 속의 인간들에 대한 학문이며, 먼 옛날의 사실을 가지고 최근의 사실을 설명하려는 태도는 마취 상태에 지나지 않는다."

조금 더 걸어가자 압록강 한가운데 위화도가 떠 있다.

1388년 4월, 이성계와 최영은 요동 정벌을 놓고 설전을 벌였다.

"작은 나라가 큰 나라를 거스르는 것은 옳지 않소."

"그렇지 않소. 명나라는 요즘 북원(중국 명나라 초기에 몽골 지방으로 물러났던 원나라 왕조의 잔존 세력) 때문에 요동까지 신경 쓸 여유가 없소."

"설령 그렇더라도 여름에 군사를 출동시키는 것은 무리요."

"요동의 방비가 오히려 허술할 수도 있지 않겠소."

"장마철에는 활에 먹인 아교가 풀리고 군사들 또한 전염병에 걸리기 쉽소."

단동

"명나라 군사들은 장마철에 싸우는 걸 좋아하지 않으므로 지금이 바로 기회가 될 것이오."

최영의 회유에 이성계가 제시한 '4불가론'은 묵살되었다.

우왕의 하명에 이성계는 평양을 떠나 위화도(威化島, 평안북도 신의주시 상단리와 하단리에 딸려 있는 섬)에 진을 쳤다. 그러나 상황이 여의치 못했다. 큰비로 압록강이 범람해 요동 정벌은 무리였다. 위화도에서 군사를 돌려 개경으로 진격한 이성계는 우왕을 자리에서 내쫓고, 최영마저 유배시켜버렸다.

압록강 상류를 따라 두어 시간 걸었을까. 일보로(一步路) 국경이 길을 막아섰다. 한 걸음만 더 내디디면 북한 땅이었다.

심양

·

·

沈阳

# 서탑거리

단동에서 심양은 700리 길. 높고 낮은 산맥을 한 시간쯤 지나면 일망무애(一望無涯)다. 봄이 더딘 삼사월은 뿌연 흙먼지 바람만 불어대고, 칠팔월은 옥수수밭으로 가득 차고, 소설이 지날 즈음에야 눈 덮인 평야가 끝없이 펼쳐진다. 100리 밖에서 새벽을 알리는 닭의 울음소리를 들었다는 곳도 이 구간이다. 고국을 떠나 압록강을 건넌 실향민들에게 700리는 희망의 땅이었다.

2700년의 역사를 간직한 심양은 만주에서 가장 큰 도시이자, 대륙의 고도(古都)다. 한나라, 고구려, 당나라, 발해, 원나라, 청나라, 러시아, 일본 등 숱한 이민족들이 심양을 근거지로 자웅을 겨루었다. 중국을 통일한 청나라(만주족)는 심양을 도읍으로 정한 뒤 대륙을 200년간 지배했다.

만주의 지명을 처음 들은 건 초등학교 4학년 때였다. 광복절 특집극에서 봉천(심양) 개장수로 출연한 박노식의 연기는 가히 일품이었다. 독립투사들에게 뒷돈을 찔러주는 차진 입담에 그만 매료되고 말았다.

"아따매! 우리 고향 성님을 만주에서 만나부렀소잉. 성님 저랑 쩌짝으로 잠깐 가실라요."

능청맞기 이를 데 없는 박노식은 그렇게, 고향 성님을 골목 안으로 끌고 들어가 독립자금을 건네주었다.

서탑

　　1949년 중화인민공화국을 수립한 중국공산당은 일제가 개칭한 봉
천을 심양으로 되돌려놓았다. 700만 인구를 가진 심양은 현재 6개의
간선철도망과 국내외 60여 개 항공노선을 보유하고 있다.

　　아무에게나 말을 걸어보고 싶었다는 서탑거리는 예전 그대로였다.
보도 위 간판들은 한글로 넘쳐나고, 북한 식당에서 평양 사투리도 들
려왔다. 골목 안 재래시장은 더욱 다채로운 재미를 선사했다. 고사리,
도라지, 김치, 된장, 청국장, 젓갈, 고추절임, 무절임…. "맛있는 멸치
칼슘의 왕 1근 10元"이라고 쓴 서툰 글씨체는 구수한 정감이 묻어났
다. 좌판에 암수 나란히 꿩 두 마리가 누워 있어 가격을 물으니 한 쌍
에 15위안이라고 한다. 손수레에 투명 비닐로 바람막이 집을 지어 장
사하는 과일점도 퍽이나 인상적이다. 털모자에 하얀 마스크, 군용 방

서탑시장

한복을 걸친 단체 복장이 파견 나온 여군들을 보는 것 같았다.

심양의 한인촌으로 자리를 잡은 서탑거리는 두 가지 설이 있다. 1897년 유인석이 이끄는 의병대가 서간도에서 해체된 후 심양으로 옮겨 왔다는 최초의 설과, 남편을 잃은 독립군 부인들이 군자금 마련을 위해 서탑에 국밥집을 차렸다는 설이다. 국밥집에 힘이 실리는 이유는 고종의 부름을 받은 유인석이 곧 귀국길에 올랐다는 점이다.

시장 구경을 마치고 서탑(西塔)을 보러 가는 길이었다. 페인트 통에 장작불을 피우고 일하는 구두 수선공을 지나칠 수 없었다. 십 대때 서울에서 잠깐 '슈샤인 보이'로 일한 적 있었다.

"날이 추운데 일감은 좀 있나요?"

"보시다시피 겨울에는 많지 않아요."

수선공 앞에 대여섯 켤레의 구두가 놓여 있었다.

"한 켤레 닦으면 얼마를 받나요?"

"요즘은 말장화(롱부츠) 덕을 보는 편이죠. 발목구두는 5위안, 말장화는 8위안을 받거든요."

"여성들이 많겠네요."

"그렇다고 봐야지요. 열에 일고여덟은 말장화를 신으니까요."

만주의 겨울은 롱부츠에서 완성된다는 신조어가 생길 정도로 여성들에게 인기가 높다. 무릎까지 덮는 부츠를 갖춰야 비로소 패션이 완성되기 때문이다.

'저무는 석양이 아름답다'는 심양(沈陽)에 일몰이 다가오고 있었다. 청나라를 건국한 누르하치는 심양에 방위를 알리는 4개의 라마탑을 설치했는데, 그중 하나가 서탑거리 입구 연수사((延寿寺)에 세워졌다.


## 물망(勿忘) 9·18


청나라 왕조를 무너뜨린 신해혁명 이후 만주를 지배한 인물은 장쭤린과 장쉐린 두 부자였다. 1925년 6월 일제는 만주 군벌 장쭤린과 심양에서 미쓰야협정(三矢協定)을 체결했다. 8개 항으로 이뤄진 협정문에 "무기를 휴대한 한국인을 검거하여 일본 경찰에 인도한다. 만주의 항일단체를 해산하고 무기와 탄약을 몰수한다. 일제가 지명한 항일단체 지도자를 체포하여 인도한다. 중·일 양국의 경찰은 서로 필

봉천경찰서

요한 경우 상호 통보한다"는 내용이 담겼다.

마오쩌둥 동상이 서 있는 중산광장으로 향했다. 심양공안국으로 바뀐 봉천경찰서는 대한통의부 소속 독립군들이 구속된 곳이다. 1924년 7월 26일 자『독립신문』은 "삼장사(三壯士)의 용감(勇敢)"이라는 제목으로 심양에서 벌어진 친일파 암살 소식을 전했다.

"김광추·김병현·박희광 삼장사가 백주에 용감히 봉천 신시가정정(新市街錠町), 즉 왜경찰(봉천경찰서) 인근에 숨어 사는 전 보민회 최정규의 가족을 토벌했다."

민족문제연구소에서 편찬한『친일인명사전』에 최정규는 직업적 친일 인물로 분류되었다. 독립운동 단체에서 경고장까지 보낼 정도로 그의 친일 행적은 매우 악랄하고 집요했다.

"우리가 지향하는 독립에 만국이 찬성한다는 것을 잘 알고 있을 것이다. 너도 역시 한민족에게서 태어났기 때문이다. 그런데도 너는 왜 놈의 세력만 믿고 무고한 양민을 수없이 살해하거나 마구 때려 불구자가 된 동포들이 적지 않다."

최정규는 아랑곳하지 않았다. 심양 주재 일본영사관의 지원을 받아 보민회를 조직한 최정규는 한인 동포와 독립군을 탄압하는 총지휘를 맡았다. 심지어 그는 자신이 체포한 독립군을 풀어주는 조건으로 그의 형수를 강간하는 등 인륜마저 저버렸다.

1924년 6월 1일 친일파 숙청 작업을 담당한 삼장사는 여순경찰서 고등계 첩자인 정갑주와 그의 가족을, 6월 7일에는 최정규 가족을 제거했다. 암살의 최종 목표였던 최정규는 몸을 피한 뒤였다.

"모든 책임은 우리 세 사람에게 있소. 오직 조국을 위한 일념으로 행동했을 뿐 당신들이 원하는 배후는 없소."

일제의 혹독한 고문에도 남은 동지들을 지켜낸 박희광(1901년 경상북도 선산에서 출생한 박희광은 아버지를 따라 심양으로 이주한 뒤 의열단에 자진 입단했다)은 여순감옥에서 18년 만에 출소했다.

1931년 9월 18일. 심양에서 북쪽으로 7km 떨어진 류탸오후(柳條湖)에서 선로 폭발이 발생했다. 훈춘사건 때처럼 선로 폭발을 중국군 소행으로 발표한 일제는 만주사변을 일으켰다. 불과 다섯 달 만에 만주를 장악한 일제는 러시아로 통하는 모든 국경을 봉쇄해버렸다. 제2차 세계대전의 서막을 알리는 신호탄이었다. 만주사변은 또 중국인들에게도 적잖은 파장을 일으켰다. 전국적으로 반일운동이 전개되었으며, 내전 중인 공산당과 국민당 간의 국공합작이 이뤄졌다.

1931년 만주사변이 일어난 장소

만주사변이 발생한 장소에 건립한 9·18기념관은 '물망(勿忘)'이 도드라져 보였다. 심양에서 물망초의 꽃말을 보게 될 줄이야…! 국치일을 강조하려는 메시지로 받아들여졌다. 한국의 국치일은 1910년 8월 29일, 중국의 국치일은 1931년 9월 18일이다. 9·18기념관은 옛 지명(유조구)과 현재 지명(대동구 망화남가 46호)을 함께 표기해 보는 이를 기쁘게 했다. 유적지에서 접하는 세심한 배려는(그것이 비록 작은 것일지라도) 흐뭇한 미소로 번져오기 때문이다.

일본군이 학살한 유골 중 일부만 전시한 만주사변 현장은 모골이 송연했다. 그중에서도 특히 군용 차량에 올라탄 일본군 다섯 명이 시신을 나뭇가지에 매달아 놓고 웃는 흑백사진에 분노가 치밀었다. 간도 양민학살 때도 이와 같은 일이 무수히 벌어졌다.

전시관 벽에 걸린 저우언라이의 중국어 문건을 천천히 읽어내렸다.「중국·조선 관계 대화」라는 문건에서 저우언라이는 새로운 해석을 내놓았다.

9·18 포성 이후 상황이 변했다. 조선은 일본의 식민지가 되었을 뿐만 아니라 중국 동북(만주) 역시 일본의 식민지가 되었다. 표면적으로는 비록 동북에 괴뢰정부가 있기는 하지만 그것은 단지 형식적일 뿐이고, 실제로는 조선과 동북은 모두 아무런 차이도 없는 일본의 식민지가 되었다. 이 시기에 동북에서 시작된 항일무장투쟁은 조선 항일군이 중국혁명 투쟁에 참가했다고 말할 수 없다. 오히려 중국과 조선두 나라 인민의 공동 투쟁이며 연합 투쟁으로 이것은 새로운 단계를의미하였다.

## 심양 고궁

"명나라가 원병을 보내지 않으면 조선군 모두 왜군이 되어 명나라를 공격할 것이다."

임진왜란이 일어났을 때의 일이다. 외교에 능한 대제학(大提學) 출신 이덕형의 호소는 명나라를 움직였다. 여진족 추장 누르하치도 기회를 놓치지 않았다. 명나라가 조선에 군사를 파견하자 누르하치는만주 일대를 정벌한 후 후금(1616년)을 세웠다. 후금의 수도를 심양으로 정한 누르하치는 1636년 오늘의 심양 고궁을 완공했다.

심양고궁

성(城) 둘레가 십 리인데 벽돌로 여덟 문루(門樓)를 쌓았다. 누는 모두 3층이며 큰 성 밖에 작은 성을 쌓아서 보호했다. 좌우에는 또한 동·서 대문이 있는데, 네거리를 통하도록 돈대(墩臺)를 쌓고 그 위에 3층으로 문루를 세웠다. 문루 밑에는 십자로가 트여 수레바퀴는 서로 부딪히고 어깨가 서로 닿을 정도다. 그 번화함이 바다 같다.

박지원의 『열하일기』를 떠올리며 고궁 안으로 들어서자, 홍타이지(皇太極) 집무실인 숭정전(崇政殿)이 머리를 드러냈다. 청나라 2대 황제로 등극한 홍타이지는 누르하치의 여덟 번째 아들로, 몽골과 조선을 속국으로 삼았던 인물이다. 조선에서는 재정과 식량을, 몽골에서는 인력과 말을 공급받아 팔기군제(八旗軍制)를 완성했다. 숭정전 뒤편 대정전(大政殿)에 팔기군을 상징하는 팔각정이 자리를 지켰다.

좌우로 5개씩 총 10개의 정자가 들어선 대정전은 입체감이 돋보였다. 명령만 떨어지면 군사들이 말을 타고 전쟁터로 뛰쳐나갈 기세였다. 팔기군제로 정예부대를 확립한 홍타이지는 북만주를 정복한 후 국호를 후금에서 청나라로 개명했다. 명나라의 운명을 바꿔놓은 청나라는 심양 고궁을 별궁으로 남겨둔 채 수도를 베이징으로 옮겼다.

2006년 겨울 베이징을 여행할 때 본 자금성은 규모 면에서 압도당하는 느낌이었다. 현존하는 세계 최대 규모의 궁전다웠다. 그에 비하면 심양 고궁은 아기자기한 멋이 느껴졌다. 황금색 기와와 녹색으로 칠한 지붕선이 파란 하늘과 어우러져 이색적인 풍경을 연출했다.

동원, 중원, 서원으로 이어지는 고궁을 빠져나와 가을 단풍처럼 붉게 물든 청나라풍 거리를 거닐었다. 이 거리는 연암 박지원이 청나라

청나라 거리

조선 사신관

상인들과 필담을 나누었던 곳이기도 하다. 3층 누각으로 지은 상점에 들어가 진흙으로 빚은 오카리나를 두 개 샀다. 맑고 고운 음색을 내는 오카리나는 휴대가 편해 꼭 한번 불어보고 싶은 악기였다. 연암이 머물렀던 사신관은 성문 밖 조양가에 있었다. 인질로 끌려온 소현세자도 조선 사신관에서 지내다 성문 안으로 옮겨 갔다.

1636년 홍타이지 즉위식이 심양 고궁에서 열렸다. 각국의 사절단이 극진한 예를 표하는 자리에서 유독 두 사신만 머리를 조아리지 않았다. 오랑캐에게 사대의 예를 갖추어선 안 된다는 인조의 훈령 때문이었다. 그로부터 8개월 뒤, 홍타이지는 10만 대군을 이끌고 조선 정벌에 나섰다. 단 엿새 만에 한양이 함락되자 인조는 남한산성으로 몸을 피했다. 오랑캐들과 싸울 것인가, 여기서 항복할 것인가? 인조는 청나라 군대가 진을 치고 있는 삼전도에서 결국 무릎을 꿇었다. 연암 박지원이 본 청나라와 인조가 알고 있는 청나라는 전혀 달랐다. 인조에게 명나라는 조선이 어버이처럼 섬겨야 하는 나라, 누르하치가 세운 청나라는 오랑캐일 뿐이었다.

청나라가 인조에게 제시한 항복 문서에는 꽤 많은 조항이 들어 있었다. 조선은 청국에 대하여 신하의 예를 행한다, 조선은 명나라의 연호를 폐지하고 명나라로부터 받은 고명(誥命, 관직을 임명하거나 해임하는 것을 통고해주는 내용의 문서)과 책인(冊印)을 헌납한다, 조선은 왕의 장자와 제2자 그리고 대신의 자녀를 인질로 보낸다, 조선은 황금 100냥과 은 1000냥을 비롯한 물품 20여 종을 세폐(歲幣, 해마다 바쳐야 하는 공물)로 바친다.

청나라의 요구를 받아들인 인조는 소현과 봉림, 척화파 190여 명을 인질로 딸려 보냈다. 이들과 함께 포로로 끌려간 일반 백성 수십만 명은 심양 남탑(南塔)시장에서 청나라 노예로 팔려갔다. 중립적 외교를 펼쳐온 광해군을 몰아내고 권좌에 오른 결과였다.

1637년 4월 심양에 도착한 소현세자는 고국을 떠나올 때 들려준 아버지의 말을 되새겼다.

"네가 잘 알아서 힘쓰도록 하라. 지나치게 화내지 말고 가볍게 보이지도 마라."

스스로 인질을 자청한 소현세자에게 심양 생활은 하루도 편한 날이 없었다. 조선과 청나라 사이에 끼어 숨이 턱턱 막혔다. 조선에서는 세자가 하는 일도 없이 청나라의 입장만 전달한다며 배척하고, 청나라는 청나라대로 자신들의 요구에 난색을 표하는 세자를 다그치기 일쑤였다. 그 와중에 사신으로 따라간 오달제, 윤집, 홍익환이 척화에 반대하다 처형당하는 일까지 벌어졌다. 이들은 훗날 '척화 삼학사'로 이름을 남겼다.

소현세자가 가장 행복하다고 느꼈던 순간은 베이징에서 예수회 선교사 아담 샬(Adam Schall)을 만났을 때다. 서양의 천주학과 과학기술에 놀란 세자는 조선으로 돌아가면 천문학을 널리 보급하고 싶었다.

인질로 끌려간 지 8년 만이었다. 고국으로 돌아온 소현세자는 기대감에 부풀었다. 자신을 맞이하는 백성들의 환대가 식을 줄 몰랐다. 다른 한편에서는 청나라가 인조를 끌어내려 소현세자를 앉힐 거라는 소문도 나돌았다. 1645년 2월, 떠도는 소문과 함께 소현세자는 꿈 한번 펼쳐보지 못한 채 창경궁에서 숨을 거두었다.

"세자는 환국한 지 얼마 안 되어 병을 얻었고, 병을 얻은 지 며칠 만에 죽었다. 시신은 온몸이 새까맣고 배 속에서 피가 쏟아졌다."

임금님 수라상에 독을 넣었다는 혐의로 강빈도 곧 세자의 뒤를 따랐다.

대 련

大连

## 수상경찰서

인천공항에서 한 시간이면 닿는 대련은 만주에서 유일한 항구도시다. 겨울에도 기온이 온화해 '북방의 홍콩'으로 불린다. 공부는 베이징에서, 일은 상하이에서, 노후는 대련에서 보내라는 말이 그래서 생겨났다. 대련 도심에서 약 9km 떨어진 방추이다오(棒槌島, 방망이 모양의 작은 섬)가 대표적이다. 방추이다오는 마오쩌둥·덩샤오핑·장쩌민 등 중국 수뇌부들이 애용한 특급 휴양지였다.

겨울에도 얼지 않는 부동항을 물색 중인 러시아는 만주 최남단에 위치한 대련을 조차(1898년)하면서 개발에 착수했다. 작은 어촌 마을은 멋진 항구도시로 다시 태어났고, 대련에서 하얼빈을 잇는 철도가 개설되었다. 그로부터 6년 뒤, 러시아가 꿈꾸었던 미래도시는 러일전쟁에 패하면서 일본에 넘겨줘야 했다.

1909년 10월 18일 대련항에 상륙한 이토 히로부미는 동양평화를 주제로 연설회를 가졌다.

"오늘날 동양이 불안한 이유는 만주의 치안이 불안한 탓이다. 이에 일본이 만주의 치안을 담당하게 되면 러시아와 중국도 안전해질 뿐 아니라, 교역의 발달로 경제성장에도 큰 힘이 될 수 있다. 때문에 일본은 동양평화의 출발선에 서 있다고 할 수 있다."

만찬회에 모인 일본인들은 기립 박수로 환호했다. 아시아의 강국으로 발돋움하고 있는 자국의 미래가 눈앞에 펼쳐졌다. 그러나 이토

히로부미의 원대한 포부도 대련에서 철수한 러시아처럼 오래가진 못했다. 하얼빈역에서 그를 기다리는 사람이 있었다.

1932년 봄 상해임시정부에 국제연맹 조사단이 대련을 방문한다는 소식이 전해졌다. 일제의 만주국 승인을 막아야 한다는 일념으로 김구는 한인애국단 소속 최흥식과 유상근을 대련에 급파했다.

선박을 이용해 대련에 도착한 최흥식과 유상근은 잠행에 들어갔다. 한인애국단이 지목한 인물은 관동군사령관 혼조 시게루(本庄繁)와 남만주철도 총재 우치다 고사이(內田康哉)였다.

"대련역은 우리의 마지막 무덤이 될 것이다. 임무를 마치면 우리 모두는 휴대한 권총으로 즉시 자결한다."

장춘을 떠난 리튼 조사단이 대련역에서 내린다는 소식에 단원들은 마지막 결의를 모았다. 임시정부가 계획한 '대련의거'는 무위로 돌아

수상경찰서

갔다. 김구에게 보낸 전보 내용이 일제에 발각되면서 단원들은 치안
유지법 위반, 살인예비, 폭발물취체규칙 위반으로 여순감옥에 수감되
었다.

인파로 붐비는 대련역을 빠져나와 수상(해양)경찰서로 이동했다.
해방 전 일제가 관할한 수상경찰서는 대련 항무국(港務局)이 들어서
있었다.

1932년 11월, 장춘에 사는 이규숙(이회영의 딸)의 주소로 전보가 날
아들었다.

"11월 17일 대련 수상경찰서에서 부친 사망."

어찌 된 일일까? 이회영은 좀처럼 흔적을 남기지 않았다.

"원래 혁명가는 메모나 일기를 남기지 않는다. 모든 주소와 연락처

도 머리에 기억한다. 그리고 약간의 기록물도 그 자리를 떠나면 반드시 불태워버린다."

상해에서 대련으로 떠나기 전 아내에게 보낸 익명의 편지도 단 두 줄뿐이었다.

"지금 신지(新地)로 간다. 안정이 되면 편지할 테니 답장 마라."

망명 이후 이회영은 20년 넘게 만주와 북경, 상해를 넘나들면서 일제에 한 번도 검거된 적이 없었다. 완벽한 중국어 구사와 변장에 능한 이회영은 타의 추종을 불허했다.

일제가 만주를 침략한 1932년은 관동군의 경비망이 최고조에 달했다. 특히 수상경찰서는 상해에서 대련으로 잠입해 들어오는 독립투사들을 검거하기 위해 혈안이 되어 있었다. 선착장에서 검문을 받다 체포된 이회영은 주소와 성명, 나이만 밝힌 채 입을 굳게 다물었다. 만주 지역에 아나키즘 조직을 확대하려던 계획이 어려워지고 있었다.

"생(生)과 사(死)는 다 같이 인생의 일면인데 사를 두려워해가지고 무슨 일을 하겠는가. 가슴에 품은 뜻을 이루고 못 이루고는 하늘에 맡기고, 사명과 의무를 다하려다가 죽는 것이 얼마나 떳떳하고 가치 있는가."

저들의 고문을 이겨낼 것인가, 자결로써 마침표를 찍을 것인가! 막다른 길에 들어서면 언제나 선택은 하나로 좁혀지기 마련이다. 시사여귀(視死如歸, 자신의 죽음을 고향으로 돌아가는 것같이 여긴다는 뜻). 상해를 떠날 때 이미 각오한 일이었다.

전보를 받고 달려온 이규숙은 아버지를 보는 순간 강한 의구심이 들었다. 아버지의 시신을 덮은 모포에 선혈이 낭자한데도 일본 경찰은 아무런 대꾸가 없었다. 이회영의 아내 이은숙은 자서전에서 다음과 같이 회고했다.

대련에 도착한 규숙이가 수상경찰서를 찾아가 아버지의 함자를 대니, 형사들이 영접은 하나 꼼짝 못 하게 지키고 있었다. 여러 신문사 국장들이 규숙이를 좀 만나게 해달라며 청하는데도 형사들은 허락하지 않았다. 당시 22세였던 규숙은 형사들이 시키는 대로 시체실에 가서 아버지의 신체를 뵈었다. 옷은 입으신 채로 이불에 싸서 관에 모셨으나 눈은 차마 감지를 못한 채였다. 너무나 슬프고 기가 막힌데 형사들이 재촉하여 어쩔 도리가 없었다. 화장장에 가서 화장을 한 후 유해를 모시고 장춘으로 왔으니 슬프도다.

1932년 11월 『중앙일보』와 『동아일보』는 일본 경찰에 체포된 이회영이 조사를 받던 중 유치장 창살에 목을 매 죽었다고 보도했다. 반면 중국 정부는 의외의 결과를 내놓았다. 이회영이 수상경찰서가 아닌, 여순감옥에서 옥사했다는 것이다. 이를 뒷받침하듯 중국 정부는 이회영에게 항일열사 증명서를 추서하고, 여순감옥에 흉상까지 건립했다.

칠순을 바라보는 노구에도 불구하고 자신의 한계를 끝없이 뛰어넘으려 했던 우당 이회영. 그는 우리가 염원한 독립이 쉬이 오지 않으리라는 걸 이미 예견하고 있었다. 일찍이 신흥무관학교를 세워 무장투쟁을 고집하고 아나키스트로 변신한 것도 그런 이유였다.

"아나키즘은 권력의 집중을 피하고, 분권적인 지방자치단체의 연합으로서 중앙정치를 구성하며, 경제건설에 있어서는 재산의 사회성에 비추어 일체의 재산은 사회적 자유평등의 원리에 모순이 없도록 민주적인 관리 운영의 합리화를 꾀하여야 한다."

이회영은 어느 누구에게도 아나키스트가 되라고 강요하지 않았다. 베이징에서 만난 심훈(소설가)에게는 장차 외교관이 되는 길을 소상히 일러주었다. 언어에 재능을 가진 심훈은 외교관이 더 잘 어울려 보였다. 이처럼 이회영은 자신의 능력 가운데서 가장 올바른 것을 선택한다면 그것이 곧 독립의 길이요, 조국의 미래를 위한 길이라고 믿었다.

프랑스와 영국이 백년전쟁을 치를 때다. 프랑스 남부를 점령한 영국군은 칼레를 대표하는 여섯 명의 목숨을 내놓는다면 나머지 시민들은 모두 살려주겠다는 조건을 제시했다. 제일 먼저 손을 든 사람은 칼레에서 가장 부자로 알려진 외스타슈 드 생 피에르(Eustache de St Pierre)였다. 뒤이어 시장, 상인, 법률가 등 귀족들이 처형에 동참했다. 사회 지도층에게 도덕성을 요구하는 노블레스 오블리주(noblesse oblige)를 탄생시킨 배경이다.

우리에게도 노블레스 오블리주에 버금가는 6형제가 있다. 월남 이상재가 유언으로 남긴 이회영의 형제들이다.

"동서 역사상 나라가 망한 때, 나라를 떠난 충신과 의사가 수백 수천에 지나지 않는다. 그러나 우당의 6형제처럼 한마음으로 결의하고 나라를 떠난 일은 전무후무한 것이다. 하여 나라가 해방되는 날 국가는 이회영 가문의 재산을 돌려주어야 한다."

이회영 일가의 망명 생활은 눈물겨웠다. 신흥무관학교에 전 재산을 쏟아부은 일가는 빈민가를 전전하며 가난과 굶주림에 시달려야 했다. 6형제 중 살아서 돌아온 사람은 이시영이 유일했다. 이회영의 둘째 아들 이규창은 아버지를 원망하고 싶어도 그럴 수가 없었다며 울먹였다.

"가난해서 밥을 먹어본 것이 하루에 한 끼를 먹을까 말까 했습니다. 속이 상하지만 그렇다고 배가 고프다고 말할 수 있겠습니까. 왜냐하면 아버지께서도 가족을 위해 아무것도 해줄 수가 없었으니까요."

여객선 터미널로 변한 선착장을 하염없이 걸었다. 웨딩드레스를 입은 아내와 함께 오르간 반주에 맞춰 동시 입장하는 결혼식 장면이 스쳐 지나갔다. 이회영 부부는 결혼 첫날밤에 애국가를 합창한 로맨티시스트이자 자유인이었다.

끼룩끼룩, 갈매기 울음 사이로 호루라기 소리가 들려왔다. 제복 차림의 경찰이 허겁지겁 달려오고 있었다. 선착장에 설치한 감시카메라에 잡힌 듯했다. 뚜이부치(对不起), 미안하다는 말을 남긴 채 일본인 거리로 떠났다.


## 일본인 거리, 러시아 거리

러·일 양국이 서로 각축전을 벌인 대련은 지배 당시의 흔적이 곳

장쭤린 고택

곳에 남아 있다. 도심을 달리는 노면전차도 그중 하나다. 1907년 일제가 개설한 노면전차를 보고 있으면 생소한 느낌마저 든다. 이곳이 정말 대련이 맞는지. 8차선 도로 한복판을 가로지르는 노면전차가 정차할 때면 뒤따르던 네 바퀴 차량들이 동시에 멈춰 섰다.

일본인 거주 지역이었던 망해가(望海街) 거리는 아니 간 것만 못했다. 사진엽서에서 본 100년 전 모습은 어디에도 없었다. 대련시가 야심차게 조성한 일본인 거리는 고급 빌라와 상가들이 즐비했다. 장쭤린 고택은 일본인 거리에서 해안도로로 빠져나가는 길목에 자리했다.

마적단 출신의 장쭤린은 만주를 중국 안에 있는 자치국처럼 지배한 인물이다. 일제는 그런 장쭤린을 필요로 했고, 장쭤린도 일제와 벌이는 시소게임을 통해 자신의 입지를 넓혀갔다. 하지만 장쭤린의 암묵적인 동의는 스스로 무덤을 파는 행위에 지나지 않았다. 만주 침략을

러시아 거리

앞두고 일제는 걸림돌이 될 장쭤린부터 제거해버린 것이다. 장쭤린의 아들 장쉐량도 만주사변이 일어나기 전 진저우에서 참살당했다.

블라디보스토크에서 대련은 약 1500km. 러시아인들은 대련을 '멀고 먼 땅'이라는 뜻에서 '다리니(達里泥)'라고 불렀다. 단결가(团结街)에 자리한 러시아 거리는 파랑, 빨강, 주황, 노랑 등 화려한 색상의 르네상스풍이 주변을 수놓았다. 인형 속에 인형이 들어있는 마트료시카(풍요와 다산을 상징하는 러시아 전통의 목각 인형)를 보는 듯 건축물들이 하나같이 컬러풀했다.

하얼빈보다 일찍 조성된 러시아 거리의 하이라이트는 거리가 끝나는 200m 지점에서 펼쳐졌다. 청사 앞 광장에 놓인 대형 분수대를 보는 순간 최 표트르 세묘노비치(한국 이름 최재형)의 얼굴이 떠올랐다.

우수리스크에서 처형당한 그를 위해 〈쥬라블리(Журавль, '백학')〉를
들려주었다.

    나는 가끔 생각하지

    피로 물든 들녘에서 돌아오지 않는 병사들이

    잠시 고향 땅에 누워보지도 못하고

    백학으로 변해버린 듯하여

    그들은 옛날부터 지금까지 날아만 갔어

    그리고 우리를 불렀지

    왜 우리는 자주 슬픔에 잠긴 채

    하늘을 바라보며 말을 잃어야 하는지

    날아가네 날아가네

    저 하늘에 지친 학의 무리들 날아가네

    저무는 하루의 안개 속을

    무리 지은 대오의 그 조그만 틈새

    그 자리가 혹 내 자리는 아닐는지

    그날이 오면 학들과 함께

    나는 회청색의 어스름 속을 끝없이 날아가리

    대지에 남겨둔 그대들의 이름자를

    천상 아래 새처럼 목 놓아 부르면서


최재형의 생애는 출생부터가 드라마틱했다. 노비 출신의 아버지와

우수리스크 4월참변추도비

기생 출신의 어머니 사이에서 태어난 그는 배고픔을 견디지 못해 국경을 넘은 것이다. 아홉 살의 이국 소년을 친자식처럼 돌봐준 사람은 러시아인 선장 부부. 선원 생활을 통해 견문을 넓힌 최재형은 자신이 쌓아 올린 재력을 바탕으로 동의회(同義會), 대동공보, 권업회 등 연해주 독립운동의 주춧돌이 되었다. 여순감옥에서 숨진 안중근의 남은 가족들을 연해주로 이주시켜 보살핀 사람도 최재형이었다. 드라마 〈모래시계〉의 삽입곡으로 사랑을 받은 〈쥬라블리〉는 최재형이 잠든 우수리스크 4월 참변 추도비에서 불렸던 노래다. 1920년 4월 7일, 아버지의 마지막 모습을 지켜본 딸의 음성이 심장을 뛰게 만들었다.

"아버지에게 도망가라고 했을 때 이렇게 말씀하셨어요. 내가 도망치면 너희 모두 일본군에 끌려가 고문을 당할 것이라고. 다음 날 새벽, 열린 창문으로 일본군에게 끌려가는 아버지의 뒷모습이 보였어요."

최재형이 떠난 후 고려인들은 그를 '페치카(pechka)'라고 불렀다. 연해주 동포들에게 최재형은 벽난로처럼 따뜻한 사람이었다.

해가 저물기를 기다렸다는 듯이 발길은 아시아에서 제일 큰 성해광장(176만m²)으로 이어졌다. 항구도시 대련에는 승리, 중산, 우의 등

성해광장 야경

광장만 모두 80개가 넘는데, 해안가에 자리한 성해광장은 야경이 아름다운 곳이다.

여순

·

·

旅順

## 여순항과 여순역

해군기지가 들어선 여순은 외국인 접근이 무척 까다로웠다. 숙박을 하려면 허가증을 받아야 했다. 숙소에 가방을 맡긴 뒤 인근 공안파출소를 찾아갔다.

여권을 확인한 경찰관이 입을 열었다.

"여순에서 숙박을 하려는 이유가 무엇인가?"

순간, 장 자크 루소의 『에밀』 구절이 뇌리를 스쳐갔다.

"도착하기만을 원한다면 달려가면 된다. 그러나 여행을 하고 싶을 때는 걸어서 가야 한다."

"더 많은 걸 보고 느낄 수 있는 도보여행을 좋아한다."

"직업은 무엇인가?"

여순항 표지석

"작가다."

"여순에 아는 사람이 있는가?"

"그렇다."

"그들의 신상을 말해줄 수 있는가?"

"신채호, 이회영, 안중근, 박희광, 최흥식, 유상근…. 그리고 저우언라이다."

이제야 말귀를 알아들은 걸까?

여순역

삼십 대 후반으로 보이는 중국 경찰이 '경외인원주숙등기표(境外人員住宿登记表)'에 붉은 도장을 찍어 내밀었다. 고맙다는 말은 생략했다. 시간을 너무 끌어 화가 날 지경이었다.

숙소로 돌아가는 길이었다. 이령산(爾靈山) 정상에 설치한 포탄탑(砲彈塔)이 시야에 들어왔다. 일본군의 러시아 해군기지 습격으로 시작된 전쟁에서 이령산 203고지는 가장 치열한 격전지였다. 일본군 사상자 1만여 명, 러시아군 사상자도 6000명이 넘었다.

1904년 2월 8일 일제는 어둠을 틈타 여순항에 정박 중인 러시아 함대를 기습 공격했다. 날이 밝아오자 러시아도 반격에 나섰다. 부동항을 지키려는 러시아와 자유항을 차지하려는 일본의 숨 가쁜 해전(海戰)이었다. 여순항을 피로 물들인 전투는 이령산 203고지에서 대단원의 막을 내렸다. 양측의 계산법은 서로 달랐다. 러시아 혁명을 주도한 블라디미르 레닌은 러일전쟁의 패배를 차르 정권의 몰락으로, 이토 히로부미는 만주 침략의 계기로 삼았다.

철조망이 드리워진 해군기지 담벼락을 끼고 6차선 신호등을 건넜다. 1909년 11월 3일, 안중근 일행이 도착한 여순역은 인적을 찾아보기 어려웠다. 텅 빈 거리에 찬 바람만 무심히 나부꼈다. 하루 네 차례 기차가 운행 중이라는 역무원의 말을 듣고서야 역사 주변을 둘러보았다.

안중근에게 여순은 꿈의 도시였다. 항만을 갖춘 여순을 동양평화의 출발점으로 삼으려 했다. 중·러·일 3국의 대표를 구성해 합동 부대를 창설하고, 공동 출자에 의한 재정 확보 방안도 이미 마친 상태였다. 그러나 안중근은 자신이 어리석었다는 걸 깨달았다. 러일전쟁에서 승리한 일제는 "동양평화를 유지하고 한국의 독립을 공고히 하겠다"던 일본왕의 선언을 일거에 뒤집어버렸다. 러일전쟁을 빌미로 한일의정서를 체결한 일제는 한반도 침략을 더욱 노골화했다. 결국 러일전쟁의 최대 피해자는 대한제국이었다. 국제적 승인 아래 전리품 취급을 받고 만 것이다.

손발이 결박당한 채 호송열차를 타고 온 안중근은 몹시 지쳐 있었다. 장장 1000km를 끌려온 것이다. 여순역에서 내린 안중근은 일제가 특수 제작한 마차에 실려 여순감옥으로 이송되었다.

## 안중근은
## 죽지 않았다

1902년 러시아는 여순에 감옥을 짓는 중이었다. 러일전쟁이 발발하면서 공사는 중단되었고, 러시아는 2층 건물을 야전병원과 마병기지로 사용했다. 만주에서 규모가 가장 큰 여순감옥은 그때의 흔적이 건물 외벽에 고스란히 남아 있다. 붉은색 벽돌 건물은 러시아가 짓다 만 것이고, 회색 건물은 일제가 증축을 거쳐 1907년 공사를 마쳤다.

총 257개 감방에 2000여 명을 수용하는, 여순감옥 특별 감방에 수감된 안중근은 마치 꿈을 꾸는 것 같았다. 한국에서 본 일본인은 교활하기 짝이 없는 반면, 여순감옥에 근무하는 일본인은 하나같이 친절하고 후해 보였다. 더욱 놀라운 건 미조부치 검사의 심문 방식이었다.

여순감옥 내부

여순감옥 정문

하나의 주제를 놓고 상대방과 토론하듯 진행되었다. 다만, 이토 히로
부미에 대해서는 화가 치밀었다.

"자기의 조국을 전쟁에서 지키고자 하는 마음은 누구나 같지 않을
까? 만약 일본이 한국을 침략하지 않았다면 내가 무슨 이유로 이토
를 죽였겠는가. 이토를 없애야겠다고 결심한 건 러일전쟁과 을사조
약, 정미7조약을 지켜본 뒤였다. 몇 번을 생각하고 또 생각해봐도 이
토 히로부미의 진정성을 믿을 수가 없었다. 동양 평화를 외치는 일본
이 무엇 때문에 박영효는 제주도로 유배시키면서 이완용 등 5적을 공
신으로 삼는단 말인가."

감옥 입구에 설치된 엑스레이 검색대를 통과해 건물 안으로 들어
갔다. 144일을 갇혀 지낸 안중근 독방은 입구 안쪽에 별채처럼 뚝 떨

안중근 특별 감방

어져 있었다. 감방으로 들어가는 출입문도 계호실(戒護室)을 거쳐 가
는 구조였다. 서른두 살의 안중근은 철제 침대와 책상이 놓인 1.5평
크기의 독방에서 『안응칠 역사』와 미완의 『동양평화론』을 집필했다.

　　지금 서양 세력이 동양으로 뻗쳐오는 환난을 동양 사람들이 일치단
　　결해서 극력 방어함이 최상책이라는 것은 비록 어린아이일지라도 익
　　히 아는 일이다. 그런데도 무슨 이유로 일본은 이러한 순리의 형세를
　　돌아보지 않고 같은 인종인 이웃나라를 치고 우의(友誼)를 끊어 스스
　　로 방휼의 형세(조개와 도요새가 서로 물고 물리며 다투는 형세. 이때
　　어부가 나타나면 힘 안 들이고 잡아가게 된다고 해서 '어부지리(漁夫之
　　利)'라는 말이 생겼다)를 만들어 어부(漁夫)를 기다리는 듯하는가. 한

국과 중국, 양국인의 소망은 크게 깨져버리고 말았다. 만약 일본이 정략을 고치지 않고 핍박이 날로 심해진다면 일본은 스스로 백인(서양)의 앞잡이가 될 것이 불을 보듯 뻔한 형세이다.

『동양평화론』 서문에 실린 내용이다. 사형선고 후 항소를 포기한 안중근은 서문(序文), 전감(前鑑), 현상(現狀), 복선(伏線), 문답(問答) 등 『동양평화론』을 다섯 단계로 구상했었다. 그렇지만 일제는 충분한 시간을 주겠다던 약속마저 저버렸다.

감옥은 수형자를 가둔 뒤 24시간 감시하는 곳이다. 더욱이 안중근은 여순감옥 수형자 중에서 최고의 거물이었다. 미로처럼 뻗어 있는 비좁은 통로를 지나 맞은편 2층 건물 안으로 들어섰을 때다. 순간 온몸이 발가벗겨진 기분이 들었다. 계장급 이상 교도관들이 휴게소로 사용한 2층 창문을 통해 안중근의 독방이 카메라 렌즈에 포착되었다. 일제는 안중근의 일거수일투족을 철저히 감시하고 있었던 셈이다.

한국, 중국, 러시아 등 700여 명의 항일투사들이 옥사(獄死)한 여순감옥 내부는 음산한 기운이 감돌았다. 끝이 보이지 않는 긴 터널을 지나는 것 같았다. 잠시 걸음을 멈춘 곳은 36호와 37호 감방 앞이었다. 감옥을 개보수하기 전만 하더라도 두 감방 벽에 신채호와 이회영의 수감 사진이 걸려 있었다.

재판이 시작될 무렵 안중근은 당혹감을 감추지 못했다. 일제는 한국인 변호사를 허용할 수 없다며 일본 국적의 관선 변호사를 채택해버렸다.

"마나베 판사가 법률을 잘 몰라서 이런가? 이토 히로부미가 세운 관리라서 그런가? 아, 이대로 정말 끝이란 말인가? 죽어야 다시 살아날 수 있단 말인가…?"

재판을 앞둔 안중근은 오만 가지 생각이 다 들었다. 누군가 자신을 깊은 수렁 속으로 밀어 넣는 것만 같았다.

1910년 2월 7일. 안중근은 우덕순, 조도선, 유동하와 함께 법정에 모습을 드러냈다. 방청석에서 잠깐 소란이 일었다. 안중근의 남루한 복장을 지적하는 목소리였다. 깃을 접은 양복에 스카치 바지를 입은 안중근은 뒤를 돌아보았다. 방청석에 변호를 거절당한 미하일로프(러시아), 더글러스(영국), 안병찬 변호사와 두 동생(정근·공근)이 앉아 있었다.

첫 재판을 마친 안중근은 또 한 번 침통함에 잠겼다. 판사도 일본인, 검사도 일본인, 변호사도 일본인, 통역관도 일본인…. 재판이 시작되자 일제는 안중근의 하얼빈 거사를 일반 형사사건으로 몰아갔다.

안중근의 재판은 빠르게(속전속결로) 진행되었다. 2월 12일, 5차 공판이 열리는 날이었다. 미조부치 검사는 안중근에게 최고형을 구형했다.

"이런 사람이 세상에 살아 있으면 많은 한국인들이 그의 행동을 본뜰 것이므로, 일본인들이 이를 두려워하고 겁을 내 마음 놓고 지내기가 어렵기 때문에 사형을 구형한다."

싸늘한 시선으로 미조부치 검사를 바라보던 안중근은 웃고 말았다. 어머니의 당부처럼 저들에게 목숨을 구걸하는 것 자체가 부끄러운 일이었다. 비겁하게 죽지 않는 것도 대한의군 참모중장으로서 감당해야 할 몫이었다.

1910년 2월 14일 오전 10시. 재판을 시작한 지 8일 만에 1심 선고가 내려졌다.

"피고가 이토를 살해한 행위는 그 결의가 개인적인 원한에서 나온 것이 아니라고 하더라도, 치밀한 계획 끝에 감행한 것이므로 살인죄에 대한 극형을 내리는 것이 지당하다고 믿고, 피고 안중근을 사형에 처한다."

이어서 마나베 판사는 우덕순에게 징역 3년, 조도선과 유동하에게 각각 1년 6월의 형을 선고했다.

그리고 며칠 후, 항소를 포기한 안중근은 「동포에게 고함」이라는 마지막 글을 남겼다.

내가 한국의 독립을 회복하고 동양 평화를 유지하기 위하여 3년 동안 해외에서 풍찬노숙으로 보내다, 마침내 그 목적을 달성하지 못하고 이곳에서 죽는다. 우리 이천만 형제자매는 스스로 분발하여 학문에 힘쓰고, 실업을 진흥하며, 나의 끼친 뜻을 이어 자유 독립을 회복한다면 죽은 자로서 여한이 없을 것이다.

3월 26일 새벽, 여순감옥에 봄을 재촉하는 보슬비가 내리고 있었다. 어머니가 지어 보낸 한복으로 갈아입은 안중근은 기도를 마친 후 간수를 불렀다.

안중근 사형집행지

"지바 도시치 상병에게 주려고 쓴 것이니 내 마지막 정성으로 받아
주시오. 그리고 지바 상병이 나를 감시하고, 내가 이토 히로부미를 죽
인 것도 군인된 신분으로 행한 것이니 이해를 바라오."

"저도 선생님께 드릴 말씀이 있습니다. 아침 배식을 들고 갈 때마
다 선생님은 미동도 없이 기도를 하고 계셨습니다. 저도 고향으로 돌
아가면 선생님처럼 선한 사람이 되도록 정진하겠습니다."

"지바 상병이 그 같은 마음을 가졌다니 감사한 일이오. 기회가 된
다면 우리 아시아에 평화가 찾아왔을 때 다시 만나도록 합시다."

만주 6000km

일본 헌병대 소속 지바 도시치(千葉十七) 간수에게 '위국헌신 군인 본분(爲國獻身 軍人本分, 나라를 위해 헌신함은 군인의 본분이다)'이라는 유묵을 선물한 안중근은 사형장으로 향했다.

안중근이 사형당한 취의지(就义地, 순국 장소)에는 교수형 밧줄이 매달려 있다. 4~5m 높이에 매달린 밧줄을 물끄러미 지켜보았다. 육신이 사라진 자리에 인영(人影)이 보이는 듯했다.

"자애로우신 나의 빌렘 신부여, 저에게 처음으로 세례를 주시고, 최후의 장소까지 내림하시어 친히 모든 성사를 베풀어주신 홍은에 감사합니다. 저를 잊지 마시기를, 저 또한 결코 잊지 않겠나이다."

사형장으로 들어선 안중근은 빌렘 신부를 떠올렸다. 천주교 입교 후 친구처럼 지낸 빌렘 신부는 교단의 반대에도 불구하고 안중근에게 마지막 종부성사를 베풀어준 고마운 신부였다.

"내가 여순에 오기까지는 많은 시련과 장애가 있었다. 이번 거사를 내가 지시한 것처럼 와전되어 적지 않은 의심을 받아야 했다. 하지만 관동법원 측에서 특별면회 허가가 났다는 두 동생의 전보를 받고 오기로 결심했다. 오늘 면회의 목적은, 나는 나의 신앙의 아들을 사랑하기 때문에 네가 죽을 때까지 사랑하고 목숨을 다해 기도를 해야 한다."

교수대에 오른 안중근의 머리에 백포가 씌워졌다. 안중근은 조용히 두 눈을 감았다. 조국의 독립과 아시아의 평화를 위해 숨을 놓은 시간은 1910년 3월 26일 오전 10시 15분. 블라디보스토크에서 여순 감옥까지 뜻을 함께한 우덕순은 안중근의 마지막 모습을 다음과 같이 기억했다.

"점심 무렵 간수가 불러내 갔더니 교회당에 조도선, 유동하가 먼저 와 있었다. 흰 천으로 덮인 운구가 보여 마지막으로 한 번만 안중근의 얼굴을 보여달라고 했지만 아무도 들어주는 사람이 없었다. 우리 세 사람은 기도를 마친 후 각자 방으로 돌아가야 했다."

안중근의 유해는 마차에 실려 북문(北門)을 빠져나간 뒤, 영영 우리들 곁으로 돌아오지 못했다.

## 역사를 잊은 민족에게
## 미래는 없다

신채호 흉상

여순감옥 국제항일열사전시관은 한국의 독립투사를 배려한 특별 공간이다. 전시관 중앙에 설치한 신채호, 이회영, 안중근 흉상은 물론이고, 여순감옥에서 수감생활을 한 의열단, 한인애국단 소속의 독립투사 자료들이 전시되어 있다.

신채호 흉상을 마주하니 시종일관 신념을 굽히지 않았던 단재의 노기 띤 음성이 귓가에 쟁쟁했다.

"이완용은 있는 나라를 팔아먹었지만 이승만은 없는 나라를 팔아 먹었다."

역설적이지 않으면 그건 진실이 아니라고 했던가. 단재에게 노여 움을 산 이승만은 두 번 탄핵을 당했다. 첫 번째 탄핵은 상해임시정부 초대 대통령으로 부임했을 때다. 우드로 윌슨(Woodrow Wilson, 미국 28대 대통령)에게 보낸 청원서가 문제의 발단이었다. 국제연맹에서 한 국을 위임 통치해달라는 청원서 내용이 알려지면서 국내외 항일단체 들이 들고 일어난 것이다. 이승만의 독선적인 행동이 독립운동에 찬 물을 끼얹은 꼴이었다. 두 번째 탄핵은 4·19혁명 직후였다. 대통령직 에서 물러난 이승만은 하와이 망명길에 올랐다.

비타협적 투쟁을 온몸으로 실천한 신채호는 성균관 출신이다. 1910년 8월 29일 나라가 완전히 무너지자 신채호는 블라디보스토크 로 떠나버렸다. 한 나라의 국권 상실은 산 사람의 사지를 도려낸 것과 크게 다르지 않았다.

블라디보스토크에서 베이징으로 돌아온 신채호는 이회영 부부의 주선으로 결혼식을 올렸다. 조선총독부의원에서 간호사로 근무한 박 자혜는 3·1운동 때 '간우회(看友會)'를 결성한 당찬 여성이었다. 조 선식산은행에 폭탄을 투척한 나석주를 도운 것도 박자혜였다.

불혹의 나이에 첫 아들을 얻은 신채호의 시름은 더욱 깊어만 갔다. 청산리전투 이후 항일 무장단체에 불어닥친 경제적 어려움은 이루 말할 수 없었다. 사막 한가운데 서 있는 심정이었다. 이회영은 벌써 두 딸을 중국 고아원에 맡긴 뒤였다. 둘째를 임신한 아내와 아들을 국내로 들여보낸 신채호는 망국의 한이 온몸에 솟구쳤다. 어쩌다 조선의 500년 역사가 이 지경이 되었단 말인가. 핏덩이 자식을 일제의 발굽 속으로 밀어 넣는 아비의 심정은 억장이 무너졌다.

1928년 4월 톈진에서 '무정부주의 동방연맹'이 결성되었다. 가볍게 짐을 꾸린 신채호는 대만으로 향했다. 무장투쟁에 필요한 자금을 마련하려면 일제의 소굴로 들어갈 수밖에 없었다. 청일전쟁에서 패한 중국은 시모노세키조약으로 대만을 일본에 일임한 상태였다. 대만에 도착하면 위조지폐를 만들어 일본 은행에 예금한 뒤, 진짜 지폐로 되찾을 계획이었다.

1928년 5월, 대만 지룽항에 상륙하다 일본 경찰에 체포된 신채호는 대련으로 압송되었다. 조사 과정에서 신채호의 독립운동 이력이 드러나자 일제는 재판을 늦추었다. 자신들이 찾고 있던 「조선혁명선언」 작성자가 체포된 것이다.

1929년 2월 7일 대련 지방법원에서 재판이 열렸다. 신채호는 조금도 주저하지 않았다.


재판장 : 그대는 국제위체(國際爲替)를 사기하려 하였나?

신채호 : 그렇다.

재판장 : 무엇에 쓰려고 하였나?

신채호 : 동방연맹 자금으로 쓰되, 선전 잡지를 발간하여 동지들을 규합코자 했다.

재판장 : 국제위체는 사기죄에 해당하는데 죄질이 나쁘다고 생각하

관동법원 법정

지 않나?

　신채호 : 빼앗긴 나라를 되찾기 위해 취하는 수단은 모두 정당한 것
이니 사기가 아니다. 또한 양심의 부끄러움이나 거리낌 따위는 없다.


　대련 지방법원은 치안유지법 위반과 유가증권위조 행사 및 사기
등 혐의로 10년 형을 언도한 신채호를 여순감옥으로 이감시켰다.

　신채호에게 감옥 생활은 혹독한 추위와의 싸움이었다. 차디찬 시
멘트 벽과 마룻바닥에서 올라오는 냉기를 견딜 수가 없었다. 건강이
악화되자 일제는 가석방을 조건으로 보호자를 내세웠다. 신채호는
쓴웃음을 지었다. 일제가 요구한 보호자는 친척 중에 친일파로 알려
진 인물이었다. 가석방은 곧 전향(친일)을 의미했다.

　일제의 갖은 협박과 회유에도 신채호는 『조선사』와 『조선상고사』
집필을 멈추지 않았다. 하루는 연재 중인 글이 일본 연호로 실린다는
걸 알고는 신문사(『조선일보』)에 화를 내기도 했다. 그 어떤 순간에도

일제에 머리를 조아리지 않겠다는 것이 그의 신조였다. 세수를 할 때 조차도 단재는 고개를 숙이는 법이 없었다.

"곡(哭)하고 노래하기마저도 부끄러운 시절이다. 그러니 내가 죽거든 시체가 왜놈들 발길에 차이지 않도록 화장해서 재를 바다에 띄워라."

1936년 2월 18일, 10년 형을 받은 신채호는 8년째 복역하다 여순 감옥에서 생을 마쳤다.

"아이들을 밥해 먹여서 학교에 보내려고 하는데 전보 한 장이 왔습니다. 기가 막힙니다. 무엇이라 하리까. 그날로 당신을 만나려고 떠났습니다. 여순형무소에 닿기는 그 이튿날인 2월 19일 오후 2시 10분이었습니다. 그러나 당신은 벌써 의식을 잃어버리고 말았습니다. 당신의 괴로움과 분함과 서러움과 원한을 담은 육체는 2월 22일 오전 11시 남의 나라 좁고 깨끗지 못한 화장터에서 작은 성냥 한 가치로 연기와 재로 변하고 말았습니다. 당신이여, 가신 영혼이나마 부디 편안히 잠드소서. 이제는 모든 희망이 완전히 끊어지고 말았습니다."

책과 옷가지를 구입해 남편을 옥바라지하던 박자혜도 해방을 보지 못한 채 셋방에서 홀로 숨을 거뒀다.

개었던 날씨가 흐려질 때처럼 감옥은 오래 머물 곳이 못 되었다. 가슴을 짓누르는 감옥을 벗어나 관동법원으로 향했다. 멀어져가는 조국 하늘을 바라보며 쓴 단재의 「한 나라 생각」이 겨울바람에 실려왔다.


　　나는 네 사랑

너는 내 사랑

두 사랑 사이 칼로 썩 베면

고우나 고운 핏덩이가

줄줄줄 흘러내려 오리니

한 주먹 덥석 그 피를 쥐어

한 나라 땅에 고루 뿌리리

떨어지는 곳마다 꽃이 피어서

봄맞이하리

여순

# 참고 문헌

강룡권, 『강제징병과 군위안부』, 연변인민출판사, 1999.

강룡권, 『동북 항일운동 유적답사기』, 연변인민출판사, 2000.

강창록·김영순 외, 『주덕해』, 실천문학사, 1992.

김구·도진순 주해, 『백범일지』, 돌베개, 2003.

김삼웅, 『안중근 평전』, 시대의창, 2009.

김성룡, 『불멸의 발자취』, 민족출판사, 2005.

김송죽·리광인, 『백포 서일장군』, 연변인민출판사, 2015.

김춘선·김철수, 『중국조선족통사 상·중·하』, 연변인민출판사, 2009.

김학철, 『나의 길』, 연변인민출판사, 1999.

김형수, 『문익환 평전』, 실천문학사, 2004.

김호웅·김해양, 『김학철 평전』, 실천문학사, 2007.

김희곤, 『이육사 평전』, 푸른역사, 2010.

님 웨일즈, 『아리랑』, 동녘, 1984.

리광인·림선옥, 『항일련군의 조선족 녀전사들』, 연변인민출사, 2015.

리광인·박용일, 『송몽규 평전』, 연변대학출판사, 2018.

리광인 편저, 『황포 출신 겨레 혁명가들』, 민족출판사, 2014.

밀산 조선족 백년사 편찬위원회, 『밀산 조선족 백년사』, 흑룡강조선민족출판사,

2007.

바르바라 바르누앙·위창건, 유상철 옮김, 『저우언라이 평전』, 베리타스북스, 2007.

박지원, 『열하일기』, 솔, 1997.

박지향, 『슬픈 아일랜드』, 기파랑, 2008.

박환, 『만주지역 한인유적답사기』, 국학자료원, 2009.

심영숙, 『중국 조선족 력사독본』, 민족출판사, 2016.

신용하, 『한국 항일독립운동사연구』, 경인문화사, 2006.

안수길, 『북간도 1·2』, 미래의창, 2004.

안중근, 『안중근 의사 자서전』, 범우사, 2017.

이덕일, 『근대를 말하다』, 역사의아침, 2012.

이덕일, 『이회영과 젊은 그들』, 역사의 아침, 2009.

이미륵, 정규화 옮김, 『그래도 압록강은 흐른다』, 범우사, 1977.

이원규, 『약산 김원봉』, 실천문학사, 2005.

이원규, 『김산 평전』, 실천문학사, 2006.

이은숙, 『서간도 시종기』, 일조각, 2017.

이태복, 『도산 안창호 평전』, 동녘, 2006.

이학인·김만수, 『만주의 사도 바울 한경희 목사』, 기독교연합신문사, 2005.

임채정 외, 『간도에서 대마도까지』, 동아일보사, 2005.

장세윤, 『봉오동·청산리 전투의 영웅 홍범도』, 역사공간, 2007.

정판룡, 『고리끼전』, 료녕민족출판사, 1985.

최국철, 『석정 윤세주 평전』, 연변인민출판사, 2015.

참고 문헌

최삼룡, 『항일시가집』, 민족출판사, 2012.

최삼룡, 『해방 전 산문집』, 민족출판사, 2013.

최삼룡 · 허경진 편저, 『만주 기행문』, 보고사, 2010.

최서해, 『탈출기』, 문학과지성사, 2004.

테드 알렌 · 시드니 고든, 『닥터 노먼 베쑨』, 실천문학사, 1991.

한용운, 『한용운 전집』, 신구문화사, 1974.

최동훈(감독)(2015), 〈암살〉[영화], 케이퍼필름.

이준익(감독)(2015), 〈동주〉[영화], 루스이소니도스.

김지운(감독)(2016), 〈밀정〉[영화], 워너브라더스코리아.

원신연(감독)(2019), 〈봉오동전투〉[영화], 빅스톤픽쳐스/더블유픽처스.

박영희의 항일 역사 기행

만주 6000km

초판 1쇄 발행 2021년 4월 12일

지은이 박영희
펴낸이 황규관

펴낸곳 (주)삶창
출판등록 2010년 11월 30일 제2010-000168호
주소 04149 서울시 마포구 대흥로 84-6, 302호
전화 02-848-3097
팩스 02-848-3094
전자우편 samchang06@samchang.or.kr

종이 대현지류
인쇄제책 스크린그래픽

ⓒ 박영희, 2021
ISBN 978-89-6655-132-3